ŁZA PRZESZŁOŚCI

Alina Lużyńska

ŁZA PRZESZŁOŚCI

MELANŻ
Warszawa 2015

Dla tych, przez których straciłam tak wiele,
z podziękowaniem za to, co dzięki nim zyskałam

Rozdział 1

Kiedy Anna zobaczyła go po raz pierwszy, wyglądał niczym dobry anioł zesłany z niebios, w kaszmirowym sweterku w kolorze écru. W przyciemnionym świetle kasyna stał u boku zadbanej blondynki w średnim wieku o imieniu Marit. Jej akcent wskazywał na skandynawskie pochodzenie. Anna spoglądała na niego z zazdrością i postanowiła przyjąć zamówienie od tego anioła.

– Poproszę herbatę owocową z miodem, a dla pani lampkę chardonnay – powiedział.

– Czyż ona nie jest piękna? – zwrócił się do Marit, ale ta nie zareagowała, przygryzając jedynie wargi z zazdrości.

Anna oblała się rumieńcem, posyłając aniołowi piękny uśmiech. – „Czarujący" – pomyślała. „Jednak przyszedł z kobietą, pewnie więc jest zajęty i nie ma co sobie zawracać nim głowy" – myślała, przygotowując zamówienie. Dosyć już przeszła, a w jej sercu wciąż były niezagojone rany.

W sobotnią noc kasyno Napoleons na Leicester Square wypełnione było klientami po brzegi. Stoły przy black jacku okupowali głównie Chińczycy, demonstrując wzniośle swoje emocje.

Anna przeciskała się przez tłum z tacą w dłoni, zmierzając do stołu z francuską ruletką, gdzie u boku Marit przystojny mężczyzna przyglądał się numerom zmieniającym się na ekranie.

Kiedy pewnym krokiem zbliżała się do nich, wzburzony Chińczyk, który przegrał właśnie wszystko, jak tornado przedzierał się do wyjścia. Pchnął Annę, filiżanka przewróciła się, a gorąca herbata lała się na rękę kelnerki. Poczuła piekący ból. Odgłos spadającej tacy sprawił, że oczy klientów skierowały się na nią. Nie wiedziała, czy ma uciekać, czy też pozbierać naczynia. Była tutaj nowa. Pracowała zaledwie miesiąc.

Schyliła się ze łzami w oczach, żeby posprzątać, a wtedy poczuła, jak ktoś bierze ją delikatnie pod rękę.

– Zostaw! – burknęła.

– Pokaż mi rękę – powiedział.

Wyciągnęła rękę w jego kierunku, a jej oczy spotkały się ze wzrokiem menedżera, który wyraźnie okazywał swoje niezadowolenie, kiedy kelnerki spoufalały się z klientami.

– Chodźmy, nie wygląda to dobrze – rzucił nieznajomy.

– Ale ja nie mogę tak po prostu wyjść – syknęła z bólu Anna. Jednak poddała się propozycji.

Nieznajomy zaprowadził Annę na zaplecze. Tam odszukał apteczkę i starannie opatrzył poparzoną rękę.

– Zrobiłeś to z taką wprawą, jakbyś robił to całe życie – pochwaliła.

Uśmiechnął się poważnie, skupiony na ręce Anny.

– Studiowałem medycynę – odpowiedział.

– Jak masz na imię? – zpytał, patrząc jej głęboko w oczy.

– Anna – odpowiedziała zaskoczona. – A ty?

– Mam na imię Jovan.

– Jovan? Z jakiego kraju pochodzisz? – zapytała.

– Urodziłem się w Serbii. Jednak mam duńskie obywatelstwo i mieszkałem w Kopenhadze. Teraz pracuję w Londynie – odpowiedział.

Zdała sobie sprawę, że cały czas trzyma ją za rękę. Odsunęła się zmieszana i zażenowana.

– Dziękuję za pomoc. Muszę wracać do pracy. Na szczęście to nic poważnego. Chyba powinieneś wrócić do swojej dziewczyny, ja na jej miejscu byłabym zazdrosna – powiedziała jeszcze zaczepnie.

– Poradzi sobie, to tylko moja znajoma z Kopenhagi. Przyjechała tu z wizytą.

Tego ranka Anna wracała z pracy jak na skrzydłach. Pomimo zmęczenia i wrażeń minionej nocy czuła lekkość. Lubiła moment, kiedy wsiadała do pierwszego porannego autobusu i wracała do domu. Czasem robiła po drodze zakupy za otrzymane w nocy napiwki, żeby zapełnić pustą lodówkę, ponieważ przesypiała większość dnia. Była więc pierwszą klientką, która dostawała rano jeszcze ciepłe bułeczki.

Jednak sam moment przejścia nocą z autobusu do wynajętego pokoju w dzielnicy Afroamrykanów napawał ją lekkim strachem. Kiedy kończyła zmianę o szóstej rano, zwykle mijała ludzi jadących do pracy. Często jednak wracała o czwartej rano, wówczas szła przez ciemną ulicę, słysząc wyłącznie stukot własnych obcasów, który jak echo odbijał się po Peckham. Przypomniała sobie historię zastrzelonej Polki, którą podczas porannego powrotu z pracy trafiła przypadkowa kula. To stało się przecież tylko dwie ulice dalej. Widywała ją nieraz. Nie znały się, ale mijając, wymieniały uśmiechy. Dziewczyna zmarła na miejscu. Trafiła na porachunki gangów. Anna osobiście nie miała nic do Afroamrykanów i na co dzień spotykała się z ich życzliwością. Jednak wolała dmuchać na zimne.

Przekręciła klucz w zamku. Jej współlokatorka Betty jeszcze spała, przy świetle i z włączonym telewizorem. Mieszkała tutaj już osiem lat, a jednak zawsze zostawiała włączone światło na noc w obawie przed ewentualnym napadem.

Kiedy Anna wracała rano, słyszała tę samą melodię kończącą film, która powtarzała się w nieskończoność. Betty spała jak kamień. Nikt i nic nie było w stanie jej obudzić. Anna zgasiła światło, wyłączyła DVD i poszła do kuchni, żeby zrobić sobie śniadanie.

Kiedy leżała w łóżku, myślała wyłącznie o Jovanie. Wciąż widziała jego oczy, które były takie spokojne, pełne głębi i piękna. W tych oczach odbijała się cała jego mądrość życiowa. „To prawda, że z oczu można wiele wyczytać" – pomyślała. Wyszeptała jego imię raz jeszcze i zasnęła.

Rozdział 2

Kiedy Anna budziła się po nocnej zmianie, nie wiedziała, czy to jeszcze noc, czy też przespała cały dzień. Grudniowe dni były tak krótkie, że w zasadzie żyła w ciemności. Za oknem prószył już pierwszy śnieg, a za drzwiami słychać było głos Betty, która rozmawiała przez telefon. Z reguły całe dnie spędzała na rozmowach telefonicznych z koleżankami, przed komputerem lub telewizorem. Czasem, gdy miała nastrój, rozkładała karty tarota.

Betty pracowała w Londynie jako opiekunka osób starszych, czasami wyjeżdżała poza miasto, gdzie mieszkała w domach osób pokrzywdzonych przez los, opiekując się nimi. Potem miała tydzień czy dwa wolnego. Była dobra w tym, co robiła. Do tego ciężkiego zajęcia podchodziła z humorem. Czasem musiała mieszkać z osobami chorymi psychicznie, czasami podnosić z łóżka dwumetrowego Andrew po wypadku, żeby umieścić go na wózku, nakarmić i ubrać. Pewna kobieta, którą się zajmowała, pakowała codziennie swoje rzeczy i stojąc w koszuli nocnej z walizką w korytarzu, mówiła, że jedzie do Paryża. Gdy Betty o tym opowiadała, zanosiła się śmiechem, a jej ciało falowało.

– Mówię ci, kochana, co ja z nimi mam. A ta z Yorkshire nie mówi nic, cały dzień tylko siedzi jak mumia i patrzy w telewizor. Czasem wyrwie jej się: „O kurwa mać!". Wyobraź sobie, cisza, a tu nagle siedzi przed telewizorem i walnie „kurwa mać" – Betty zanosiła się śmiechem, po czym dusiła kaszlem od nadmiaru dymu w płucach. – A jak dzwoniłam do ciebie ostatnio, to wiesz skąd? Z cmentarza pod Londynem. Wyprowadzam psa na stary angielski cmentarz, to jedyne miejsce, gdzie mogę palić fajki, tylko zasięgu czasem tam nie ma – kontynuowała.

Anna była rozbawiona sposobem, w jaki Betty opowiada. Beata ukończyła polonistykę i mogłaby pracować w szkole w Polsce, jednak wybrała Londyn.

– Polska za bardzo mnie stresuje – mówiła.

Anna pamiętała moment, kiedy pierwszy raz przyjechała z lotniska do mieszkania na Peckham. Nie wiedziała wówczas, czy ma wyjść, czy zostać. Wyboru nie miała. Pokój znalazła przez internet, jeszcze w Polsce. Zdjęcia współlokatorki wydały jej się sympatyczne. A zwłaszcza możliwość zapłacenia kaucji w ratach.

W mieszkaniu Betty panował chaos. Jakby nikt nie sprzątał tam od lat. Pokój dzienny z przejściem do kuchni zajmowała właścicielka. Anna dostała sypialnię, która składała się z wygodnego łóżka i antycznej szafy. Wszystko pokryte było kurzem i stosami książek, tak że pierwszy tydzień spędziła na sprzątaniu. Trzeci pokój stanowiła komórka, która od podłogi do sufitu wypełniona była górą ubrań, starych płyt, kaset wideo, obrazów. Można to było raczej nazwać magazynem.

Kiedy Betty czegoś szukała, wchodziła na stołek i zakopywała się w stercie rzeczy, co wyglądało dosyć zabawnie ze względu na jej posturę. Była niska i dosyć gruba. Mówiła non stop, zaciągając się papierosem, a jej poczucie humoru rekompensowało Annie dym, którego tak nie znosiła.

Pierwszego wieczoru, kiedy weszła do mieszkania Betty, wszędzie unosił się zapach kadzideł, paliły się świece, a na dywanie na kolorowej chuście leżały karty tarota. Tworzyło to specyficzny nastrój. Kiedy Betty zaczęła mówić, wątpliwości Anny zniknęły. Okazała się bardzo sympatyczną dziewczyną, która z pewnością będzie wsparciem dla Anny po tym, co przeszła.

Czasem jednak potrafiła zdenerwować.

– Tylko żadnych facetów, cenię sobie spokój, żadnych imprez – zakomunikowała.

Annę dosyć to zdenerwowało, ponieważ była spokojną osobą, dla której zaczynanie rozmowy od spraw tak oczywistych wydało się nie na miejscu. Nie lubiła u Betty pochopności, z jaką wyrażała opinie o ludziach, których jeszcze nie zna. Bazowała wyłącznie na swoich doświadczeniach z przeszłości.

– Powróżyć ci? – zapytała.

Anna była dosyć zmęczona podróżą i raczej sceptycznie nastawiona do kart, ale uległa. Pamiętała tarocistkę z Warszawy, której przepowiednie sprawdziły się w minimalnym tylko stopniu, o tym, że będzie podróżować, co w zasadzie można „sprzedać" każdemu. Przepowiedziała jej wówczas, że pewien wpływowy i majętny człowiek przeprowadzi ją do innego świata. Anna wiedziała, o kogo chodzi, ale przestała wierzyć w te brednie, kiedy jej sytuacja finansowa stała się bardzo zła.

Betty rozłożyła karty i zaciągnęła się papierosem. Anna próbowała nie oddychać, wiedziała jednak, że długo nie wytrzyma.

– Widzę wielu mężczyzn w twoim życiu. Jesteś atrakcyjną osobą, więc zawsze będzie wokół ciebie wielu adoratorów. Jednak nie masz szczęścia w miłości. Sporo przeszłaś. Będziesz kobietą sukcesu – cesarzową. Będziesz zarabiać słowem. Spotkasz kogoś, z kim stworzysz stały związek tutaj, w Londynie. Poznasz go w pracy.

Anna weszła do pokoju Betty, otulając się szlafrokiem, kiedy ta właśnie odłożyła słuchawkę telefonu stacjonarnego.

– Betty, chyba twoja przepowiednia ma jakiś sens. Pamiętasz? Dwa miesiące temu powiedziałaś mi, że poznam kogoś w pracy – powiedziała Anna. – Do tej pory odrzucałam wszystkie zaproszenia od krupierów i innych pracowników kasyna, ale teraz... sama nie wiem. To chyba ten.

– A co ci się stało w rękę? – zapytała Betty.

– No właśnie o tym chciałam ci opowiedzieć– powiedziała Anna, siadając na kanapie.

– Poczekaj, zaparzę najpierw kawę – Betty udała się do kuchni.

Anna opowiedziała o tym, co wydarzyło się minionej nocy w kasynie, i uczuciu, jakie jej towarzyszyło, kiedy po raz pierwszy zobaczyła nieznajomego.

– Postawimy na niego karty – zaproponowała podekscytowana Betty.

– Nie teraz, mam tylko pół godziny, spóźnię się do pracy – zaoponowała Anna.

Kiedy zamykała za sobą drzwi, jeszcze słyszała ostatnie słowa koleżanki. Betty nigdy nie przestawała mówić, a Anna zawsze bała się, że spóźni się przez to na nocną zmianę. Jednak monolog Betty sprawiał, że mniej stresowała się przed wyjściem.

– No to cześć, kochanie, baw się dobrze! – krzyczała za Anną, kiedy ta schodziła po schodach.

Domy w angielskich kamienicach charakteryzowały się wąskimi korytarzami i stromymi schodami.

– Dzięki, pa! – rzuciła w pośpiechu Anna.

Musiała jeszcze kawałek przejść do autobusu, żeby złapać dwunastkę jadącą do centrum. Za spory napiwek kupiła sobie iPoda, więc zawsze włączała go w drodze do kasyna. Tym razem słuchała *Sorry seems to be the hardest word* Eltona Johna. Przez szybę autobusu w grudniowy wieczór oglądała oświetlone London Eye, mijając parlament. Myślała o tym, czy tej nocy znowu go zobaczy. Tym razem jakby chętniej jechała do pracy.

Rozdział 3

Nie przyszedł ani tej nocy, ani następnej. Zaczęła tracić nadzieję, że kiedykolwiek jeszcze go zobaczy.

Do kasyna Napoleons prowadziły wyłożone czerwoną wykładziną schody. Schodząc w dół, miało się wrażenie, jakby było to wejście do piwnicy. Pomieszczenie nie posiadało okien. Panował w nim półmrok, a oświetlone były tylko stoły do gry. Dominującym kolorem wnętrza była czerwień. Kasyno dysponowało również małą restauracją i barem, a większość klientów stanowili Chińczycy.

W recepcji powitał Annę Robert, który chętnie dotrzymywał jej towarzystwa podczas przerw w pracy, informował o najnowszych plotkach z życia personelu i pożyczał książki fantasy, które oddawała mu nieprzeczytane. To nie był jej ulubiony gatunek, zwykle nie miała też czasu, żeby czytać. Trudno jej było przestawić się na funkcjonowanie w nocy, a spanie w dzień. Wciąż czuła się zmęczona.

Robert nosił okulary, był inteligentny, szczupły i rozmowny. Tak jak i ona pochodził z Polski. On również próbował adorować Annę, jak inni koledzy z pracy, a było o co powalczyć.

Jeszcze na studiach wygrywała konkursy piękności, była inteligentna, miała klasę i ten spokój w sobie, który powodował, że ludzie czuli się przy niej komfortowo. Jako nastolatka królowała w dyskotekach. Odznaczała się temperamentem, była energiczną i wesołą dziewczyną. Stanowiła obiekt zazdrości wszystkich koleżanek. Zawsze nosiła długie kasztanowe włosy, które lśniły w słońcu. Jej duże, szare oczy przyciągały spojrzenia mężczyzn. Była szczupła i wysoka. Miała klasyczną urodę. Dopiero jej doświadczenia życiowe sprawiły, że zamknęła się w sobie, spoważniała i wyciszyła.

– No, cześć! Jak tam ręka? Przygotowałem dla ciebie tajskie jedzenie, spróbujesz w przerwie? – przywitał ją Robert.

– Chętnie, bardzo dziękuję. Ale teraz muszę się przebrać, bo mam tylko 5 minut – odrzekła, wpisując się w pośpiechu na listę i posyłając uśmiech recepcjonistce.

Kelnerki w kasynie obowiązywały eleganckie sukienki, satynowe, ciemnofioletowe, o klasycznym kroju. Anna przeważnie nosiła spodnie, więc często czuła się w tym stroju niezbyt komfortowo. Jednak w sukience prezentowała się pięknie. Wszyscy jej nadskakiwali, kucharz przynosił świeże owoce, krupierzy rzucali znaczące spojrzenia, klienci byli bardzo mili, pytając, z jakiego kraju pochodzi i co taka dziewczyna robi w takim miejscu. Anna była milcząca. Starała się należycie wykonywać swoją pracę, ale nie potrafiła odwdzięczyć się wszystkim uprzejmością. Musiałaby umawiać się z każdym. Dlatego uznała, że najlepiej będzie, jeśli zachowa dystans i nie będzie spotykać się z nikim z kasyna.

Tej nocy pracowała z Martą z Polski i Francescą z Włoch. Marta przebywała tutaj od roku. Anna wolała mieć zmianę z kimś innym. Marta odbijała jej wszystkich klientów i wiedziała, od kogo dostanie najlepsze napiwki. Była jednak pomocna, gdy Anna stawiała pierwsze kroki w nowym miejscu pracy. Pośredniczyła również w jej kontaktach z przełożoną Kate Parker, która regularnie dręczyła dziewczyny o każdy drobiazg. Czasem jednak potrafiła zaskoczyć, wyznaczając urlop, kiedy komuś bardzo zależało na terminie.

Francesca nie lubiła żadnej nowej dziewczyny, co zawsze otwarcie okazywała. Nie oszczędziła również Anny. Każdą z nich traktowała jak konkurencję. Uważała się za najbardziej atrakcyjną kelnerkę. Była wybuchową Włoszką, co pokazywała przy każdej okazji, patrząc na ręce Anny i wytykając jej błędy. Anna lubiła Elizabeth z Węgier i Viki z Litwy. Z nimi miło mijała noc. Kelnerki w kasynie zmieniały się bardzo często, żadna nie wytrzymywała na dłuższą metę nocnych zmian. Tylko Paoli z Londynu, która pracowała tam od ośmiu lat, przypadły w udziale dniówki.

– Cześć, Marta, jak tam Nick? – zapytała Anna, przygotowując narzędzia do pracy.

Na posrebrzanej tacy trzeba było ustawić cukier z łyżeczką, notesik i długopis do zapisywania zamówień oraz kubeczek na napiwki, które kelnerki otrzymywały w formie żetonów lub pieniędzy. Pod koniec pracy dziewczyny wymieniały żetony na pieniądze w cash desku i oddawały 10 procent do koperty zamkniętej na kluczyk w szufladzie dla Kate, czego Anna nie potrafiła zrozumieć.

– Cześć, Anna, lepiej nie pytaj. Znowu się napił. Robię, co mogę, dogadzam mu, piorę, sprzątam, gotuję, a on tylko pije i imprezuje – odpowiedziała.

Marta była znerwicowana. Jej ręce drżały. Często piła w pracy. A kiedy miała kłopoty ze swoim chłopakiem, wiedziało o tym całe kasyno.

Była wysoką blondynką z włosami do ramion. Miała urodę modelki. Kate zatrudniała tylko dziewczyny o dobrej prezencji.

– Dziewczyny, tyle razy mówiłam, żeby nie rozmawiać w pracy po polsku. Tutaj mówimy wyłącznie po angielsku, zrozumiano? – do kuchni wkroczyła Kate.

– Widziałam twojego Jovana. Pytał o ciebie – szepnęła Marta.

Anna poczuła ciepło w środku.

– Gdzie on jest? – zapytała nerwowo.

– Stoi przy stole do black jacka. Tam. Widzisz? – wskazała Marta.

Jovan rozmawiał z jednym z klientów.

– I wiesz co? Rozmawiałam z nim i powiedział mi, że dałby milion, żeby się z tobą umówić – zachichotała. – On jest bardzo bogaty. Słyszałam plotki o nim.

– Tylko potrzebuje kogoś, kto mógłby tłumaczyć z angielskiego na polski, ponieważ sama wiesz... twój angielski jeszcze nie jest na tyle dobry. No i zgodziłam się.

– Jak to? Beze mnie? – niemal krzyknęła Anna.

– A chcesz się z nim umówić? Czeka na twoje potwierdzenie. Pójdę z tobą na tę randkę jako tłumaczka – coraz radośniej mówiła Marta, zapominając o swoich problemach.

– Powiedz mu, że się zgadzam. Dziękuję ci za pomoc – przystała Anna i poszła przyjąć zamówienia.

Lubiła moment rozpoczęcia pracy, kiedy wchodziła pewnym krokiem, kołysząc biodrami, na salę, by przyjąć pierwsze zamówienia. Na zajęciach poprzedzających wybory miss w Polsce uczyła się, jak się poruszać. Miała na sobie również świeży makijaż. Zwykle nad ranem nie wyglądała już tak dobrze. Jej oczy wydawały się jeszcze większe i bardziej wyraziste, kiedy miała starannie dobrane cienie i naturalnie wytuszowane długie rzęsy. Perłowa szminka na ustach podkreślała jej piękny uśmiech rozświetlający twarz, kiedy obdarowywała nim klientów. Zawsze miała starannie uczesane i umyte przed wyjściem włosy. Skrapiała się delikatnie perfumami Dior. Lubiano ją, ponieważ była miła dla każdego bez względu na narodowość czy wysokość napiwku.

Właśnie zobaczyła, jak Marta rozmawia z Jovanem w korytarzu. Kiwnęła na nią, żeby do nich dołączyła.

– Cześć, jak twoja ręka? – zapytał Jovan.

– Lepiej, dziękuję – odpowiedziała rozpromieniona.

– Muszę przygotować zamówienie – Marta obróciła się z uśmiechem na pięcie i zniknęła wśród klientów kasyna, zostawiając ich samych.

– Nie wolno mi rozmawiać zbyt długo z klientami – powiedziała nieśmiało Anna.

Starała się być uprzejma, ale obawiała się o swoją pracę.

– W porządku. Właśnie wychodzę. Marta mówiła mi, że zgodziłaś się ze mną spotkać – powiedział Jovan.

Mężczyzna był szarmancki. Każdy jego gest wyglądał na zaplanowany. Poruszał się z wielką klasą. Oboje stanowiliby piękniejszą parę niż księżniczka i książę Anglii.

– To jest mój numer, zadzwoń do mnie.

Anna podała mu wizytówkę z numerem telefonu i wróciła do pracy.

Rozdział 4

Na spotkanie umówili się telefonicznie w dogodnym dla Anny terminie w dniu wolnym od pracy. Anna pracowała pięć dni w tygodniu od dwudziestej drugiej do szóstej rano lub od dwudziestej do czwartej. Kate jednak często dzwoniła, żeby w ostatnim momencie kogoś zastąpiła.

Kiedy Anna szykowała się do wyjścia, nie wiedziała jeszcze, w jakiej restauracji spotka się z Jovanem. Miał czekać na nią na Piccadilly.

„Który żakiet będzie stosowniejszy?" – myślała.

Wybrała czarną mieniącą się bluzkę na ramiączkach, na którą zarzuciła czerwony żakiet. Ładnie jej było w czerwieni. Miała dużo ubrań w tym kolorze.

Któregoś dnia, kiedy szła ulicą do sklepu w czerwonym płaszczu, przechodzący obok niej mężczyzna zaczął śpiewać *Lady in red,* co rozbawiło Annę. „Ludzie tutaj są inni – pomyślała. – Tacy na luzie".

„Jakie buty?" – zastanawiała się, kiedy rzucała na łóżko ubrania wyjęte z szafy, co chwilę wpadając do pokoju Betty z pytaniem: „A może to?".

– Co bardziej podkreśla moją figurę? – zapytała w końcu.

Betty zaciągnęła się papierosem i przymrużyła oczy.

– To, i czarne szpilki – rzuciła, wskazując na czarne obcisłe spodnie.

Betty miała inny styl niż Anna, jednak opinia koleżanki powodowała, że Anna czuła się pewna swojej decyzji.

– Na twoim miejscu nie spotykałabym się z kimś, kogo poznałam w kasynie, ale to twoja sprawa – powiedziała.

Anna była zbyt podekscytowana, żeby słuchać uwag Betty innych niż dotyczących doboru stroju.

Wtedy zadzwonił telefon.

– Halo? – odebrała Anna. – Marta? A co się stało?

– Przepraszam cię, Anna, ale kompletnie mnie rozłożyło. Jestem chora i nie mogę z tobą iść. Na pewno dasz radę sama – odpowiedziała.

Nogi ugięły się pod Anną.

– No cóż, rozumiem. Kuruj się, Marto. Jakoś sobie poradzę – odpowiedziała rozczarowana.

Betty potwierdziła, że z pewnością będzie w stanie porozumieć się z Jovanem, ponieważ jej angielski jest coraz lepszy.

Anna przyjechała do Londynu, słabo znając język. Nie miała czasu do namysłu. Była już spóźniona. Przeciągnęła jeszcze czerwoną szminką po ustach i wybiegła z domu, zatrzaskując za sobą drzwi.

– Trzymaj kciuki – zdążyła krzyknąć do współlokatorki.

– OK, dobrej zabawy i uważaj na siebie – odpowiedziała Betty.

„Kurczę, pierwsze spotkanie i się spóźnię. Co on sobie pomyśli" – myśli przewijały się w jej głowie, kiedy wsiadała do kolejki. Doszła do wniosku, że w ten sposób będzie szybciej. W drodze wysyłała Jovanowi jeszcze sms-y, informując, że będzie miała 30-minutowe opóźnienie.

Zajęła miejsce przy oknie. Zauważyła, że przyciąga spojrzenia pasażerów. Wyglądała bardzo ponętnie. Założyła nogę na nogę, po czym rozpięła zamek czarnej torebki, z której wyciągnęła puderniczkę z lusterkiem. Dyskretnie przejechała jeszcze szminką po ustach. Cienie na jej powiekach mieniły się delikatnie. Policzki miała lekko zarumienione. Nie chciała przesadzać z różem. Widok Jovana sprawiał, że i tak czuła wypieki na twarzy. Na co dzień nosiła buty na płaskim obcasie, bo dojazdy do pracy, zakupy. Zauważyła, że w Londynie to normalne. Dziewczyny noszą balerinki, a buty na obcasach w torebce, żeby potem zmienić je w pracy, nie zważając na to, czy pasują do eleganckiego stroju. Dzisiaj założyła jednak szpilki z czerwoną podeszwą, które wydłużały jej i tak długie i smukłe nogi. Starannie wyszczotkowała gęste włosy, które miękko opadały na plecy.

Czuła się seksownie i liczyła, że zrobi na Jovanie wrażenie nie tylko wyglądem, ale i osobowością, o ile nie będzie zbyt zestresowana. Miała sprawdzony trik, który powodował, że mężczyźni jej ulegali. Nie wiedziała do końca, co to jest, jednak przychodziło to zupełnie naturalnie. Spojrzenie, gest, coś, co miała w swoim wnętrzu, aura, jaką tworzyła wokół siebie. Przeistaczała się w kobietę, której pożądali mężczyźni. Jakiś ukryty magnetyzm powodował, że lgnęli do niej jak muchy. Sama nie wiedziała, jak go uruchamia. Czasem bawiła się tym w pociągu, autobusie czy na ulicy, testując zachowanie napotkanych przypadkowo mężczyzn. Sprawdzała, czy obejrzą się za nią, czy nie. Czasem nie mogła powstrzymać śmiechu. „A więc tak to działa" – myślała.

Były też takie dni, że ukrywała się w tłumie, starając się nie rzucać w oczy. Wtedy, gdy nie miała ochoty na towarzystwo czy zaczepki.

Z kolejki przesiadła się do metra i wysiadła na stacji Green Park.

Zauważyła go z daleka, stojącego przed budynkiem. Serce zabiło jej mocniej. Musiał zmarznąć, czekając na nią tyle czasu, ponieważ pocierał dłonie, a następnie przykładał je do uszu, przestępując z nogi na nogę, jakby próbował się rozgrzać. Nie widział jej, kiedy do niego podeszła. Lubiła zaskakiwać.

– Cześć, najmocniej przepraszam za spóźnienie – powiedziała rozpromieniona.

– Cześć, wejdźmy do środka – odpowiedział równie podekscytowany, zachęcając Annę, żeby jak najszybciej weszli do restauracji.

Jovan miał na sobie elegancki płaszcz, w którym postawił kołnierz, żeby się rozgrzać w oczekiwaniu na Annę. Nad wejściem budynku widniał napis: Ritz Club. Anna była oszołomiona. Znała Ritz jedynie z filmu *Notting Hill* z jej ulubioną Julią Roberts.

Kiedy weszli do środka i wypełnili wszystkie formalności: zdjęcie do kamery, paszporty, Jovan pomógł Annie zdjąć czarny klasyczny płaszcz i oddał go wraz ze swoim szatniarzowi. Ubrany był w granatowy, szyty na miarę garnitur. Wyglądał jak z okładki magazynu. Anna poczuła się trochę niestosownie ubrana, zważywszy na miejsce, w jakim znalazła się tego wieczoru.

Kelner zaprowadził ich do stolika, po czym przyjął zamówienie. Starała się zachowywać swobodnie, a że bywała już w ekskluzywnych lokalach, nie czuła się aż tak spięta. Jednak Ritz Club zrobił na niej wrażenie. Pod stopami czuła miękkie, drogie wykładziny, które zagłuszały stukot obcasów. Urzekły ją stylowe zabytkowe wnętrza. Piękne kotary ciężko opadały na podłogę. Świeże bukiety kwiatów we wspaniałych wazonach roztaczały swą woń.

Jovan spojrzał na nią tak, jakby chciał powiedzieć: nareszcie jesteś ze mną.

– Pięknie tu – powiedziała, przerywając ciszę. Jovan ją onieśmielał, zwłaszcza w tak eleganckim miejscu. Znowu poczuła się jak Julia Roberts, tym razem w *Pretty Woman*.

– Kiedyś bywałem tu częściej – oznajmił.

– A więc Anno... Opowiedz mi coś o sobie. Co robisz w Londynie? Dlaczego tu przyjechałaś? – zpytał, opierając się wygodnie na krześle.

– To mój czwarty przyjazd do Londynu. Poprzednie nie należały do udanych. Tym razem miałam więcej szczęścia, ponieważ poznałam dziewczynę, u której wynajęłam pokój i która powiedziała mi, w jakich miejscach najlepiej szukać pracy z podstawową tylko znajomością języka. Zaniosłam swoje CV do kilku kasyn i restauracji. Następnego dnia otrzymałam trzy telefony z propozycją pracy. Wybrałam Napoleons Casinos. Tym razem poszło nieco lepiej. Jednak pierwsze kroki w Londynie nie należały do łatwych... A co ciebie sprowadza do Wielkiej Brytanii? – Anna zmieniła temat. Nie chciała mówić w takim miejscu o tym, że nieraz nie miała nawet funta na autobus, lub o warunkach, w jakich żyła.

– Chyba to, co wszystkich. Pieniądze – odpowiedział tajemniczo i przeszył ją wzrokiem.

Miał cudowne, łagodne oczy w brązowym kolorze. Mogła patrzeć w nie godzinami i nigdy by jej się nie znudziły.

– Czym zajmujesz się na co dzień? – zapytała.

– I tak nie uwierzysz – uśmiechnął się do niej, zastanawiając się, czy na pierwszym spotkaniu opowiadać jej swoją historię. „A jeśli czar pryśnie?" – pomyślał.

Anna miała w sobie klasę i nigdy nie naciskała, kiedy ktoś nie chciał odpowiedzieć. I tak powie, jeśli poczuje taką potrzebę – to był sposób jej rozumowania.

– W porządku. Pracuję w Victorii w recepcji, gdzie zajmuję się ochroną budynku, w którym mieszkają zamożni ludzie z różnych stron świata – powiedział Jovan.

Anna rzeczywiście myślała, że żartuje.

– Kiedyś bywałem częściej w takich miejscach jak Ritz. W Australii, Las Vegas... Jednak któregoś dnia postawiłem wszystko na jedną kartę i… to nie była dobra decyzja... – zamyślił się.

– Co taka piękna i inteligentna dziewczyna jak ty robi w takim miejscu jak kasyno, pracując jako kelnerka? – Jovan starał się wybrnąć z pułapki.

– Przyjechałam tutaj, ponieważ chciałabym zarobić pieniądze na nagranie i wydanie płyty. Nagrałam już singiel w Warszawie. Nawet miałam wywiad w polskim radiu w Londynie, a także koncert dla Polonii – odpowiedziała.

– Masz tutaj swój zespół? – zapytał.

– Akompaniował mi mój były chłopak, pianista i kompozytor, z którym spotykałam się jeszcze na studiach. Był moim wykładowcą, a ja jego studentką. Poznałam go na trzecim roku i byliśmy ze sobą sześć lat. Potem on wyjechał do Londynu, zostawiając pracę na uczelni, a ja przyjechałam tu za nim w nadziei, że pomoże mi w znalezieniu pracy i jakoś się między nami jeszcze ułoży. Wszystko potoczyło się jednak inaczej. To chyba nie najlepszy moment, żeby o tym mówić.

– A więc studiowałaś muzykę? – zainteresował się Jovan.

– Tak. Jestem magistrem edukacji muzycznej. Jakiś czas uczyłam w szkole w Polsce, ale miałam inne wyobrażenie o tym, co chcę robić w życiu, i potrzebowałam więcej niż polska pensja nauczyciela. A ty? Mówiłeś, że studiowałeś medycynę?

Kelner zbliżył się, żeby wypełnić prawie puste lampki szampanem Dom Perignon. Szampan smakował wyśmienicie. Rocznik 1996 był nie do przebicia. Aż żal pomyśleć, że piła go po raz ostatni – Jovan powiedział, że niebawem ten rocznik nie będzie już dostępny. Anna jadła kolację małymi kęsami, popijając szampana. Wszystko cudownie smakowało, a dźwięk głosu Jovana był kojący dla jej uszu.

– Ukończyłem liceum medyczne w Serbii. Potem dostałem się na studia medyczne w Belgradzie. Jednak na drugim roku studiów, kiedy zaczęła się wojna, miałem wybór: zostać lub uciekać. Wojna w Serbii w 1995 roku była masakrą. Wyjechałem do Danii. Nie miałem nic, ani pieniędzy, ani ubrań na zmianę. Kiedy przyjechałem, nie mogłem nawet zadzwonić do kolegi po pomoc. To były ciężkie czasy, ale potem otworzyłem firmę sprzątającą, następnie restaurację. Pieniądze zaczęły się mnożyć – wziął łyk szampana. Każdy jego ruch miał klasę. Anna była do niego podobna.

– A co z twoimi rodzicami? Zostali w Serbii? – zapytała Anna.

– Moja mama była Serbką, a tata Chorwatem. Mamę zastrzelono, miała wtedy 40 lat. Tata nadal mieszka w Serbii – odpowiedział spokojnie, a wyraz jego twarzy w ogóle się nie zmienił.

Anna była trochę zdziwiona. Kiedy mówi się o śmierci kogoś bliskiego, zawsze się to przeżywa. Jej z pewnością łza zakręciłaby się w oku. W oczach Jovana widać było, że wiele przeszedł i nie reaguje już emocjonalnie na wspomnienia. Annie podobał się ten spokój i opanowanie. Być może z biegiem czasu rany się zagoiły i Jovan nie wzrusza się, mówiąc o matce. Współczuła mu z całego serca. Chłopiec pozbawiony matki w wieku 18 lat na pewno ciężko to przeżył. Nagle poczuła, że chciałaby się nim zaopiekować.

– Co robiłaś od momentu ukończenia studiów? – zapytał nagle.

Nie lubiła tego pytania. Wiedziała jednak, że go nie uniknie. Musiałaby przyznać się do swojej naiwności względem pewnego człowieka, który sprawił, że kilka lat jej życia wypełniła pustka.

– A kim tak naprawdę jest Marit? – zapytała, uciekając przed odpowiedzią. – Moje życie było dosyć skomplikowane. Może kiedyś ci o tym opowiem.

– To moja była dziewczyna z Kopenhagi. Jest pielęgniarką. Jakiś czas temu związała się z pewnym pisarzem. Mają syna i chyba jest z nim szczęśliwa – odpowiedział. – Chciała ode mnie czegoś więcej, ale nie byłem na to przygotowany. Rozstaliśmy się po roku. Chyba pora na kawę i deser? – zasugerował Jovan.

A więc kolejny mężczyzna, który nie myśli o rodzinie, dziecku. Anna poczuła lekki zawód.

Kiedy zanurzyła łyżeczkę, czekoladowa skorupka pękła i wypłynęło z niej niebiańskie nadzienie. Deser rozpływał się w ustach. „Wszystko było zbyt idealne" – myślała. – „To najpiękniejszy wieczór w moim życiu. Czego więcej można chcieć do szczęścia w tak pięknym miejscu z wymarzonym mężczyzną u boku". Mogła utonąć w jego oczach.

Jovan wyciągnął pięćsetfuntowy banknot z portfela i uregulował rachunek. Zamówił jeszcze truskawki z czekoladą i szampanem do sąsiedniej sali, gdzie grał pianista.

Anna poczuła, jak zatapia się w wygodnej stylowej sofie zdobionej złotą nicią. Jovan siedział teraz bliżej niej, tak że czuła emanującą od niego energię.

Pianista grał dokładnie taką muzykę, jaką uwielbiała Anna. Sama miała w repertuarze stare standardy amerykańskie. Muzyka tworzyła niepowtarzalną atmosferę, jakby specjalnie dla nich. Jovan pytał o ulubione utwory Anny, po czym podchodził do pianisty, podając mu banknot, a ten grał specjalnie dla niej. Gdy wsłuchiwała się w dźwięki muzyki i precyzję, z jaką grał, na moment wróciły przykre wspomnienia i jej niespełnione marzenia, jednak starała się teraz o tym nie myśleć. Ten wieczór był zbyt piękny, żeby psuć go jakimiś wspomnieniami. A Jovan tak czarujący, że gotowa była paść w jego ramiona i spędzić w nich resztę życia. To była miłość od pierwszego wejrzenia.

Na koniec zaproponowano im limuzynę, jednak woleli przejść się jeszcze ulicami Londynu, żeby przedłużyć piękne chwile. Pomyślała, że kierowca limuzyny musiałby mieć niezłą minę, odwożąc ją do dzielnicy, w której mieszkała.

W firmowych torebkach otrzymali przy wyjściu małe upominki z logo Ritz Club. Jovan pomógł jej założyć płaszcz.

Kiedy wyszli z budynku, zaproponował gestem, żeby wzięła go pod rękę. Wsunęła delikatnie swoją dłoń pod jego ramię, spojrzała w gwiazdy, które świeciły wysoko na niebie, i udali się w kierunku postoju taksówek. Wszystkie taksówki okazały się zajęte. Anna zaproponowała, że wróci do domu autobusem.

Odprowadził ją na przystanek, a ona zastanawiała się, czy pocałuje ją tego wieczora. Chyba jednak tego nie zrobi na pierwszym spotkaniu – spekulowała w myślach, kiedy zbliżali się do przystanku. Autobus nadjechał w mgnieniu oka.

– Dziękuję za piękny wieczór, Jovanie – powiedziała, wskakując do autobusu.

– Napisz do mnie sms-a, żebym wiedział, że dotarłaś na miejsce – odparł.

Pomachała mu, kiedy autobus odjeżdżał z przystanku.

Rozdział 5

Kiedy Jovan wrócił do wynajętego pokoju w Camden, położył się na łóżku i zaczął rozmyślać o Annie. Chciałby mieć ją tylko dla siebie. Co, jeśli dowie się, jaka jest prawda? Może powinien powiedzieć jej o swoich problemach? Wtedy przekona się, czy naprawdę jej na nim zależy. Ostatniej nocy wydał wszystkie swoje pieniądze. W lodówce miał jeszcze salami. Wziął drewnianą deskę, odkroił kawałek i poszedł pod prysznic.

Ogolony, w szarym kaszmirowym sweterku, czarnych spodniach i płaszczu wyszedł z domu. Była szósta trzydzieści. Pracę zaczynał o siódmej rano, a kończył o siódmej wieczorem. Pracował tak przez siedem dni, potem kolejny tydzień był wolny. Dzień w pracy przebiegał bez większych problemów.

– Dzień dobry, pani Schmit, jak minął dzień? – ukłonił się, wstając z krzesła w recepcji.

Elegancka kobieta weszła do holu budynku z przerzuconym płaszczem na ręce, wymachując kluczykiem od samochodu.

– Pracowicie – odpowiedziała. – A tak przy okazji, chciałabym podziękować panu za pomoc. Prysznic działa bez zarzutu – dodała, wręczając mu pudełko czekoladek i wino.

– Cała przyjemność po mojej stronie. Proszę dzwonić w razie problemów. Dziękuję za prezent – odpowiedział Jovan.

– Pan jest taki miły. Wszyscy pana chwalą w tym budynku. Co my byśmy bez pana zrobili? To ja dziękuję. Miłego wieczoru i proszę pozdrowić dziewczynę.

Jovan spojrzał na nią znacząco.

– Jaką dziewczynę? – zapytał z uśmiechem.

– Przecież od razu widać, że jest pan zakochany. Kim ona jest? – dodała zaciekawiona.

– To ktoś, kogo dopiero poznałem. Niewiele o niej wiem, ale jest bardzo miła i piękna – odpowiedział, sam zaskoczony tym, co mówi.

– Powodzenia. Trzymam kciuki – rzuciła pani Schmit.

– Dziękuję. Dobrej nocy – odpowiedział zmieszany.

W budynku mieszkali zamożni Arabowie, Amerykanie, Japończycy. Przewijali się tutaj ludzie różnych nacji, przyjeżdżający do Londynu w interesach.

Kiedy zbliżała się siódma, Jovan zadzwonił jeszcze do Kabare. Zawsze mógł na niego liczyć w potrzebie. Kabare pochodził z Wybrzeża Kości Słoniowej i był jego starym przyjacielem.

– Kabare? Potrzebuję 40 funtów. Zaraz to pomnożę i oddam. Spotkajmy się w Empire Casino o dziewiętnastej dwadzieścia – odłożył słuchawkę.

Kabare czekał na niego przed wejściem. Dla graczy kasyno zawsze serwowało darmowe drinki. Jovan często zostawał tam na kolacji. Znali go wszyscy i on znał cały personel, dyrektorów, menedżerów i kelnerki niemal w każdym kasynie w Londynie. Każdego wieczora po pracy zaglądał do co najmniej trzech kasyn. Miał swoją metodę, żeby wygrywać. Opracował system, który pozwolił mu zarabiać małe, ale regularne kwoty. W komputerze umieścił tabelę, która zawierała daty, stawki i nazwy kasyn. Nikomu jednak nie zdradził metody, którą stworzył. Podchodził do tego bardzo poważnie, traktując wizyty w kasynach jak pracę. Nigdy nie pił, kiedy grał. Nie palił papierosów. Zawsze był nienagannie ubrany i zadbany, choć jego garderoba ograniczała się tylko do kilku swetrów, koszul, spodni, garnituru i jednego płaszcza.

Krupier zakręcił kołem francuskiej ruletki. Jovan pił herbatę z Kabare, przyglądając się grze. Zwykle najpierw obserwował, a potem wybierał stół, przy którym będzie grał.

Zamienił funty na żetony.

– Zielone – zwrócił się do krupiera.

Ten zręcznie przysunął do niego stosik zielonych żetonów.

Jovan postawił żetony na wybrane liczby, po czym z pokerową twarzą czekał na wynik. Krupier zakręcił ruletką i postawił kieliszek na żetonach Jovana. Wdzięczny gracz obdarował dilera napiwkiem.

Jovan udał się do cash desku, by wymienić żetony na pieniądze. Oddał Kabare czterdzieści funtów, pozostałe sto, które wygrał, schował do kieszeni i zaprosił kolegę na skromną kolację w restauracji na pierwszym piętrze kasyna.

Zamierzał jeszcze wejść do Napoleons, które sąsiadowało z Empire, żeby zobaczyć Annę i zagrać w ruletkę. Nigdy nie grał długo w jednym kasynie. Kiedy wziął wygraną, udawał się z nią do następnego.

Zameldował się w recepcji Napoleons.

Anna poruszała się energicznie, ale z gracją. W jej uszach połyskiwały srebrne kolczyki, a na szyi miała wisiorek z symbolem Atlantydy. Gładkie, długie włosy opadały miękko na jej plecy, a sukienka oplatała zgrabną sylwetkę. Jovan przeszywał ją wzrokiem. Czuła, jak jego spojrzenie wodzi po jej nogach, udach. Wiedziała, że jej pożąda, nawet kiedy stał po przeciwnej stronie sali. Pragnęła dokładnie tego samego. Chciała upuścić tacę i paść w jego ramiona. Nie mogła wytrzymać napięcia, jakie narastało między nimi. Posłała mu uśmiech, a on przyglądał się jej, kiedy wykonywała swoją pracę.

– Dziękuję za wczorajszy wieczór, było naprawdę miło – powiedziała Anna, podając wodę Jovanowi.

– Zobaczymy się jeszcze? – zapytał, patrząc jej prosto w oczy.

– Sprawdzę swój grafik i wyślę ci sms-a – odpowiedziała, kierując się w stronę kuchni, gdzie na ścianie wisiał rozkład na cały tydzień. Chciała spotkać się z nim jak najszybciej.

– Będę mogła dopiero w sobotę – westchnęła.

– Mam lepszy pomysł – odpowiedział.

Spotykali się niemal w każdej przerwie Anny w pracy, udając się zwykle na kolację do kasyna Empire. Jovan pojawiał się wcześniej, składając zamówienie, żeby nie musiała czekać, tylko przejść z jednych drzwi do drugich. Mogli w ten sposób spędzić ze sobą godzinę każdego wieczora. Pracownikom kasyna nie wolno było umawiać się z klientami, dlatego Jovan nie pokazywał się tak często w miejscu pracy Anny.

Któregoś dnia nie mogła już wytrzymać tego napięcia i przed kolejną przerwą wysłała Jovanowi sma-a:

Czekam na twój pocałunek... — napisała podekscytowana, a zarazem pełna obaw, jak Jovan zareaguje.

Czekam na ciebie za pół godziny w barze Empire – odpisał.

Była niemal pewna, że coś się między nimi wydarzy tego wieczora. Odliczała minuty do wyjścia, przyjmując nieobecna duchem kolejne zamówienia. Szybkim krokiem udała się na przerwę. Czekał na nią na sofie. Bar był dziwnie opustoszały. Barman ustawiał szklanki za ladą. Weszła, a nogi uginały się pod nią.

Było jej głupio, że zrobiła pierwszy krok.

„Może jest nieśmiały?" – pomyślała.

Usiadła koło niego w bezpiecznej odległości na sofie.

– Czego się napijesz, Anno? – zapytał spokojnie.

– Poproszę martini – odpowiedziała. – Ten sms, przepraszam, ja...

Nie zdążyła dokończyć. Poczuła na swoich ustach ciepłe i delikatne usta Jovana. Całował ją z taką czułością, tak namiętnie, że poddała mu się całkowicie. Barman gdzieś zniknął, a oni oddawali się pocałunkom w pustym barze. Z głośników leciała właśnie piosenka Eltona Johna *Sorry seems to be the hardest word*. Anna nie mogła uwierzyć w przypadek. Wydawało jej się, że Jovan to wszystko zaaranżował.

Po dwóch tygodniach od pierwszej randki umówili się na London Bridge w jednej z restauracji z widokiem na Tamizę. Jedli ostrygi, popijając je białym winem. Anna czuła się przy Jovanie o wiele swobodniej. Poznali się już na tyle, żeby rozmawiać ze sobą otwarcie. Przeszkadzała im jednak chemia, która brała górę nad tym, o czym rozmawiali, i czasem Anna nie była w stanie słuchać, co do niej mówi Jovan. Myślała tylko o tym, że chciałaby być jak najbliżej niego.

Z okna roztaczał się widok na oświetlony most i rzekę. Atmosfera była bardzo kameralna i romantyczna. Jovan miał na sobie jasny sweter, a jego oczy w blasku świec wyglądały jeszcze cieplej. Anna założyła koszulową bluzkę w kolorze écru.

Rozmawiali żywo, aż w pewnym momencie położył swoją dłoń na jej dłoni.

Jovan był bardzo spostrzegawczy. Zawsze wiedział, czego ludzie potrzebują i przeważnie im to dawał. Wyczuł w Annie pożądanie, ale on też pragnął jej z całego serca. Jak w hazardzie, tak w życiu, zawsze miał pokerową twarz, nie wyrażał otwarcie emocji, wszystko dusił w sobie. Z drugiej strony pod maską krył się bardzo wrażliwy człowiek o dobrym sercu.

– Może pojedziemy do mnie? – zapytał, kończąc drugą lampkę wina.

Anna skinęła głową. Wiedziała, co to oznacza.

Trzymając się za ręce, w pośpiechu złapali pierwsze metro i pojechali na Camden. Anna nie znała jeszcze tak dobrze Londynu, pierwszy raz jechała do tej dzielnicy. Jovan po drodze tłumaczył jej, gdzie mieszka, ale rozmowa była tylko wypełnieniem napięcia, jakie się między nimi wytworzyło.

– Musimy się zachowywać cicho. Mam współlokatorów – szepnął do Anny, wkładając klucz do zamka.

Jovan mieszkał w bloku i w trzypokojowym mieszkaniu zajmował ostatni pokój z balkonem. Było tu nieskazitelnie czysto. Łóżko posłane co do milimetra. Nastrój raczej hotelowy. Annie brakowało tu duszy, tego, co tak lubiła. Dom, książki, obrazy. Pomieszczenie było pomalowane na biało, a jego połowę zajmowało duże, wygodne łóżko z pościelą w kolorze brązowym. Po drugiej stronie znajdowało się biurko, komputer. Na wbudowanym w ścianę ozdobnym kominku stało kilka świec, które właśnie zapalił.

– Mam tyle rzeczy, że pakuję się w 20 minut i już jestem gotowy na lotnisko – powiedział, widząc, jak Anna rozgląda się ukradkiem po pokoju. – Nie potrzebuję wiele.

„Przy takiej ilości ja też miałabym taki porządek" – pomyślała Anna.

– Kto z tobą jeszcze tutaj mieszka? – zapytała.

– Ignacio z Hiszpanii i Yeshi z Chin – odpowiedział. – Zrobię ci drinka.

Anna raczej nie piła alkoholu, jednak praca w kasynie była tak męcząca i stresująca, że udzieliło jej się spożywanie drinków od koleżanek. Nie odmówiła więc kolejnej lampki wina.

Potem wszystko potoczyło się bardzo szybko. W pośpiechu ściągali z siebie ubrania. Anna czuła, że chyba za dużo wypiła, ale bez tego byłaby zapewne bardziej zestresowana. Wiedziała, że tej nocy nie wróci na Peckham. Pragnęła go, a z drugiej strony znała zbyt krótko, nie wiedziała jeszcze o nim wszystkiego. Dała się ponieść emocjom. Wtedy wszedł w nią i kochali się namiętnie, szepcząc z rozkoszy. Nigdy z nikim nie było jej tak dobrze. Zasnęli zmęczeni.

Kiedy rankiem obudziła się w jego łóżku, zobaczyła rozpromienionego Jovana z pudełeczkiem malin. Zanim zdążyła cokolwiek powiedzieć, włożył malinę do jej ust.

– Jesteś piękna – powiedział.

Anna uśmiechnęła się i przykryła głowę kołdrą.

– Muszę wyglądać koszmarnie po takiej nocy – powiedziała. Poszła do łazienki, ale wbrew temu, co myślała, wyglądała kwitnąco.

Jovan przygotował dla niej śniadanie. Potem zamówiła taksówkę i wróciła do siebie.

Rozdział 6

– Proszę wysadzić mnie koło targu. Muszę kupić jeszcze kilka rzeczy – powiedziała do taksówkarza.

– Jak pani sobie życzy. Miłego dnia – odpowiedział taksówkarz, zatrzymując się na rogu Peckham Rye.

Dzielnica od wczesnego rana tętniła życiem. Sprzedawcy rozstawiali swoje kramy i wykładali towar. Można tu było kupić świeże owoce i warzywa, trochę się potargować, panował specyficzny kolorowy klimat. Rzadko można było spotkać kogoś o jasnym kolorze skóry. Była to typowo afrykańska dzielnica. Annę odstręczały jedynie stoiska, gdzie sprzedawcy w zakrwawionych białych fartuchach sprzedawali mięso. Ulice też nie należały do zbyt czystych. Oprócz stoisk spożywczych znajdowały się tam sklepy z odzieżą, fryzjer, krawiec, KFC, jubiler, drogerie czy sklep z suplementami diety Holland&Barret, do którego często zaglądała. Na końcu ulicy w sąsiedztwie biblioteki znajdował się basen, dalej siłownia, a tuż za nimi Chinese Medical Centre, z usług którego korzystała. Praca na nocne zmiany często przyprawiała ją o bóle kręgosłupa: akupunktura i masaże okazały się ukojeniem.

Peckham Rye to krótka ulica, ale znajdowało się tam wszystko, czego potrzebowała. Peckham nie należało ani do bogatych, ani bezpiecznych dzielnic Londynu, było to jednak miejsce, gdzie Anna mogła zaoszczędzić pieniądze. Starała się też nie rzucać zbytnio w oczy, ubierając się raczej skromnie i związując długie włosy gumką. Czasem robiła zakupy na Oxford Street. Tam jednak wydawała znacznie więcej.

Niedziela na Peckham była jeszcze ciekawsza ze względu na odświętne stroje, jakie zakładali Afrykańczycy, a z ich domów i kościołów rozbrzmiewały radosne pieśni religijne. Któregoś dnia Anna wzięła udział w takiej mszy i długo o tym rozmyślała. Żałowała, że w polskich kościołach jest tak smutno i prawie bez muzyki.

W piątek była u krawcowej, Afrykanki, żeby skrócić zbyt długą sukienkę do kasyna. W oczekiwaniu na odbiór przyglądała się piątce dzieci, które radośnie bawiły się ze sobą, tańczyły w rytm afrykańskiej muzyki, a ich mamy w tym czasie pracowały. Nie mogła oderwać wzroku od pięknych kolorowych ubranek. Starsze dzieci opiekowały się młodszymi. Zakład krawiecki, w którym rozbrzmiewa głośna afrykańska muzyka, dzieci biegają w kółko, a ich matki szyją kolorowe sukienki, zapadł jej głęboko w pamięć. Afrykanki zawsze odnosiły się do niej bardzo miło, jakby była angielską księżniczką.

„Jak dobrze, że mam wolny weekend” – pomyślała.

– Kochanie, uważaj na hazardzistów. Nic nie chcę mówić, ale moja koleżanka poznała takiego i teraz przychodzi do mnie z pytaniem, czy kupię od niej perfumy albo bluzkę, bo nie ma na chleb – usłyszała od Betty na powitanie, kiedy tylko pojawiła się w drzwiach.

– On jest inny. Mówi, że ma nad tym kontrolę – powiedziała Anna, ściągając płaszcz.

– Oni wszyscy tak mówią. A co ci mówiły kelnerki? Pamiętasz? Tylko nie spotykaj się z klientami kasyna.

Betty zaciągnęła się papierosem, popijając poranną kawę.

– Teraz okazuje się, że jego majątek to fikcja i mieszka w jakimś wynajętym pokoju na Camden. OK, może dzielnica niczego sobie, ale nie ma nawet własnego mieszkania – dodała.

Przez moment Anna pomyślała, że być może Betty jest zwyczajnie zazdrosna, ponieważ nie ma kogoś, z kim mogłaby dzielić życie. Wcześniej spotykała się z Anglikiem o imieniu Bill, ale kazała mu się wynieść, nazywając go pasożytem. Bill pracował jako kierowca autobusów, a po pracy czas spędzał głównie przed telewizorem i na penetrowaniu lodówki. Betty starała się jednak jak mogła, dźwigała ciężkie zakupy, gotowała, prała jego rzeczy.

Któregoś dnia leżała w wannie z dużą ilością piany. Miała małe mieszkanie, więc nie było osobnej toalety, a sedes znajdował się tuż koło wanny, dokładnie tam, gdzie opierała głowę podczas kąpieli. Bill tak po prostu wszedł, ściągnął spodnie, załatwił się koło jej głowy, podczas gdy rozkoszowała się kąpielą, spuścił wodę i wyszedł. To był gwóźdź do trumny. Można czuć się z kimś bardzo dobrze, swobodnie, ale są też pewne granice.

– Może masz rację – kontynuowała Anna. – Ale on jest taki dobry, czuły, przystojny, inteligentny i szarmancki. To wszystko rekompensuje jego pociąg do hazardu. Kiedyś, gdy szliśmy Bond Street, jakiś młody chłopak zaczął wymiotować na ulicy. Jovan zatrzymał się i podał mu chusteczki. On zawsze wie, czego potrzebują inni. Jest bardzo dobrym obserwatorem i zna się na ludziach – mówiła dalej Anna.

– Nie wiesz, co mówisz. Jesteś zakochana, ale jak chcesz. Pamiętasz o dwudziestym pierwszym grudnia? – Betty zmieniła ton na mniej łaskawy.

– Oczywiście. Zostały jeszcze dwa dni. Dzisiaj poszukam jakiegoś taniego hotelu – odparła.

Co roku do Betty przyjeżdżali na święta rodzice z Polski. Mieszkanie było zbyt małe, żeby Anna mogła zostać. Z drugiej strony myślała, że to nie w porządku, skoro płaci za wynajem i nie ma się teraz gdzie podziać, a przecież musi pracować.

Znalazła mały hostel na Peckham. Trzydzieści funtów za dobę. Przez weekend spakowała swoje rzeczy, żeby zwolnić pokój dla rodziców Betty. Przewiozła to wszystko do hostelu. Po świętach miała tu wrócić. Betty odliczyła jej pieniądze za wynajem, które Anna przeznaczyła na noclegi.

Kwota trzydziestu funtów przerosła jej oczekiwania. W hostelu brakowało ogrzewania, wszystko było brudne, a recepcjonista rzadko kiedy trzeźwiał. Prysznice były na korytarzu.

Anna usiadła na wąskim łóżku, patrząc na walizki. „Jakoś to przetrzymam" – pomyślała. Zmieniła jednak zdanie po pierwszej spędzonej tam nocy. Nad ranem trzęsła się z zimna, a przykry zapach w pokoju przyprawiał ją o mdłości.

Zadzwonił telefon. Długo szukała go pod łóżkiem. Sięgnęła ręką i odebrała.

– Cześć, Anno. Jak się masz? Jakie plany na dzisiaj? Masz nocną zmianę ? – usłyszała w słuchawce Jovana, który zasypał ją pytaniami.

Rozpromieniła się, gdy usłyszała jego aksamitny głos.

– Może być, chociaż... bywało lepiej. Tak, pracuję dzisiaj od 22 – odpowiedziała, trzęsąc się z zimna.

– Czy wszystko w porządku? – zapytał z niepokojem w głosie.

– Mieszkam w hostelu i panują tu spartańskie warunki, do tego nie działa ogrzewanie, a recepcjonista trzeźwieje tylko wtedy, gdy trzeba zapłacić za kolejną dobę – powiedziała.

– Dlaczego mieszkasz w hostelu? Już nie wynajmujesz pokoju? – kontynuował.

– Do Betty na święta Bożego Narodzenia przyjechali rodzice, musiałam więc ewakuować się na jakiś czas – odparła.

W słuchawce zaległa cisza.

– Halo? Jesteś tam? – zapytała.

– Tak, wiesz, bo właśnie sobie pomyślałem, że przecież Ignacio, mój współlokator, wyjeżdża na święta do Madrytu i może mógłbym zapytać go, czy możesz zająć jego pokój na ten czas – zaproponował Jovan.

– Sama nie wiem... Nie chcę sprawiać kłopotu – odparła niepewnie.

– Żaden kłopot, dzisiaj z nim porozmawiam. Zadzwonię później.

Anna nie czuła się komfortowo na myśl o wspólnym mieszkaniu z Jovanem na tym etapie znajomości. Z drugiej strony, kiedy myślała o hostelu i kolejnych dwóch tygodniach, przeszywał ją dreszcz. W końcu nie będę mieszkała z nim w jednym pokoju. Może warto przyjąć ofertę pomocy? Nie musiałabym też wydawać codziennie trzydziestu funtów na coś, co nie jest warte jednego.

Po chwili zadzwonił telefon.

– Anna? Załatwione. Możesz wprowadzić się jutro. Ignacio wyjeżdża z samego rana. A ja mam dzień wolny, więc mogę pomóc ci przewieźć rzeczy na Camden – powiedział Jovan.

– Sama nie wiem... Jestem ci bardzo wdzięczna... – Anna była niezdecydowana.

Wspólne mieszkanie napawało ją lękiem. Sporadyczne randki na pewno robią wrażenie, ale wspólna codzienność na początku znajomości już nie.

– Nawet nie chcę słyszeć odmowy – zaoponował stanowczo. – Jutro wcześnie rano przyjadę po ciebie. Będę czekał o siódmej na stacji London Bridge, spakujemy rzeczy i wrócimy taksówką. Do zobaczenia.

Rozdział 7

Do Bożego Narodzenia pozostało już tylko kilka dni. Ulice Londynu rozświetlały świąteczne dekoracje. Wystawy sklepów na Oxford Street przyciągały uwagę przechodniów. Anna zaadaptowała się w mieszkaniu Jovana i szybko przeniosła się do jego pokoju.

Wracając nad ranem z kasyna, robiła jeszcze zakupy i śniadanie dla ukochanego, zanim wyszedł do pracy, a potem szła spać. Czas dojazdu do kasyna znacznie się skrócił, więc mogła dłużej pospać.

– Śniadanie? Czuję się, jakbym miał żonę – mówił i całował ją czule.

Mijali się tak przez tydzień. Czasem na ulicy, kiedy ona właśnie wracała, on szedł do pracy.

– Czegoś zapomniałem – mówił wówczas, mijając ją na chodniku.

– Tak? – zagadnęła.

– Pocałować cię – składał jej ciepły pocałunek na ustach.

Dopiero kiedy Jovan miał wolne, mogli spędzić ze sobą więcej czasu. Kochali się często i Annie jeszcze z nikim nie było tak dobrze w łóżku jak z nim. Niestety, zbyt rzadko ją przytulał. Myślała, że boi się bliskości i zaangażowania. Jednak, kiedy po raz pierwszy powiedziała, że go kocha, odwzajemnił jej wyznanie.

Za wygrane w kasynie kupował jej drogie perfumy i kosmetyki. Zakupy robiła głównie na Oxford Street. Anna zarabiała lepiej od Jovana, więc nie brakowało jej pieniędzy. Teraz jednak wydawała znacznie więcej, chcąc wyglądać jak najlepiej. Miłość i seks sprawiały, że każdego dnia, pomimo zmęczenia, stawała się coraz piękniejsza.

W niedzielne popołudnia chodzili do Regent's Park. Po drodze Jovan kupował orzechy i karmili wiewiórki. Wcześniej robił to sam.

Anna uwielbiała chodzić z nim na spacery, trzymać go pod rękę. W parku Jovan często rozmawiał z nieznajomymi, dziećmi. Bardzo łatwo nawiązywał kontakt z ludźmi i zawsze był życzliwie odbierany. Lubił zwierzęta, co jeszcze bardziej utwierdzało Annę w przekonaniu, że jest dobrym człowiekiem. Ona była bardziej skryta i czasem lubiła spędzać czas sama, słuchając muzyki, rozmyślając o swoim życiu i o książce, którą napisze. Miała duszę artystyczną i bujała w obłokach. Jovan natomiast stąpał twardo po ziemi i był realistą. Bardzo często nie rozumiał jej aspiracji, starając się sprowadzić ją na ziemię. Anna była jak nadmuchany balon. Musiał ją cały czas trzymać blisko, bo jeśli zostawiłby na moment, odfrunęłaby wraz ze swoimi marzeniami o karierze wokalnej, filmowej i literackiej. Kariera nie była jej jedyną ambicją. Zawsze marzyła o spotkaniu tego jedynego, pięknym domu z ogrodem pod miastem, dzieciach, rodzinnych tradycyjnych świętach, spiżarni, studiu nagrań. Słowem, pragnęła zawodowego i osobistego szczęścia.

– Anno, jestem bankrutem – powiedział kiedyś podczas spaceru.

– Pieniądze nie mają dla mnie znaczenia, raz są, a raz ich nie ma – odpowiedziała.

– Jesteś więc inna niż wszystkie dziewczyny.

– W jaki sposób zbankrutowałeś? – zapytała.

– Postawiłem wszystko na jedną kartę i zostałem z niczym. Miałem dobrze prosperującą restaurację w Kopenhadze, którą otworzyłem z kolegą. Miałem też firmę sprzątającą. Miałem piękny apartament, drogie meble, mnóstwo znajomych, często urządzałem party dla przyjaciół. Latałem po całym świecie. Trochę pracowałem też na Gibraltarze w liniach lotniczych. Mieszkałem w Australii – pokazał Annie australijskie prawo jazdy. – Grałem w kasynach w Las Vegas i przyjaźniłem się z zamożnymi ludźmi, dla których też grałem na zamówienie. Spotykałem się z wieloma pięknymi dziewczynami, ale zawsze na krótko. Fundowałem wszystkim, co chcieli. Nie potrafiłem zbudować związku. Kiedy Marit powiedziała mi, że chce ślubu i dziecka, rozstałem się z nią.

– Jak to grałeś na zamówienie? – zapytała.

– Zwyczajnie, pomnażałem ich majątek w kasynach. Miałem dobrą passę. Kiedyś zaprosiłem ich do

Londynu. Graliśmy w Ritz Club i innych kasynach za wysokie stawki. Kiedy obsługa widziała mnie z nimi, myślała, że mój stan konta równa się ich majątkowi. Teraz wszędzie jestem traktowany z szacunkiem i często dostaję zaproszenia od dyrektorów kasyn.

– Jak zaczęła się twoja przygoda z kasynami? Przecież to totalna głupota. Pracuję tam i widzę, jak klienci przegrywają majątki, a potem zatrzaskują im przed nosem drzwi kasyna. Tracą wszystko, dorobek całego życia, rodziny, a zwłaszcza duszę.

– Pierwszy raz do kasyna poszedłem, kiedy miałem 18 lat. Spotkałem tam nawet mojego późniejszego profesora z uczelni. Byłem młody. Mieszkałem na wsi, gdzie stały cztery domy. Włóczyłem się całymi dniami z psem, ale musiałem też pomagać rodzicom w polu. Nie przelewało nam się. Tata uprawiał ziemię. Mama pracowała w fabryce. Mam też starszego brata, który mieszka teraz w Ameryce z żoną i dziećmi. Mój brat nie chciał się uczyć, wolał pomagać ojcu w gospodarstwie. Byłem jego przeciwieństwem. Zawsze wracałem do domu ze świadectwem z wyróżnieniem. Chciałem pójść na studia. Rodziców nie było stać na opłacenie mojej nauki. Znalazłem sposób, żeby sfinansować sobie edukację. Raz w tygodniu wsiadałem w autobus i jechałem do Belgradu, żeby grać w kasynie. Zacząłem wygrywać i tak wciągnąłem się w hazard.

– A co tak naprawdę stało się z twoją mamą? Jeśli to dla ciebie zbyt bolesne, to nie musisz mówić – zapytała delikatnie Anna.

– Któregoś dnia wróciłem ze szkoły i dowiedziałem się, że moja mama nie żyje. Powiedzieli mi, że strzelała do puszek przed domem i niechcący się postrzeliła. Nie uwierzyłem. Uciekłem. Biegłem przed siebie przez pola, a za mną mój pies, który nie mógł nadążyć. Byłem w szoku. Biegłem i płakałem, aż zabrakło mi tchu. Jestem podobny do mojej mamy. Jak mój brat do taty. Nie wierzę w jej przypadkową śmierć. To była intryga i myślę, że stoi za tym mój ojciec i brat.

Anna z niedowierzaniem słuchała opowieści Jovana, myśląc o jego tragedii.

– Wiele przeszedłeś – powiedziała.

Usiedli na ławce. Wiewiórka wspięła się po nodze Anny w nadziei na orzeszek.

– Po tej tragedii wyjechałem do Belgradu do cioci, która dała mi dach nad głową, gdy rozpocząłem studia medyczne. A jak było z tobą, Anno? Dlaczego tak piękna dziewczyna jak ty, miła i inteligentna, nie ma męża? Dlaczego nie zrobiłaś kariery w Polsce, skoro tutaj bisowałaś na koncercie? – zapytał Jovan.

– To nie takie proste. Musisz mieć albo wielki talent, albo kontakty i pieniądze. Oczywiście, do tego wszystkiego odrobinę szczęścia. Nieraz słyszałam lepszych wokalistów na ulicy niż w telewizji. U nas w ogóle nie dopuszczają młodych talentów. Miejsca są obstawione. Jednak próbowałam i nadal mam nadzieję, że któregoś dnia osiągnę wymarzony cel. Chciałabym pracować w mediach. Poza śpiewem interesuje mnie film i mam już za sobą małe epizody w serialach. Myślę, że podjęłam w życiu kilka złych decyzji, które w dużej mierze rzutują na to, kim i gdzie teraz jestem.

– Jak to? – ciągnął Annę za język.

– Wspominałam ci, że na studiach związałam się z moim wykładowcą. Nieformalnie, ale mieszkaliśmy z Danielem razem aż sześć lat. – To był burzliwy związek, pełen wspólnych pasji, namiętności i szaleństwa. Z jednej strony bardzo mnie rozwinął, ponieważ Daniel jako artysta miał podobne zainteresowania do moich. Obejrzałam z nim górę filmów i przeczytałam pół biblioteki. Daniel jednak, pomimo że bardzo zdolny, był też leniwy. Pracował dwa dni w tygodniu i bardzo często pił alkohol. Czasem był zabawny, a czasem agresywny. Wiele razy nalegałam, żeby coś dla mnie skomponował, żebyśmy nagrali płytę. Trudno było cokolwiek zrobić wspólnie, ponieważ to on chciał być w centrum zainteresowania jako pianista. Do tego Daniel ma dwoje dzieci i każde z inną dziewczyną.

– Mówiłaś, że miałaś koncert w Londynie – wspomniał Jovan.

– Tak, ale to z mojej inicjatywy, a nie Daniela. Załatwiłam nam wywiad radiowy i koncert. Mimo że ludziom bardzo się podobało, Danielowi było wciąż za mało pieniędzy. Wiedział, jak bardzo lubię to robić i że potrzebuję akompaniatora do wspólnych występów. Nie szukałam innych, bo on muzycznie potrafił idealnie się do mnie dopasować. Lepiej na scenie niż w życiu. Nie był takim dżentelmenem jak ty. Walizki musiałam dźwigać sama, a on szedł spacerkiem za mną, paląc papierosa i tłumacząc, że pianiści nie mogą się przedźwignąć.

– A gdzie on właściwie teraz mieszka? – zapytał Jovan.

– Niedaleko mieszkania Betty, na Denmark Hill – odpowiedziała.

– Widujesz go czasami? – wypytywał Jovan.

Anna nie chciała kłamać, z drugiej strony jej związek z Danielem uznała za skończony, więc nie musiała się z niczego tłumaczyć.

– Tak, czasem wpada do Betty, ale bardzo rzadko. Ma teraz jakiegoś Ruperta, z którym gra koncerty – odpowiedziała. – Nie miałam szczęścia, jeśli chodzi o muzykę. Przygotowałam repertuar do pracy na amerykańskich statkach pasażerskich, żeby jeździć na kontrakty, śpiewać i zwiedzać świat. Demo spodobało się agentowi z Florydy i dostaliśmy kontrakt — dwa razy — na Karaibach. Za pierwszym razem nasz perkusista dostał zawału serca, a za drugim Daniel wybrał wakacje z synem, wiedząc, że przygotowywałam się przez trzy lata do pracy na statkach. Założyłam dwa zespoły i zrobiłam 500 amerykańskich standardów.

– Więc to są te złe decyzje, tak? – zapytał.

– W sumie tak. Daniel to nie wszystko. Dałam się wciągnąć w pewien układ z biznesmenem z Londynu i moje życie potoczyło się w złym kierunku. Może kiedyś ci o tym opowiem. Teraz jednak staram się zamknąć przeszłość i odbić od dna, dlatego tu jestem – dodała.

Długi spacer i rozdrapywanie ran zmęczyło zarówno Annę, jak i Jovana. Wstąpili do małej restauracji w centrum Regent's Park na gorącą kremową zupę z chrupiącą bułką i solonym masłem. Przykre doświadczenia życiowe zbliżyły ich do siebie jeszcze bardziej. Oboje mieli dobre serca, ale płacili wysoką cenę za swoją naiwność.

Rozdział 8

W kasynie Napoleons rozbrzmiewała świąteczna muzyka. Wczesnym rankiem po nocnej zmianie Anna poszła na śniadanie do restauracji na rogu Oxford Street. Nie przepadała za angielskimi śniadaniami, ponieważ były dla niej zbyt ciężkie. Tosty czy pieczarki z kiełbasą rano, a do tego herbata z mlekiem, powodowały, że czuła się ociężała.

Wypiła kawę i udała się na spacer w poszukiwaniu świątecznego prezentu dla Jovana. Piękne wystawy przyciągały przechodniów, którzy w pośpiechu robili jeszcze ostatnie zakupy. Anna zdecydowała się na perfumy Hugo Boss. Wiedziała, że Jovan ich używa, więc była to dosyć bezpieczna decyzja. Na ostatnim piętrze sklepu John Louis poprosiła o zapakowanie prezentu. Kupiła jeszcze kilka drobiazgów dla koleżanek z kasyna i czekoladki dla Kate Parker. Wstąpiła też do Marks&Spencer, gdzie kupiła bluzkę z wyhaftowanymi kwiatami w kolorze écru.

„To na wieczór" – pomyślała. Odkąd spotykała się z Jovanem, lubiła mieć na sobie coś nowego.

Wieczorem zjedli wigilijną kolację na zaproszenie dyrektora kasyna Empire. Zrobili wówczas kilka zdjęć, które Anna zachowała na pamiątkę.

– Mam coś dla ciebie – Jovan wyciągnął spod stołu prezent. – Rozpakuj, proszę – powiedział.

– Dziękuję, Jovan – Anna powoli rozpakowała prezent. Były to małe flakoniki perfum Dior.

– Moje ulubione, jeszcze raz bardzo dziękuję. Ja też coś dla ciebie mam – Anna podała prezent Jovanowi, zauważając, że oboje zdecydowali się na zakup perfum.

– Również moje ulubione. Oryginalne? – zażartował.

Dni do Sylwestra upłynęły na pracy. Marta zamieniła się z Anną na nocnej zmianie, z czego Kate nie była zadowolona. Nie lubiła, kiedy dziewczyny mieszały w sporządzonym przez nią grafiku. Sylwester w kasynie okazał się najmilszym dniem pracy. Anna nie żałowała, że tego dnia pracuje, zwłaszcza że kończyła wyjątkowo o północy i Jovan miał na nią czekać z późną kolacją tam gdzie zawsze. Kate kazała dziewczynom przygotować dowolne kreacje, mogły się przebrać za gwiazdy filmowe czy postaci z bajek.

Jovan poszedł z Anną do wypożyczalni strojów. Dziewczyna przymierzała różne sukienki, a on cierpliwie na nią czekał, przyglądając się pożądliwie. W końcu zdecydowała się na strój z lat 60., który idealnie do niej pasował. Do czarnej, zdobionej srebrną nicią sukienki dobrała czerwone boa i szpilki w tym samym kolorze. Na głowę założyła opaskę z piórem. Makijaż zrobiła jej Hiszpanka, która, gdyby nie akcent Anny, nie uwierzyłaby, że ta nie jest jej rodaczką.

– Ma pani urodę Hiszpanki – powiedziała kosmetyczka, malując usta Anny krwistoczerwoną szminką.

Jovan zaskoczył Annę swoją cierpliwością. Nawet gdy robiła makijaż w centrum handlowym, gdzie przy stoiskach z kosmetykami oferowano make-up w zamian za zakup kosmetyku w cenie 60 funtów.

– Wyglądasz pięknie, choć wolę cię bez makijażu – powiedział Jovan, kiedy przeciskali się przez tłum przechodniów na Oxford Street.

Tego wieczora Anna zrobiła wrażenie na wszystkich. Niewątpliwie była najpiękniejszą kelnerką. Z gracją serwowała drinki, a krupierzy wzdychali na jej widok, godząc się z przegraną. Oficjalnie w kasynie krążyły plotki, że dziewczyna związała się z zamożnym klientem kasyna. Nikt poza Anną nie znał sytuacji finansowej Jovana. Choć kasyno było bardzo zatłoczone, panowała jednak luźniejsza atmosfera niż zwykle. Kelnerki robiły sobie pamiątkowe zdjęcia w wypożyczonych strojach. Do kuchni przemycano alkohol, a po północy wszyscy mieli tyle samo promili we krwi.

„Przyjdzie o północy, żeby złożyć życzenia, czy nie?" – Anna myślała o Jovanie. Od momentu, gdy po kasynie zaczęły krążyć plotki, że są w związku, Jovan uznał, że dla jej dobra nie będzie pokazywać się w miejscu pracy Anny. Jednak tej nocy chciała, żeby przyszedł. Kiedy wybiła północ, rozglądała się po całym kasynie, a wtedy zobaczyła, że to on jej się przygląda. Podeszła, a on wziął ją w ramiona i namiętnie pocałował przy wszystkich. Kevin, menedżer, który miał zmianę tej nocy, posłał jej najpierw surowe spojrzenie, które zakończył uśmiechem.

Anna i Jovan wymknęli się z kasyna. Kiedy zjeżdżali po ruchomych schodach do metra, poczuła jego dłoń pod sukienką. Na schodach zawsze było tłoczno, więc nikt tego nie zauważył. Tym razem Anna nie miała na sobie spodni. Poczuła jego ciepłą dłoń przesuwającą się po jej udach. Spojrzała na niego i rozchyliła usta znacząco.

Nigdy wcześniej nie wyczekiwali na metro tak niecierpliwie, jak tej nocy. Anna wyglądała i czuła się bardzo seksownie. Celowo otarła się o niego w metrze. Wracali do domu w milczeniu. Mieszkanie było puste. Jovan ściągnął jej płaszcz i swoją marynarkę. Zaczęli całować się już w korytarzu. Zarzuciła mu boa na szyję i przyciągnęła, pozostając w namiętnym pocałunku. Uwielbiała jego miękkie, ciepłe usta. Tym razem to ona odważyła się rozpiąć pasek jego spodni. Potraktowała seks jako zabawę, popchnęła go delikatnie na łóżko, a potem zaczęła pieścić ustami. Była naga, miała na sobie tylko boa i samonośne czarne pończochy. Jovan był zaskoczony, ponieważ nie wiedział, że Anna potrafi być taką diablicą w łóżku. Podobało mu się, że go wykorzystała seksualnie, bo to była miła odmiana.

Kiedy obudziła się rankiem, Jovana już nie było. Zbierała rzeczy porozrzucane poprzedniej nocy po całym pokoju, gdy zadzwonił telefon.

– Cześć, diablico, myślałem, że jeszcze śpisz. Czy wszystko w porządku? – zapytał.

– Nie, nie jest w porządku. Mam na ciebie ochotę, a łóżko jest puste – odrzekła.

– Przecież wiesz, że muszę pracować, ale może wstąpisz do mnie w drodze na Peckham? – zaproponował.

– Jasne. Ogarnę tylko trochę pokój i spakuję niezbędne rzeczy – odparła. Chociaż marzyła, że ją zatrzyma.

– Nie musisz się wyprowadzać, możesz zostać u mnie, jeśli współlokatorzy zgodzą się na jedną osobę więcej – powiedział.

– Nie. Była umowa i dotrzymam słowa – ucięła.

W głębi duszy miała jednak nadzieję, że zostanie. Wzięła długą kąpiel. Zrobiła sobie mozarellę z pomidorami i bazylią. Nigdzie się jej nie spieszyło. Miała dzisiaj wolne. Wypiła kawę i posprzątała pokój. Pakując się, znalazła seksowne stringi i czarne pończochy. Uśmiechnęła się pod nosem. „Mam plan" – pomyślała. Na bieliznę wciągnęła obcisłe jeansy.

Po drodze kupiła jedzenie na wynos. Był to makaron z włoskiej restauracji. Anna weszła pewnym krokiem do budynku. Jovan siedział wpatrzony w monitory komputerów.

– To dla ciebie, kochanie. Pomyślałam, że być może zjesz lunch w pracy bez wychodzenia do restauracji i będziemy mieli chwilkę dla siebie.

Spojrzała na niego, mrużąc oczy. Jovan wiedział, co oznacza to spojrzenie. Nie czekał, tylko wciągnął Annę na zaplecze.

– Lunch ci wystygnie. I co, jeśli ktoś nas nakryje? – zaczęła chichotać.

– Nikt o tej godzinie tutaj nie przychodzi – odpowiedział.

Pomieszczenie było dosyć małe, zastawione kartonami. Anna zsunęła z siebie jeansy, wypinając zachęcająco piękne pośladki w kierunku Jovana. Oparła się o stolik. Delikatnie zsunął swoje spodnie i wszedł w nią. Anna poczuła uderzające ciepło. Lubiła, kiedy robił to bez zabezpieczenia i do końca. Był to dla niej całkowity akt oddania. Nigdy z nikim się jeszcze tak nie kochała.

Usłyszeli pukanie.

– Panie Pavić, jest pan tam? – usłyszeli męski głos.

– Tak, już idę. Moment – odparł Jovan.

– Zaczekaj tutaj – szepnął do Anny.

Po chwili teren był bezpieczny. Anna wyszła z budynku z zarumienionymi policzkami, zadowolona i spełniona. Jovan jadł lunch i poczuł się senny.

Akurat nadjechał autobus 36. Anna zajęła miejsce u góry, włączyła iPod, wciąż czując między nogami ciepło Jovana. W Polsce nie lubiła jeździć autobusami, ale w Londynie zawsze, kiedy była okazja, zajmowała miejsce na piętrze autobusu, podziwiając miasto.

Włożyła klucz do drzwi mieszkania Betty.

– Wróciłam! – zawołała w korytarzu Anna, zbierając pocztę, która zawsze leżała na wycieraczce.

– Cześć kochana, jak tam po świętach? – zawołała uradowana Betty.

Anna weszła po schodach.

– Listy do ciebie, o, i jeden dla mnie… z banku – powiedziała Anna, podając Betty pocztę. – Super, wiele się wydarzyło. Świetnie układa mi się z Jovanem. Spędziliśmy cudowną Wigilię, a potem Sylwestra – Anna przypomniała sobie, jak szaleńczo kochała się z Jovanem tej nocy, i uśmiechnęła się w duchu.

– A jak wizyta twoich rodziców? – zapytała Anna.

– Może być. Co roku to samo. Tradycyjna Wigilia. Potem biegamy z mamą po muzeach i sklepach, a tata siedzi całe dnie przed telewizorem. Przywieźli mi sporo wałówki z Polski. Jak masz ochotę, częstuj się, sama tego w rok nie zjem – zaproponowała Betty, strzepując popiół z papierosa do popielniczki, która stała koło komputera.

– Jutro wyjeżdżam do Yorkshire do pracy na trzy tygodnie. Czy możesz popilnować mi mieszkania przez ten czas? Wiem, że wolisz mieszkać teraz z Jovanem, ale byłoby fajnie, gdybyś tu zaglądała przynajmniej dwa razy w tygodniu. Mogłabyś? – zapytała Betty.

– Nie ma sprawy. Jeszcze nie podjęłam ostatecznej decyzji, gdzie będę mieszkać. Trochę nam ciasno z Jovanem w jednym pokoju. Poza tym, wiesz, lubię czasem być sama, niezależna. Bardzo mi tego brakowało. Nareszcie mam pracę i mogę kupować sobie, co chcę. Nie wiem, jak długo wytrzymam te nocki, ale takiej kasy w Polsce nie zarabiałam.

Betty wyjechała wcześnie rano. Anna była wyjątkowo senna, więc postanowiła pospać dłużej. Koło jej łóżka leżał kalendarz. Od czterech tygodni nie było w nim żadnych notatek.

– No tak, w końcu zakochałam się i przestałam prowadzić poukładane życie – powiedziała do siebie.

W tym momencie zdała sobie sprawę z tego, że ostatni okres miała sześć tygodni temu. Myśl o ciąży przeszyła ją dreszczem. Postanowiła pójść jedną przecznicę dalej do supermarketu Morrisson, żeby uzupełnić pustą lodówkę. W aptece supermarketu kupiła również test ciążowy. Po powrocie do domu natychmiast zrobiła test, nie chciała czekać do następnego dnia rano.

– To niemożliwe! – krzyknęła w łazience.

„Może to jakiś felerny test?" – pomyślała, gdy na pasku pokazały się dwie kreski, niebieska, oznaczająca, że test jest dobry, i różowa, pokazująca ciążę.

Wybiegła z domu, żeby kupić kolejne dwa testy w aptece. Po powrocie do domu powtórzyła test i wynik był znowu pozytywny. Położyła się w łóżku i zaczęła płakać, nie wiedziała, czy ze szczęścia, czy z rozpaczy. Co teraz będzie? Jak powiem mu o ciąży... jak on zareaguje? Muszę przekazać mu tę wiadomość jakoś delikatnie.

Anna wyjechała do pracy wcześniej niż zwykle. Była wyczerpana. Nie mogła uwierzyć, że nosi w sobie życie. Zawsze chciała mieć dziecko, ale najpierw marzył jej się piękny ślub. Kiedy była w związku z Danielem, chciała mieć z nim dzieci, czasem kupowała nawet małe ubranka, żeby zakomunikować mu, jak bardzo cierpi.

Przed pracą przeszła się jeszcze po Oxford Street. Chodziła zamyślona, jakby znajdowała się w innym świecie. Tego dnia nie spieszyło jej się zbytnio do pracy. Myślała raczej o reakcji Jovana.

Weszła do sklepu Mamas&Papas, gdzie kupiła malutkie niemowlęce buciki. Włożyła je do małej torebki wraz z testem ciążowym.

W pracy niecierpliwie czekała na przerwę. Jovan jak zawsze zaprosił ją na kolację. Umówili się w chińskiej restauracji. Anna usiadła naprzeciwko niego, była bardzo poważna i skupiona. Jadła w milczeniu, małymi kęsami, bawiąc się pałeczkami. Jovan przyglądał jej się z zaciekawieniem.

– Czy coś się stało? Jesteś dzisiaj jakaś milcząca – zapytał.

– To dla ciebie – dziewczyna podała mu małą torebkę.

Nie chciała już dłużej czekać. Obserwowała uważnie, jak Jovan wyciąga z torebki buciki, a potem test.

– Co to jest? – zapytał z niepewnością w głosie.

– Jestem w ciąży – powiedziała, patrząc mu prosto w oczy.

Nie potrafiła odczytać jego reakcji. Jak zawsze był poważny i trudno było dowiedzieć się czegoś z jego twarzy.

– Wiedziałem. Wiedziałem, że jesteś w ciąży – powiedział spokojnie.

Objął ją i wyszli z restauracji.

Rozdział 9

Po powrocie do Warszawy Anna nie potrafiła się odnaleźć. Ludzie na ulicach wydawali się jacyś tacy szarzy i przygaszeni. Możliwe, że to jesień malowała barwy na ich twarzach, a może zwykła codzienność. Postanowiła zadzwonić do Petera. Umówili się tym razem w Bristolu. Anna, idąc na spotkanie, mijała kolejnych przechodniów, widziała ich smętne twarze, bez tego przyklejonego uśmiechu, jaki widywała w Londynie. Kiedy mijała Kolumnę Zygmunta, jej uwagę zwrócił klaun, który jak co dzień siedział na jej stopniach. Pomimo że symbolizował postać, jaką każdy z nas wspomina z uśmiechem, jego twarz była bez wyrazu. Szczególnie zwracała uwagę wielka, wytatuowana łza na jego policzku. Mijała go, tak jak zazwyczaj, obojętnie. Zauważyła jednak, że uważnie się jej przygląda. Ich spojrzenia spotkały się, miała wrażenie, że wzrokiem chce jej coś powiedzieć. „Jestem nadwrażliwa" – pomyślała. Poza tym perspektywa spotkania z Peterem przeważyła nad chęcią nawiązania kontaktu. Nie chciała się spóźnić, on przecież tak tego nienawidził i naigrawał się potem złośliwie. Czekał już na nią przed hotelem. Przywołał hotelową taksówkę.

– Życie jest piękne – powiedział Peter, rozsiadając się wygodnie w pojeździe. – Spójrz na tych wszystkich ludzi. Przeciętni, szarzy. Każdy gdzieś się spieszy i muszą pracować całe dnie za marne grosze – pokazał gestem przez okno.

Anna siedziała w milczeniu, zastanawiając się, jak zareaguje na tego typu komentarze przeciętny, zdaniem Petera, taksówkarz. Nastała warszawska jesień. Dziewczyna spojrzała przez okno. Szalejący wiatr porwał gazetę jednemu z przechodniów, który w drugiej dłoni trzymał kawę w plastikowym kubku. Na przystanku zgromadzili się ludzie w oczekiwaniu na tramwaj, ściskając się pod zadaszeniem, bo właśnie zaczęło padać. Pomyślała o chwilach, kiedy ona dojeżdżała tak do pracy w Śródmieściu i stała godzinami w korkach. Teraz siedzi w ciepłej taksówce i mieszka w hotelu. To była jej słabość. Lubiła luksus i wygodę.

– Reszty nie trzeba – powiedział Peter do kierowcy.

– Dziękujemy. Do widzenia – dodała Anna.

W obecności taksówkarza starała się mówić jak najmniej i raczej oficjalnie. Peter traktował ludzi z góry. Nie lubiła tego. Ceniła raczej ludzi życzliwych i kulturalnych. Peter potrafił być chamski.

– Co pani dzisiaj taka milcząca? – zwrócił się do Anny, przeciągając kartę w pokoju hotelowym.

– Tak jakoś, sama nie wiem, może to ta pogoda. Wiesz, jak działa na mnie jesień. Najchętniej zaszyłabym się z książką w domu – odpowiedziała.

– To jest twój dom. Przywiozłem ci kilka drobiazgów z Londynu. Przymierz – Peter rzucił kilka firmowych ubrań na dwumetrowe łóżko i usiadł wygodnie w fotelu.

Anna rozpromieniła się na widok tych rzeczy. Nowa marynarka sprawiła, że wyglądała bardzo elegancko.

– To ubranie podkreśla twoją klasę. Od razu inna dziewczyna. Chodźmy na herbatkę – objął ją w pasie.

Siedzieli w restauracji na dziewiętnastym piętrze hotelu z widokiem na panoramę Warszawy. Kelnerka krzątała się, uzupełniając napoje i przekąski. W porze lunchu było tu raczej pusto.

– Witam panią. O co pani chodzi? Schudła pani jakoś – powiedział Peter zaczepnie do kelnerki w nadziei, że podroczy się z nim trochę.

Dziewczyna wiedziała, że musi zachować uprzejmość w stosunku do różnych zachowań gości hotelowych, dlatego zapytała miło:

– Czego się pan dziś napije?

– Poproszę herbatkę miętową. Co dla ciebie? – zapytał Annę.

– Cappuccino proszę.

Anna życzliwie uśmiechnęła się do kelnerki, starając się zrekompensować jej zachowanie Petera. Anna lubiła kawę w tym hotelu, ponieważ była delikatna. Od kiedy zaczęła spotykać się z Peterem, stała się wybredna bardziej niż kiedykolwiek. Jadali w najlepszych warszawskich restauracjach. Mieszkali w najdroższych hotelach.

– Dlaczego nie możesz mi pomóc? Przecież wiesz, jak bardzo chciałabym śpiewać. W końcu masz kontakty w mediach. Twoi znajomi mówią, że z moją prezencją powinnam pracować jako prezenterka telewizyjna – powiedziała z wyrzutem.

– Naród panią rozumie, jednak brakuje pani cierpliwości – zwodził ją Peter.

– Jasne, ty zawsze tak mówisz. Czekam już rok i nic. Ciągle to samo – powiedziała ze smutkiem w głosie.

– Ma pani jakichś innych chujków, ja muszę czuć, że jesteś tylko moja, wtedy dojdziemy do porozumienia – uciął.

– Nawet nie zaczynaj tego tematu. Dobrze wiesz, że nikogo nie mam – zaprzeczyła Anna.

– A Danielek? – zapytał.

– Danielek to już przeszłość – powiedziała Anna.

– Pani to jest stara kombinatorka – zaczął się śmiać.

Była młoda. Miała zaledwie 24 lata, kiedy przyjechała do Warszawy w nadziei, że uda jej się osiągnąć to, o czym marzyła całe życie. Była ładna, miała talent. Chodziła na castingi, czasem zagrała jakiś mały epizod w serialu, jednak na nic wielkiego nie mogła liczyć. Castingi były męczące. Całymi godzinami stała w kolejkach. W końcu dała sobie z tym spokój. Postawiła na Petera w nadziei, że to on będzie kluczem do jej sukcesu. Nie wyobrażała sobie jednak życia na co dzień z tym człowiekiem. Sposób, w jaki traktował ją i innych ludzi, był nie do przyjęcia. Często ubliżał jej bez powodu, potem rekompensował jej to drogimi prezentami lub pieniędzmi.

– Pani musi się zmienić. Musisz być taka jak ja. Wtedy jest szansa na porozumienie – rzekł Peter.

Anna nie chciała być taka jak on, chociaż zauważyła, że radząc się czasem Petera w niektórych sprawach i robiąc tak, jak jej zasugerował, osiągała zamierzony cel.

Poznała go, kiedy pracowała jeszcze w szkole w centrum Warszawy. Któregoś dnia po pracy postanowiła poszukać dodatkowego zajęcia. Pomyślała o występach w klubach. Miała swojego pianistę i repertuar. W piątek wstąpiła do nowo otwartego klubu „Artyści" na Mazowieckiej. Nie odznaczał się wysokim standardem. Najpierw trzeba było przejść przez bramę, a potem wejść po schodach na pierwsze piętro. Annie od razu rzucił się w oczy fortepian, a przy nim postać półnagiej kobiety wyrzeźbionej z drewna. Pod ścianą ustawiono stoliki, a w wazonach stały świeże tulipany. Kiedy Anna weszła do klubu, zaskrzypiała stara drewniana podłoga.

– Dzień dobry. Czy zastałam właściciela? – zapytała kelnerkę.

– Dzień dobry. Właśnie dzwonił, że za chwilę będzie. A w jakiej sprawie? – kelnerka spojrzała na Annę z obawą i lekkim popłochem, traktując ją zapewne jako konkurencję.

– Sprawy muzyczne – odpowiedziała krótko.

– Może się pani czegoś napije? – odetchnęła tamta z ulgą.

– Nie, dziękuję, zaczekam na właściciela.

Anna postanowiła rozejrzeć się po lokalu. Przyglądała się obrazom na ścianach, zdjęciom z podpisami artystów, którzy gościli w klubie, kiedy usłyszała odgłos stukających butów. Do klubu pewnym krokiem wszedł wysoki brunet w garniturze, z bukietem tulipanów w ręce. Po sposobie, w jaki wmaszerował, było widać, że to ktoś, kto pracował w wojsku. Peter zawsze kupował świeże tulipany w drodze do klubu.

– Jakaś dziewczyna przyszła do pana – usłyszała Anna w oddali i natychmiast podeszła do baru, żeby przedstawić się właścicielowi.

– Dzień dobry. Czy mógłby mi pan poświęcić chwilkę? – zapytała uprzejmie.

Czuła, jak Peter mierzy ją od stóp do głów.

– Proszę, usiądźmy – zaproponował. – W jakiej sprawie pani przyszła? – zapytał stanowczym i władczym głosem.

– Szukam pracy jako wokalistka. Na co dzień pracuję w szkole, jednak wieczorami chciałabym pracować w klubie. Myślę, że mój głos i repertuar idealnie wpasują się w klimat tego miejsca. Mam pianistę, który jest wykładowcą na wyższej uczelni. W tej chwili jest na kontrakcie na statku w USA, ale za kilka dni do mnie dołączy.

– Nie potrzebujesz pianisty. Mam tutaj swoich muzyków – powiedział krótko.

– A ile zarabiasz w tej szkole? – zapytał z ironią.

Anna czuła się zmieszana bezpośredniością, z jaką się do niej zwracał.

– Jak to w szkole. Przeciętnie. Ciężka praca. Nie dość, że w szkole, to jeszcze w domu po godzinach. To wcale nie jest tak, jak inni myślą, że mamy tyle wolnego i tak lekko. Dzisiejsza młodzież nie należy do łatwych. Kiedyś młodzi ludzie szanowali nauczycieli, dzisiaj jest inaczej. To ciężki kawałek chleba i trzeba być nauczycielem z powołania – Anna czuła, że mogłaby mówić wiele na ten temat, ale starała się nie przedobrzyć na pierwszym spotkaniu.

– A ty nie jesteś nauczycielką z powołania? – zapytał.

– Lubię dzieci, ale wydaje mi się... to znaczy czuję, że chciałabym inaczej inwestować we własny rozwój. Nagrać płytę, grać koncerty. Interesuje mnie też praca w filmie. Media – dodała.

– Niech pani sobie nie zawraca dupy pracą za 1500 zł miesięcznie, tylko przyjdzie tu jutro wieczorem, to pogadamy. OK? Teraz mam ważne sprawy – telefon Petera zaczął dzwonić. A zaraz po nim kolejny.

Anna wyszła z klubu trochę rozczarowana – ale z nadzieją. Z jednej strony nie potraktował jej zbyt uprzejmie, z drugiej była ciekawa, co jej zaproponuje. Postanowiła wrócić tam w sobotni wieczór.

Peter szybko wyperswadował jej pracę w szkole, a Anna zdała się całkowicie na niego. Zaczęli spotykać się niemal codziennie, najpierw w klubie „Artyści", a potem w różnych restauracjach. Zaśpiewała u Petera tylko raz. Wiedział, czego Anna pragnie, jednak nie chciał jej pomóc w obawie przed tym, że gdy stanie na własne nogi, to go zostawi. Zdawał sobie sprawę z tego, jakie zainteresowanie wzbudza dziewczyna, a dodatkowo ma jeszcze talent. Gdyby pomógł jej w karierze, z pewnością by ją stracił.

Z restauracji na dziewiętnastym piętrze hotelu przenieśli się do apartamentu hotelowego. Kiedy przestało padać, Anna wybrała się na zakupy do galerii „Arkadia", a Peter postanowił odpocząć w łóżku przed telewizorem. Potem złapała taksówkę, żeby zdążyć na kolację do hotelu.

Konsjerż ukłonił się, gdy wysiadała z samochodu. W beżowym jesiennym płaszczu wyglądała bardzo elegancko i tak się właśnie czuła. W środku jednak dusiła się, myśląc o całej tej sytuacji z Peterem. Nieraz próbowała odciąć się od niego, ale bezskutecznie. Peter miał doświadczenie w postępowaniu z ludźmi, a jej trudno byłoby się utrzymać w stolicy. Z jego pomocą życie było łatwiejsze, tak przynajmniej sądziła. Nie chciała wracać do rodzinnego miasteczka, gdzie nie miała perspektyw na przyszłość.

Cena oddania się w ręce Petera była jednak bardzo wysoka. Liczyła, że ułatwi jej drogę do kariery, a oni pozostaną w przyjaźni. Nie tego jednak chciał Peter. Chciał ją mieć na własność, a jego znajomi mówili, że trzyma Annę w złotej klatce. Pragnął zawładnąć jej całym życiem, mało tego, dążył do tego, żeby stała się taka jak on.

– Mam dla ciebie Monkey Shoulder, szkocką whisky. Napij się, a poczujesz się od razu lepiej.

– Nalej mi, a ja tymczasem wezmę szybką kąpiel – Anna poszła do łazienki.

Lubiła miniaturowe kosmetyki z aloesem z tego hotelu. Nałożyła na skórę balsam, otuliła się białym szlafrokiem i poszła do Petera. Usiadła w fotelu, podkurczając nogi, na które zarzuciła szlafrok, i wypiła pierwszy łyk whisky. W głębokiej depresji potrafiła wypić nieraz prawie trzy czwarte butelki.

– ...ten chujek, dyrektor, to nie wie nawet, z kim ma do czynienia, a pani mi tu pierdoli o jakichś drobiazgach.

– Ty będziesz miała wszystko. Będziesz się czuła jak księżniczka, tylko musisz mnie słuchać. Rozumiesz? – kończył rozmowę telefoniczną Peter.

– Powiedz mi, dlaczego nie możesz mi nic załatwić, przecież ja nie mogę tak dłużej żyć, sama w wynajętym mieszkaniu godzinę od centrum Warszawy ze średnią krajową na utrzymanie. Ja chcę coś robić, coś twórczego. Myślałam, że mnie rozumiesz.

– To sobie rób, tylko nie proś mnie więcej o kasę – uciął. – Zaraz zobaczymy, jak pani na to zareaguje. Mam coś dla pani – Peter podał jej scenariusz do nowego amerykańskiego filmu.

– Finansuję tę produkcję i pani może tam zagrać jedną z głównych ról. I co pani na to? – zapytał.

– Jasne, teraz film, wcześniej udziały w firmie, a jak pytam o konkrety, to zawsze to samo, czyli nic – Anna rzuciła scenariusz na łóżko.

– No to jeszcze się pani przekona. A teraz chodź do mnie, łobuzico. Przymierz bieliznę, którą ci kupiłem, bo ta, którą nosisz, psuje ci sylwetkę.

Peter nigdy nie uprawiał z Anną seksu, ale zadręczał ją sms-ami i rozmowami na ten temat. Lubił sprawiać jej przyjemność, kupując ubrania, pomagając finansowo. Nie były to wielkie kwoty, ale pozwalały na przeciętne utrzymanie w Warszawie. Chciał raczej pokazywać się z elegancką dziewczyną.

Anna często rozważała niedorzeczność tej sytuacji. Brała pod uwagę to, że Peter może być gejem, a ona jego zasłoną dymną. Potem doszła do wniosku, że Peter ma jakieś poważne blokady psychiczne związane z kobietami. Pragnął kupić jej duszę, a nie ciało. Zastanawiała się nieraz, co nim kieruje, nie traktuje jej przecież jak panienki do zabawy. Miała wrażenie, że swoim postępowaniem wobec niej chce jej przekazać coś ważnego, czego, być może, nie potrafi albo nie chce wyrazić bezpośrednio.

Rozdział 10

Nad Warszawą świecił księżyc. Daniel wyglądał przez okno, paląc nerwowo papierosa. Zobaczył, jak Anna wysiada z taksówki przy strzeżonym osiedlu w dzielnicy Ursus.

– Znowu się z nim spotkałaś – przywitał ją w drzwiach z wyrzutem.

Anna starała się zlekceważyć komentarz. Na stole stały puste puszki po piwie. Mieszkanie znajdowało się na nowym osiedlu, a w czynsz wliczony był basen. Jedyny mankament stanowiły długie dojazdy do centrum. Było to dwupokojowe mieszkanie z aneksem kuchennym. Anna nie zdążyła jeszcze kupić mebli. Spała na materacu położonym na parkiecie. Kupiła jedynie stół i cztery krzesła oraz wieszak na ubrania. Od kiedy zawitał tu Daniel, zaczął panować bałagan. Na co dzień Anna mieszkała sama. Daniel przyjeżdżał raz w tygodniu, ponieważ wciąż wykładał na uczelni w Gdańsku.

Zdjęła kozaki i rzuciła kilkaset złotych na stół.

– To tak się teraz zarabia? – przyglądał się jej uważnie.

– Słuchaj, po pierwsze, jestem zbyt zmęczona na dyskusje i pogadamy, jak wytrzeźwiejesz, a po drugie, nic ci do tego – ucięła. – Wpadasz tutaj tylko na seks, żeby zobaczyć się z synem i zarobić kilkaset złotych w pracy, którą ci odstąpiłam, więc oszczędź sobie komentarzy. Dzięki tym pieniądzom mamy jutro na chleb.

Daniel liczył się z każdą złotówką i wolał, żeby to Anna finansowała jego mieszkanie i utrzymanie. Załatwiła mu pracę w szkole, a potem w ekskluzywnych hotelach, gdzie występował jako pianista.

– Byłabyś świetnym menedżerem – mówił.

– To prawda, mam talent do załatwiania pracy innym, ale nie sobie – skomentowała.

Zdjęła płaszcz, a on przyglądał się jej z zainteresowaniem.

– Tylko dziwki mają sponsorów. Za co on ci daje pieniądze, za nic? – kontynuował wywiad.

– Dałam ci szansę na normalne życie. Pamiętasz, co powiedziałeś, pracując na statku? Napisałeś, że jak znajdę mieszkanie i pracę, to weźmiemy ślub i będziemy mieli dziecko. Znalazłam mieszkanie i pracę w szkole, i co?

– Za mało zarabiasz – odpowiedział.

– Sam widzisz, nie ma szans na porozumienie. Zawsze znajdziesz jakiś powód, żeby nie założyć rodziny. Nie mogę czekać w nieskończoność, chcę urodzić dziecko przed trzydziestką. Przyjeżdżasz tutaj, spotykasz się ze swoją byłą dziewczyną, kiedy odwiedzasz waszego syna. A z Peterem nic mnie nie łączy, sam wiesz. To mój przyjaciel. Pomaga mi – dodała.

– Jak zwał, tak zwał. Dla mnie to sponsoring – odpowiedział ze złośliwym sarkazmem w głosie.

– Wiesz co? Odczep się. Poświęciłam ci sześć lat życia. Doceniam, że zerwałeś ostatni kontrakt dla mnie. Zawsze na ciebie wiernie czekałam, ale moja cierpliwość też ma swoje granice. Jak to dalej widzisz?

– Daj spokój, Niunia. Nie złość się, bo złość piękności szkodzi. Będziemy razem pływać na statkach. Założymy zespół i pokażę ci wszystkie te piękne miejsca, które widziałem. Zabiorę cię na Barbados, a potem St. Martin, St. Thomas, Curaçao. Na Alaskę nie ma po co. Straszna nuda.

– To znaczy, że cały mój wysiłek, jaki włożyłam w znalezienie pracy i przeprowadzkę do Warszawy, pójdzie na marne? – zapytała.

– Przecież widzę, jak męczysz się w tej szkole. Zawsze chciałaś śpiewać i zwiedzać świat, a potem pisać książki. Nagrajmy demo i wyślijmy do agenta na Florydę.

Anna uśmiechnęła się w duchu. W końcu poczuła, że będzie niezależna. Stres związany ze spotkaniami z Peterem minie, bo zwyczajnie nie będzie potrzebowała już jego dofinansowania do życia w Warszawie.

– Zostało jeszcze jakieś piwko? – zapytała, a jej nastrój zmienił się zupełnie.

– Nie ma, Niunia, ale jak chcesz, zjadę windą do monopolowego i zaraz przyniosę ci to, na co masz ochotę.

– Pieniądze są na stole – odparła pojednawczo.

Tego wieczora pili i rozmawiali niemal do rana, opracowując plan wspólnego zarabiania na życie. Daniel obiecał jej, że będą mieli wówczas wystarczająco dużo pieniędzy na założenie rodziny, a ona dostanie to, o czym zawsze marzyła. Będzie zwiedzać świat, będzie miała swoją publiczność, a potem napisze wspomnienia z podróży w domu, który kupią za zarobione pieniądze. Przyjdzie też czas na dziecko.

Anna miała słabość do Daniela, pomimo tego, jak wiele przez niego wycierpiała w ciągu ostatnich sześciu lat. Potrafiła wybaczać mu niespełnione obietnice. Wciąż miała w pamięci moment, kiedy pierwszy raz się spotkali... Przymknęła na chwilę oczy, obraz tamtych chwil powrócił... Schodziła właśnie po schodach podestu podczas próby chóru, żeby zarezerwować salę, w której będzie mogła poćwiczyć grę na fortepianie. Pod jej stopami skrzypiały kręte schody. Miała na sobie różowy półgolf i dopasowane jeansy, a w dłoni trzymała partyturę.

Przy recepcji stał Daniel, zdawał klucz do sali numer pięć. Czekał właśnie na recepcjonistkę, która gdzieś wyszła. Miał na sobie ciepły sweter z norweskim wzorem, a przez ramię przewieszoną czarną skórzaną torbę. Wyglądał na około trzydzieści dwa lata. Na korytarzu nie było nikogo oprócz nich. W tle rozlegał się śpiew chóru. Wtedy ich spojrzenia spotkały się pierwszy raz. Czas zatrzymał się w miejscu. Daniel spojrzał na nią i znieruchomiał. Ona przystanęła na schodach na jego widok, po czym zeszła do recepcji. Był w jej typie. Miał bujne, czarne, proste włosy i ciemnobrązowe oczy, które właśnie przeszywały jej wnętrze. Uśmiechnęła się niepewnie, pokazując mu swoje śnieżnobiałe zęby, które otaczały ponętne usta w kolorze perłoworóżowym, dopasowanym do sweterka. Kiedy odwzajemnił jej uśmiech, skierowała swoje duże szare oczy na podłogę, przysłaniając je długimi rzęsami. Ten gest rozbroił go całkowicie, ponieważ pomyślał, jak skromną i piękną osobą jest nieznajoma. Stali koło siebie w milczeniu, kiedy nadeszła recepcjonistka. Daniel zdał klucz, który odebrała Anna.

Po próbie chóru grała na fortepianie w sali numer pięć, w której jeszcze przed chwilą prowadził zajęcia Daniel. Przesuwała dłonią po klawiaturze, wyobrażając sobie, że siedział tu dwadzieścia minut temu i pieścił fortepian swoimi palcami. Szybko dowiedziała się, że wykłada w szkole. Wcześniej nie miała z nim zajęć, jednak były przewidziane na trzecim roku studiów.

Kilka dni później szła korytarzem uczelni do szatni z ociekającą od deszczu parasolką. Minęła pokój wykładowców, kiedy otworzyły się drzwi i wyjrzał z nich mężczyzna, którego spotkała koło recepcji, zapraszając ją gestem do środka. Weszła niepewnym krokiem. Wewnątrz nie było nikogo.

– Czy mógłbym zaprosić cię na randkę? – zapytał.

Anna zauważyła, jak wiele wysiłku włożył w to, żeby zadać jej to pytanie.

– W zasadzie nie powinnam – powiedziała jakby do siebie. „Nie myśl, że jestem taką łatwą zdobyczą", uśmiechnęła się w duchu. Widząc jednak jego zdenerwowanie, przytaknęła.

– Dlaczego nie – uśmiechnęła się szeroko.

Wyjął kartkę papieru, na której drżącą ręką zapisał jej numer telefonu, a także swój adres, przekręcając z wrażenia nazwisko.

Daniel mieszkał w starej kamienicy, a jego dwupokojowe, przestronne mieszkanie z wysokimi sufitami i obrazami zajmującymi trzy czwarte powierzchni każdej ściany, tworzyło klimat galerii. Autorem obrazów był brat Daniela, artysta malarz, który mieszkał w Nowym Jorku. Wzdłuż ścian stały wysokie regały na książki.

Gdy Anna przyszła tam po raz pierwszy, zauważyła na drzwiach wejściowych napis: „Daniel Pietrucha. Bitte klopfen", więc zapukała do drzwi. Po dłuższej chwili ponowiła próbę. Dzwonek nie działał. Wyjęła z torebki telefon komórkowy.

– Otworzysz mi wreszcie? – powiedziała.

Po chwili drzwi otworzyły się i stanął w nich Daniel. Był tak przejęty pojawieniem się Anny w jego życiu, że nie usłyszał pukania.

Kiedy Anna weszła do mieszkania, za drzwiami w korytarzu zobaczyła dwa duże worki z pustymi puszkami po piwie. Na stole stały świeczki, w blasku których ujrzała butelki z hiszpańskim i francuskim winem.

– Nie wiedziałem, jakie pijesz, więc kupiłem obydwa – powiedział, sięgając po korkociąg, a ręce drżały mu z przejęcia.

Rozmawiali do pierwszej w nocy, aż zabrakło im wina. Siedzieli na krzesłach przy małym okrągłym czarnym stoliku, na którym dopalały się świeczki. Mieszkanie Daniela miało wysokie sufity i było słabo ogrzewane.

– Zimno tutaj. Powinnam już wracać do akademika – powiedziała.

– Nie powinnaś. Zostań.

Przyniósł jej puchową kamizelkę i zaproponował, żeby usiadła bliżej niego koło pieca kaflowego, przy którym mogła się ogrzać. Objął jej zimne dłonie swoimi, żeby je rozgrzać. Były małe i delikatne, jak na mężczyznę. Dłonie pianisty. Pochylił się nad nią, siedząc na swoim krześle, i pocałował czule. Odwzajemniła jego pocałunek. Po raz pierwszy musnęła dłonią jego czoło, odgarniając miękkie, opadające na nie włosy. Oboje chcieli przedłużyć tę magiczną chwilę, jednak Anna uznała, że nietaktem będzie zostawać na noc na pierwszym spotkaniu. Zamówiła taksówkę i wróciła do akademika. Jej współlokatorka, pomimo późnej pory, jeszcze nie spała. Kiedy Anna otworzyła drzwi i weszła do pokoju, natychmiast usiadła na wąskim łóżku i z niecierpliwością zasypała Annę pytaniami:

– No to opowiadaj. Jak było? Jaki on jest prywatnie?

– Boski – westchnęła Anna, rzucając się na łóżko.

Rozdział 11

Anna szybko zrezygnowała z mieszkania w akademiku i wprowadziła się do Daniela. Znaleźli się na językach całej uczelni. Związek wykładowcy po przejściach z atrakcyjną studentką stanowił dosyć nietypowe zestawienie. Nie ukrywali się ze swoją miłością. To były cudowne chwile. Zdarzały im się kłótnie, jednak nie potrafili się na siebie długo gniewać. Daniel miał poczucie humoru i potrafił szybko rozładować napięcie.

Anna często brała kąpiel z olejkami eterycznymi, które przysyłał brat Daniela z Nowego Jorku, po czym przygotowywała kolację przy świecach, kiedy wracał wieczorami z prób big bandu. Wiedział, że czeka na niego w minispódniczce z imitowanej skóry krokodyla, żeby mógł ją skonsumować, zanim jeszcze zjedzą kolację.

Na parterze kamienicy zainstalowane były stare wahadłowe drzwi pomalowane szarą olejną farbą. Pierwsze ich pchnięcie, a potem charakterystyczne kroki na klatce informowały ją, że Daniel właśnie wraca. Potem słyszała, jak przekręcał klucz w zamku i od progu z promiennym uśmiechem mówił:

– Aniu, wróciłem!

Daniel był dla Anny bardzo ciekawą osobowością. Czuła pokrewną artystyczną duszę. Kochała muzykę, podróże, książki i filmy, podobnie jak on. Choć na co dzień okazał się egoistą, to jednak lubiła spędzać z nim czas. Niemal wszystko robili razem. Anna odświeżyła jego zakurzone mieszkanie, wprowadzając kilka zmian. Podczas jego nieobecności zanurzała się nie tylko w wannie, ale też w listach od zakochanej w nim paryżanki, którą poznał podczas wakacji, zdjęciach jego dzieci z poprzednich związków, a głównie w książkach, które sięgały od podłogi po sufit. Mama Daniela była emerytowaną nauczycielką języka polskiego i rozbudziła w nim miłość do czytania książek. To u niego po raz pierwszy przeczytała *Nędzników* Wiktora Hugo, *Świat według Garpa* Johna Irvinga czy *Kod Leonarda da Vinci* Dana Browna. Wieczorami czytali wspólnie, leżąc w łóżku, lub oglądali nowości na DVD.

Wakacje spędzali nad morzem oddalonym o siedemnaście kilometrów od miejsca, w którym mieszkali. Robili zdjęcia, nagrywali filmy z własnym udziałem. Jeździli na długie wycieczki rowerowe. Daniel pływał na wielkim kole, a potem biegał za nią po plaży z wiadrem wody. Jedli wędzoną makrelę na ławce, popijając piwem z puszki. Anna resztkami karmiła natrętne mewy. W domu kąpali się razem w wypełnionej wodą po brzegi wannie. Podczas kąpieli często czytała na głos. Wspólne kąpiele wielokrotnie kończyły się powodzią, do czasu, gdy do drzwi pukali zalani sąsiedzi. Gotując, popijali wino, które czasem uderzało zbyt mocno do głowy, a wtedy Daniel biegał za nią po domu z nogą świeżo upieczonego kurczaka. W odpowiedzi kiedyś rzuciła w niego bułką, która spłynęła po drzwiach wraz z dżemem, 2 cm od obrazu brata z Nowego Jorku. Kochali się i robili zwariowane rzeczy.

– Wyzwoliłem w tobie demona seksu – mówił z dumą.

– Nic dziwnego, skoro serwujesz mi taką ilość filmów erotycznych – odpowiadała. Lubiła się do niego przytulać, a on zawsze odwzajemniał jej uczucia. Chociaż w seksie nie było rewelacji. Pił zbyt dużo, palił za dużo. Gdyby miała zapamiętać obraz Daniela, widziałaby go leżącego na boku na wykładzinie koło pieca, kiedy wydmuchuje dym z płuc do otwartych drzwiczek, gdzie dosypywał węgiel. Był wówczas bardzo skupiony, daleko myślami. Niemal wszędzie zostawiali sobie miłosne liściki. Znajdował je w kieszeniach kurtki na uczelni wraz ze słodką przekąską.

Myślę o Tobie – pisała.

Zostawiała mu wiadomość w łazience na zaparowanym lustrze. Kiedy wychodził na poranne zajęcia, a ona spała do południa, po przebudzeniu znajdowała obok różę wraz z listem i ewentualnymi instrukcjami na dany dzień: jaki film wypożyczyć na wieczór, jakie mięso rozmrozić na obiad, oraz wesołym rysunkiem. Daniel nie tylko pięknie grał na fortepianie, ale i rysował. Swoje rysunki satyryczne publikował w gazetach.

Kiedy nastały zimowe dni, trudno było wytrzymać w starej kamienicy. Anna miała dobre warunki u rodziców i nie bardzo odpowiadały jej te spartańskie. Daniel palił w piecu, a że oszczędzał, Anna przemarzała do szpiku kości. Pod jego nieobecność sama dźwigała ciężkie wiadra z węglem z komórki przed domem. Pewnego dnia znalazła tam małego kotka. Tylko ten jeden ocalał, reszta była martwa. Przygarnęła go więc, a potem oddała znajomym na wieś. Czasem Daniel zaczynał pić i kończył dopiero po trzech dniach. Niepowodzenia z przeszłości i ból związany z rozstaniem z dziećmi topił w alkoholu.

– Aniu, moja gwiazdeczko. Jesteś najcudowniejszą osobą, jaką spotkałem. Masz wielki potencjał, żeby zrobić karierę. Razem możemy dokonać rzeczy wielkich. Z taką urodą masz już połowę sukcesu – zawsze mówił o niej w samych superlatywach.

Niestety, zwykle kończyło się na słowach. Nie robił nic, żeby pomóc jej w nagraniu płyty. Nie komponował, nie grał. Mówił, że jest zmęczony uczelnią.

– Jesteś leniwy! Nie mogę patrzeć, jak się marnujesz. Zamiast pić wódkę wieczorami, powinieneś komponować piosenki na naszą płytę – mówiła.

– Niunia, nie narzekaj – bełkotał pijany. A ona wolała wówczas omijać go szerokim łukiem.

W ich życiu obecny był syn Daniela, który zwykle przyjeżdżał do taty na wakacje czy ferie zimowe.

Początkowo czuła się zazdrosna, ale z czasem zaprzyjaźniła się z chłopcem. Uciekała jednak wtedy od tej rzeczywistości. Uwielbiała włóczyć się bez celu po uliczkach warszawskiego Starego Miasta. Historia zaklęta w jego murach była dla niej magią, która choć na chwilę pozwalała jej zapomnieć o codzienności. Mijała zaczarowane historią uliczki i miejsca. W myślach przenosiła się wtedy do czasów, kiedy nie było tego pośpiechu, pogoni za jutrem. Zamykała na chwilę oczy i wyobrażała sobie, że jest księżną majestatycznie przechadzającą się wśród tłumu gawiedzi i pospólstwa, budzącą ich niekłamany podziw i dystans. Innym razem wcielała się w postać malarki, która na rynku sprzedaje swoje obrazy. Bezwiednie jednak każda jej włóczęga kończyła się przy Kolumnie Zygmunta na placu Zamkowym.

I znowu ten klaun i jego zimna twarz, a przede wszystkim intrygująca łza na policzku. Przecież klaun zawsze kojarzył się z uśmiechem, skąd więc ta łza? – myślała. Nigdy nie zastanawiała się nad tym głębiej, wyrywana brutalną rzeczywistością ze świata iluzji. Za każdym razem myślała, dlaczego tak dziwnie na nią patrzy i co chce jej tym spojrzeniem powiedzieć. Pamiętała jednak, żeby wrzucić do czapki, która leżała przed nim, jakiś banknot. I nigdy nie zastanawiała się nad tym, na co zbiera... Za każdym razem dostawała od niego śmiesznie skręcony w kształt znaku zapytania mały balon. Nie wiedziała, co to oznaczało. Patrząc wtedy na jego twarz, zauważyła, że łza na jego policzku mieniła się tęczą. Wracała wtedy do domu z poczuciem, że zrobiła coś ważnego dla tego człowieka.

Minęły trzy lata.

W dniu Świętego Walentego przygotowała dla Daniela kolację przy świecach. Czekała na niego, aż wróci z wieczornej próby big bandu. Kiedy wręczył jej tylko różę, zaczęła płakać. Stanął jak wryty.

– O co chodzi? Nie podoba ci się ta róża? – zapytał.

– Nie, nie o to chodzi – otuliła nogi kocem, siedząc na sofie.

– A o co, Niuniu? – usiadł koło niej, pytając z troską.

– Myślałam, że w końcu się... zaręczymy – powiedziała cicho.

– A więc o to chodzi! – zaczął śmiać się w głos. – Jeśli chodzi tylko o pierścionek, to jutro ci go kupię – oznajmił.

– To takie... wymuszone – oznajmiła.

– Chcesz pierścionek? Będziesz miała. Sam wybiorę – pocałował ją w usta.

Daniel kupił jej pierścionek, jednak był dosyć oporny, ponieważ miał za sobą nieudane kilkumiesięczne małżeństwo ze studentką, która urodziła mu córkę. Karolina wyjechała do Krakowa, gdzie zatrudniła się w teatrze. Sporadycznie jeździł do niej, żeby odwiedzić córkę Paulinkę. Syna miał z dziewczyną, którą poznał w rodzinnym mieście. Żyli w wolnym związku siedem lat. W końcu Anita zostawiła go dla innego i wyjechała z synem do Warszawy. Studentki narzucały się przystojnemu, młodemu wykładowcy. Robił wrażenie, kiedy siadał za fortepianem i grał z wielkim uczuciem.

Anna zdołała przywyknąć do tej sytuacji, choć coraz częściej marzyła o własnym dziecku. Zbierała ubranka, które wyciągała wieczorem z komody, tuląc do piersi. Chodziła na samotne spacery do parku ze stawkiem, gdzie karmiła kaczki chlebem, którego zawsze kupowała za dużo. Rozmyślała wówczas o własnym dziecku, które chciała mieć z Danielem.

– Wyjeżdżam na kontrakt – powiedział któregoś wieczora.

– Jak to wyjeżdżasz? Kiedy? – oburzyła się, że stawia ją przed faktem dokonanym. W końcu planowała już wspólne wakacje.

– Jak tylko skończy się semestr – wyjaśnił obojętnie. – Wiesz, ile będziemy mieli pieniędzy? Kupimy sprzęt, nagramy płytę. Przecież wiesz, że muszę płacić alimenty. Kupimy nową sofę do domu, lodówkę i wszystko, co potrzebne. To tylko trzy miesiące. Zaczekasz na mnie, kochana? – zapytał.

– Nie wiem. Mogłeś mnie uprzedzić. Tak się nie robi – odparła zszokowana.

– Zobaczysz, czas szybko minie, a jak wrócę, weźmiemy ślub – próbował dotrzeć do niej każdą metodą, byleby tylko na niego czekała.

– Będziesz miała trzy miesiące, żeby wszystko zaplanować. Wybierz restaurację, zrób listę gości – kontynuował.

– Co to za kontrakt? – zapytała.

– Będę pracował na „Princess Cruisess" na Karaibach, wiesz, po kilka godzin dziennie za pianinem – powiedział.

Na myśl o niedalekiej przyszłości, w której będzie już żoną Daniela, Anna złagodniała i pogodziła się z tym, że następne trzy miesiące spędzi sama. Zawsze marzyła o pięknym ślubie. Chciała ten jeden raz w życiu założyć białą suknię.

Daniel odleciał samolotem z Gdańska do Miami, a potem przetransportowano go na statek pasażerski. Grał i zwiedzał świat. Anna znała jego życie na statku bardzo dobrze. Niemal codziennie przysyłał jej listy i zdjęcia. W kabinie nad komputerem powiesił jej zdjęcie z własnoręcznym podpisem: „I love Anna". Daniel niewątpliwie ją kochał, ale była to miłość egoistyczna. Chciał mieć ją dla siebie na własnych zasadach. Nie liczył się z tym, że traciła młodość i też chciała założyć rodzinę.

Anna zaznaczała w kalendarzu dni do powrotu Daniela, czyniąc przygotowania do ślubu. Zarezerwowała restaurację, przymierzyła suknię ślubną. Utwierdzał ją w przekonaniu, że niebawem staną na ślubnym kobiercu. W kolejnym liście napisał:

Moja żona będzie kimś wyjątkowym.

Będę kochał ją miłością głęboką, z całego serca. Tylko dla niej będę chciał żyć, pisać i komponować. Dla niej nagram płytę z melodiami, które przyprawią o dreszcze kolejne pokolenia. Razem z żoną stworzymy dalekosiężną perspektywę miłości. Będę razem z moją żoną. W sklepie, na ulicy i w barze.

Moja żona będzie o mnie dbać.

Będzie troszczyć się o mnie.

Będzie zapalać kadzidła tuż przed moim powrotem. Z moją żoną będę kochał się długo i namiętnie. Żeby pobudzić moje zmysły, moja żona pójdzie do ślubu bez majtek. Moja żona będzie chodzić po domu w kusej spódniczce, pod którą nie będzie absolutnie nic. Spódniczka może być uszyta ze skóry węża, która chyba nie jest skórą, ale imituje ją rewelacyjnie.

Moja żona będzie w swoim rodzinnym domu napierać na mnie biodrami. Będę kochał się z nią na niewygodnym łóżku z dużymi poduszkami w nadziei, że jej rodzice nie usłyszą. Moja żona zapali świece. Będzie leżeć w wannie z mokrymi włosami i promiennym uśmiechem na ustach. I ja się w tej wannie zanurzę, będę ssał jej stopy, mył plecy i gładził piersi.

I rozmawiał. Z moją żoną będę zawsze rozmawiał.

Z moją żoną będę występował. Ale tylko z nią. Nie chcę osób trzecich.

Tylko ja i żona.

Z moją żoną zdobędę sławę.

Moja żona będzie się do mnie stale uśmiechać, bo nie będzie miała powodów do zmartwień.

Z moją żoną spędzę najszczęśliwsze chwile mojego życia.

O mojej żonie zawsze będę myślał ciepło, a brakować mi jej będzie nawet kiedy będę stał rano w kolejce po świeże pieczywo.

Moją żoną nie będę się z nikim dzielił.

Będzie tylko moja.

Moja żona będzie kimś wyjątkowym.

Ty będziesz moją żoną.

Kocham Cię, moja żoneczko.

Obojętnie, co teraz myślisz.

Jesteś moją żoną.

Na zawsze.

A papier podpiszemy, jak wrócę.

Przez trzy miesiące konsultowali mailowo szczegóły ślubu. Anna wzięła do ręki menu weselne i uśmiechnęła się, promieniejąc ze szczęścia. Wybrała już suknię i zarezerwowała datę ceremonii w kościele.

Codziennie z niecierpliwością sprawdzała e-maile w nadziei, że pojawi się kolejny długi list od Daniela. Zdążyła już wysprzątać całe jego mieszkanie sto razy. Patrzyła na ich pierwsze wspólne zdjęcie oprawione w ramkę, przecierając szkło ściereczką do kurzu.

Wieczorem usiadła do komputera.

W drodze do Ketchikan, Alaska, 9 lipca 2003:

Strasznie buja. Kiedy o 17:15 wracałem z obiadu, statkiem lekko kręciło. Ale co druga osoba skarżyła się na chorobę morską. Teraz jest po 22:00. Statkiem mocno kołysze, więc odnoszę wrażenie, że większość pasażerów spędza czas w łazience, przeglądając zawartość własnych żołądków. Zbliża się koniec sezonu na Alasce. I to wszystko tłumaczy. Będzie już tylko mocniej i mocniej kołysało. W Seattle, 20 września, kiedy będę wysiadał, statek zmienia trasę i przez Meksyk płynie do Australii i Nowej Zelandii. I właśnie w taką trasę musimy się udać. W nosie z Alaską. Aczkolwiek, jak zobaczę wieloryby, może zmienię zdanie.

Twoje listy są inne niż te, które przysyłałaś mi przed rokiem. Bije z nich zagubienie, zwątpienie i utrata nadziei. Miotasz się, jakby nie było innej drogi. Tracisz wiarę.

Wierz mi, że cierpię równie mocno. A może nawet bardziej. Żyję w zawieszeniu. Nic mnie nie cieszy. Nic mnie nie interesuje. Całe dnie spędzam albo pisząc listy do Ciebie, albo układając je w myślach. Jedyne dni, na które czekam, to soboty, bo wtedy mogę do Ciebie zadzwonić. Nie staram się jednak o Tobie zapomnieć. Bo zapomnieć o Tobie to jak zapomnieć o życiu. O tym, że może być piękne, dobre i ciepłe. Z tego powodu jesteś stale obecna w moich myślach. Bez przerwy.

Wrócę do Ciebie.
Przytulę.
Ukoję ból.
Otrę łzy.
Zrobię dla Ciebie wszystko, Najdroższa.
Kocham Cię.
Twój Daniel

Kiedy Daniel zerwał ostatni kontrakt, żeby szybciej być z Anną, uzgodnili, że przygotują wspólny repertuar i będą pracować razem. Anna zorganizowała wszystko. Znalazła muzyków, przygotowała utwory, które są popularne podczas rejsów. Kupiła piękne kreacje na scenę. Wysłali demo do agenta i czekali na odpowiedź. Nadeszła szybko. Agentowi podobało się trio, problem w tym, że zatrudniali tylko kwartety. Anna znalazła zawodowych muzyków i nagrali nowe demo, tym razem w kwartecie. Wszystko to kosztowało sporo czasu i wysiłku. W końcu nadszedł dzień, kiedy otrzymali wiadomość, że dostali sześciomiesięczny kontrakt na Karaibach. Anna była w siódmym niebie. Nie mogła doczekać się wyjazdu. Wtedy odebrała telefon:

– Halo, Anna? – usłyszała damski głos w słuchawce. – Dzień dobry. Mówi Maja Wrzos. Jestem żoną Janusza. Mój mąż miał właśnie zawał serca i nie może pojechać na kontrakt. Bardzo mi przykro – poinformowała.

– Mnie również jest przykro. Mam nadzieję, że pani mąż szybko wróci do zdrowia. Proszę przekazać moje pozdrowienia – Anna odłożyła słuchawkę, nie wiedząc, jak ma zareagować. Musieli zrezygnować z kontraktu.

Kiedy Janusz doszedł do siebie po kilkumiesięcznej rehabilitacji, był gotowy na wyjazd. Ponownie otrzymali kontrakt, ale tym razem to Daniel odmówił wyjazdu, ponieważ obiecał synowi, że spędzi z nim wakacje.

– Spędzasz z dzieckiem każde wakacje. Rozumiem, jakie to ważne, ale ja czekałam trzy lata na możliwość pracy na statkach. Żyłam tym. Poświęciłam swój czas, energię i pieniądze. Nie możemy pojechać choć ten jeden raz? Obiecałeś, że pokażesz mi wiele pięknych miejsc – mówiła z żalem.

– Nie mogę, Niunia, obiecałem Karolowi, zresztą nie wiadomo, jak zniosłabyś bujanie na statku – powiedział.

Anna doszła do wniosku, że traci czas u boku Daniela. Zaczęła częściej szukać oparcia w Peterze, który od początku mówił jej, że Daniel jest egoistą, który patrzy tylko na siebie. Ignorowała jednak te sugestie, pamiętając o wielu pięknych chwilach z Danielem. A jednak teraz została z niczym.

Lata, które przeżyła z Danielem, minęły bezpowrotnie i czuła, że wszystko zmierza powoli ku końcowi. Żal jej było tych wszystkich lat spędzonych razem, jednak jej cierpliwość wygasła. Kochała go, ale nie mogła już dłużej wybaczać mu i patrzeć na to, jak życie przecieka jej przez palce.

– Czy to nic dla ciebie już nie znaczy? – Anna wyjęła z kalendarza kartkę papieru i podała ją Danielowi:

Barbados, 7 sierpnia 2004:

Moja kochana Anno, dla poprawy własnego nastroju przypomnę sobie fajne chwile. A jest co wspominać...

Pamiętasz, jak byliśmy w Warszawie w tym hotelu z internetem? Ja obudziłem się w nocy, żeby spojrzeć na Ciebie, a Ty w tej samej chwili uniosłaś głowę, żeby popatrzeć na mnie?

Nasze pierwsze noce w moim mieszkaniu. Spaliśmy na tym wąskim materacu przyklejeni do siebie. Budziliśmy się zlani potem. Tak było gorąco. Może niepotrzebnie zrezygnowaliśmy z tego materaca?

Albo długi weekend spędzony w akademiku. Do tej pory pamiętam, jak bardzo skrzypiało Twoje akademickie łóżko. I w ogóle było fajnie. Podgrzewałaś jedzenie przysłane przez Twoją mamę, a ja szczypałem Cię, z rozbawieniem obserwując Twoje rumieńce. Chodziliśmy na spacery, bo akurat zrobiło się wiosennie ciepło.

Albo twój telefon, kiedy pierwszy raz przyszłaś do mojego mieszkania: „Otworzysz mi wreszcie?". Z tego zaaferowania Twoim pojawieniem się w moim życiu i tym, że za chwilę nadejdziesz, nie usłyszałem pukania.

Albo jak przyszłaś do sali numer 16, a ja wręczyłem Ci kartkę z moim adresem. Trzęsły mi się ręce. Tobie zresztą też. Powiedziałaś: „Chyba nie powinnam...". Z perspektywy czasu myślę, że może miałaś wówczas rację?

Albo jak przyjechałaś ze swojego miasteczka w przeddzień Wigilii, bo poprztykałaś się z mamą i wolałaś być ze mną.

Albo nasze wspólne kąpiele. Olejki eteryczne, kadzidełka i świeczki.

Albo jak kupiłaś malucha. Co to była za radość patrzeć, jak się nim cieszysz! A kosztował pięć razy mniej niż perfumy, które przywiozłem Ci ze statku. A jak szarpałem Cię na skrzyżowaniu, udając, że Cię duszę? Przerażeni pasażerowie innego samochodu patrzyli, a my śmialiśmy się w kułak. Albo jak pchałem maluszka do stacji benzynowej w Miastku. Padałem z sił, pot lał się ze mnie strumieniami. Ale wszystko skończyło się dobrze. Inna rzecz, że następnego dnia cudem udało nam się dojechać do Słupska. Bo chwilę później ten pierdolony maluch zepsuł się na dobre.

Albo jak przyjechałem do Ciebie po pierwszym kontrakcie. Noc spędziliśmy w hotelu. Potem przekonałaś mnie, że mogę zostać u Ciebie w domu na noc. Spaliśmy razem, a mnie obudziły w nocy Twoje mocno napierające pośladki. Ponoć spałaś, kiedy zgłębiałem tajemnice Twojej kobiecości. Nie do końca w to wierzę. Albo jak przyjechał Simon i Wiesiek. Piliśmy z nimi gorzałę i paliliśmy trawę. Wiesiek nie chciał się z nami pożegnać. Pchał się do drugiego pokoju. Szczęśliwie został przegoniony. A potem ponoć kochaliśmy się (czego ja, niestety, nie pamiętam), bo, jak twierdzisz, w trakcie zasnąłem. Albo – tak à propos trawy – kiedy paliliśmy ją razem po raz pierwszy. Padłaś jak przecinak, prosząc mnie, żebym Cię rozebrał.

Albo ten pierwszy pocałunek. Od tego powinienem zacząć, bo od tego de facto wszystko się zaczęło. Taki pyszny i długi całus. Mmmm... Do tej pory dreszcze przechodzą mi po plecach. Pięknie było, prawda?

Albo ten długi spacer nad jeziorem. Wspominałaś go niedawno. Maluch nas zawiózł i przywiózł. I to bez stresu. Albo jak pierwszy raz powiedziałem Ci, że Cię kocham. Leżałaś na brzuchu na tym wąskim materacu. Byłaś naga i autentycznie zdziwiona: „TAK??? KOCHASZ MNIE???". Albo Twoje kolacje, świece i zapach kadzidełka. Albo roześmiane oczy i podciągnięty podkoszulek obnażający Twoje piersi zapraszające do całowania. Albo jak powiedziałaś: „Misiu! Przykryj się!”.

Albo jak miałaś zagrać w duecie z Magdą na flecie podczas moich zajęć. Po prostu wstałaś i wycierając swoimi jeansami ściany, wyszłaś z klasy, rzucając w moją stronę gromiące spojrzenia. Albo jak spotkaliśmy się w Pedagogiku i uczyłem Cię śpiewać moją piosenkę ZANIM. Nie mogłaś wydobyć z siebie głosu, a serce biło Ci jak oszalałe. Powiedziałaś wówczas, że jesteś wrażliwa na muzykę. Do tej pory w to wierzę. Dla muzyki możesz zrobić wiele. Nawet głupstwa.

Albo jak przyjechałaś przed moim wyjazdem na statek do Warszawy, by się ze mną pożegnać. Miałaś takie ażurowe szpilki. Cudem wypatrzyłem Cię na Dworcu Wschodnim. Albo jak przyjechałaś do mnie na lotnisko ostatnim razem. Pisałem niedawno o tym. Długo na siebie czekaliśmy, bo zginęła moja walizka. Ale potem było super. Pamiętam, jak tuliłem Cię, długo nic nie mówiąc. I tak właśnie wyobrażam sobie miłość. Czasami nie trzeba wielu słów. Bo serca biją w tym samym rytmie, a NIC nie jest w stanie tego zastąpić. To są prawdziwe magiczne chwile. Było pięknie. Ale może będzie jeszcze lepiej? Bo niby czemu nie?

Albo jak pojechaliśmy u progu wiosny do Ustki. Miałem okulary przeciwsłoneczne i tę idiotyczną bejsbolówkę na głowie. Mocno trzymałem Cię za rękę, bojąc się, że odfruniesz z morską bryzą. Ty ściskałaś mnie równie mocno. Albo jak innym razem jedliśmy w Ustce rybę, a Ty karmiłaś resztkami mewy. Śmialiśmy się z ich zachłanności. A potem kupiliśmy kilka wędzonych ryb do domu. Były pyszne.

Albo jak przyjechał mój brat z Nowego Jorku. Przyszłaś do mnie. Siedzieliśmy we trójkę przy tym czarnym stoliku, którego nie cierpię. Nic nie mówiłaś. Rick potem przepraszał, że nie odezwał się słowem. Ale on był usprawiedliwiony, bo alkohol jeszcze nie wyparował z jego głowy. Walczył z dykcją. Ale czemu Ty nic nie mówiłaś? Naprawdę byłaś skrępowana?

Albo zanim pocałowałem Cię po raz pierwszy. Siedziałaś na krzesełku, nic nie mówiłaś, poprawiałaś włosy i pięknie wyglądałaś. Rozgadałaś się dopiero z czasem. Albo gdy przychodziłaś do łazienki, by patrzeć, jak się kąpię. Albo jak wywracałaś oczami, kiedy przyszło Ci robić siusiu w mojej obecności. Albo jak zrobiłaś zupę z żołądków, nie zmieniając wcześniej wody. I dziwiłaś się, dlaczego jest niedobra. Albo Twoje naleśniki. Miodzio. Albo mój rosół: pycha. Nie będziemy go już nigdy więcej jedli. A co na to Twoja koleżanka Ada? Tak jej smakował. A pamiętasz, jak kiedyś ugotowałem zupę grzybową? Miałaś chyba dziurawą brodę. Albo tak Ci smakowała. Albo jak tańczyliśmy? Ten jeden jedyny raz? Wspaniale tańczysz. Zwłaszcza ze mną, bo wlepiasz we mnie te swoje piękne oczy i dwuznacznie się uśmiechasz. A może jednoznacznie? Poznaję, że jesteś szczęśliwa. Czy wystarczy z Tobą tańczyć, byś była w siódmym niebie? Jeżeli tak, to od mojego powrotu nic więcej nie robimy. Albo Twoja fioletowa pidżama. Te wiszące na wysokości kolan gaciory i stale odpinające się guziki bluzy.

Albo jak wymyśliłaś wycieczkę rowerową 40–50 kilometrów w ciągu dnia. Masakra. Byłem zazdrosny o to, jak patrzyłaś na ukochanego księdza Mateusza. I co z tego?

I tak było fajnie. Zwłaszcza jak moc Ci spadła i prowadziłaś rower. To było coś.

Albo to zdjęcie, które wciąż mam w komputerze. Zrobione w łazience w hotelu w Warszawie. Jak szeroki jest na nim Twój uśmiech, trudno opisać. Na bank byłaś wówczas szczęśliwa. Albo jak zapomniałaś włożyć rurę od pralki do wanny. Było super. Walczyliśmy z powodzią. A potem z sąsiadami. Albo Twoje otwieranie drzwi do mojego mieszkania. Czy już się nauczyłaś, czy ciągle dzwonisz do mnie? Albo wtedy, gdy poszliśmy razem zrobić sobie pamiątkową fotografię do kobiety, która na co dzień robi zdjęcia do paszportów. Stałaś w oknie, myśląc o tym, kto może mnie zastąpić, kiedy wyjadę.

Żartuję. Wybraliśmy dziewięć ujęć. Pięknych. Były ze mną w Meksyku, na Alasce i Karaibach. Byłaś ze mną cały czas. Taką Cię pamiętam. Zakochaną. Tak bardzo Cię kocham, kiedy jesteś we mnie zakochana. Niuniu. Możesz mnie kochać w dalszym ciągu? Myśleć o mnie i na mnie czekać, choćby do października? Po prostu powiedz, że tak, Najdroższa...

Albo jak skrępowana chroniłaś przed moim wzrokiem swoje zarośnięte dzikim włosiem nogi, naciągając podkoszulek. Albo jak wtedy, gdy kochaliśmy się przed lustrem na stołku od pianina. Twoje pulsujące ciało. Obejmujące mnie nogi. Zapalczywość w ruchach. I sapiący oddech. Cała Ty.

Albo film, który oglądam bez końca. Tylko Ty i ja. Ale to był mój pomysł. Uwielbiam to ujęcie, kiedy zaraz po twoich falujących biodrach, cały kadr przesłania Twoja lewa pierś. Duża, piękna, krągła i falująca. Ile czasu poświęciliśmy na to, żeby przestać kochać się po ciemku? Dużo. Ale było warto, żeby właśnie Ciebie zobaczyć w całej okazałości.

Jesteś wspaniała. Niejeden się o tym przekonał. Ale ostatnio powiedziałaś, że tylko mnie kochasz. To prawda?

Albo wtedy, gdy w świetle dziennym głaskałaś siebie. Wolno. Bez pośpiechu. Tak wiele mamy do odkrycia. Może jeszcze siebie nie znamy? Może przyszłość jest przed nami? Może tylko Ty i ja.

Mimo pomyłek Twoich i moich. Kocham Cię, Anno. Albo już jestem pijany. Nie, jeszcze nie jestem! Albo kiedy Twój Ojciec wyciągnął z barku flaszkę. Ciepłą i bez popitki. Mimo to magia. Dwa wąskie kieliszki. A potem byliśmy razem. „Just the two of us". Fajna piosenka. Muszę nauczyć się ją grać. Tylko my. Nas dwoje. I te kobiece chórki. Ale gdzie im tam do Ciebie! „The Power Of Love" – siła miłości. Kocham tę piosenkę. Czy bardziej jestem zakochany w muzyce, czy w Tobie? W Tobie, Niuniu. I ożenię się z Tobą. I będziemy razem rozpieszczać małego Danielka. Albo małą Anię. Kocham Cię. Bądź ze mną, Najdroższa.

Za 5 godzin FULL DRILL. Ale potem pójdę do kafejki. Curaçao. Czy zobaczę kiedyś coś więcej niż port? Bóg raczy wiedzieć. Kocham Cię.

Rozdział 12

– Jak to nie będzie ślubu? Co ja teraz zrobię? – powiedziała, kiedy wrócił z kontraktu. – To dla mnie kompromitacja, zwłaszcza przed rodziną! Co ty sobie w ogóle wyobrażasz! Odchodzę od ciebie.

– Niuniu, przepraszam, jakoś nie czuję się gotowy. Nie lubię kościołów i boję się ślubu – wyjaśnił. Był bardzo negatywnie nastawiony do Kościoła.

– Czytasz za mało książek – zmienił temat.

– Przeczytałam najważniejszą książkę w życiu, która zawiera wszystko to, czego potrzeba człowiekowi – powiedziała.

– Jaka to książka?

– Biblia – odparła.

– Niunia, czyś ty ogłupiała? Te klechy to konowały, a to, co dzieje się za kulisami tego cyrku, nie widzisz tego? Pedofilia na każdym rogu – parsknął.

Daniel powoli odwodził Annę od Kościoła. Z praktykującej katoliczki stała się wolną chrześcijanką i zaczęła interesować się różnymi wyznaniami. W końcu znalazła swoją definicję Boga. Potem zabiegał o nią, jak w dniu, kiedy się poznali. Za zarobione na statku pieniądze jeździli nad morze, kupili kilka drobiazgów do domu i spędzali ze sobą piękne chwile. Jednak bardzo często wypominał jej, że nie dokłada się wystarczająco do utrzymania. Anna uwielbiała Daniela, ponieważ do ich związku rzadko kiedy wkradała się nuda. Każde zajęcie wykonywali razem. Potrafiła łatwo mu wybaczyć, licząc na lepsze czasy i wierząc, że pewnego dnia będzie tak, jak to sobie wymarzyła. Wiedziała, że nie ma ideałów i w partnerstwie ważny jest kompromis. W roku akademickim pracował na uczelni, a wakacje spędzał, grając na statkach. Jego kontrakty były coraz dłuższe... Zaczynała rozumieć, dlaczego...

Anna jak zwykle uciekła więc na Stare Miasto w świat swoich marzeń, który przecież wtedy, kiedy tego potrzebowała, koił jej wszystkie rozterki i złe chwile. Dziś jednak nie była żadną z postaci. Dziś była sobą. Przez głowę przebiegały jej tysiące myśli. Mijani ludzie nie mieli twarzy, a przynajmniej Anna ich nie dostrzegała, patrząc oczami pełnymi łez. Nawet nie zauważyła, kiedy dotarła do Kolumny Zygmunta. Zobaczyła klauna, poczuła, że musi z kimś porozmawiać, komuś się wyżalić. Klaun siedział jak zwykle zapatrzony przed siebie, zauważył jednak Annę, popatrzył na nią pytającym wzrokiem. Usiadła obok niego.

– I co się tak, kurwa, głupio gapisz!!! – wykrzyczała do niego, ale zaraz zrobiło jej się głupio, bo przecież on nie był niczemu winien, a już na pewno nie zasłużył ani dziś, ani nigdy na takie słowa. Nie odpowiedział, bez słowa wręczając znany jej już balonik, ale dziś miał on zupełnie inny kształt. Przypominał serce, ale jakieś niekształtne, jak poranione. Tego już dla Anny było za wiele, coś w niej pękło. Sama nie wiedziała, jak to się stało, ale wylała na klauna wszystko, co leżało jej na sercu, lata niespełnionych nadziei, smutek, oczekiwanie, marzenia, żal. Ten ogromny żal, że znowu rozpadły się jej marzenia i plany związane z Danielem. Żal, że wszystko się nagle zawaliło i nie będzie żadnego ślubu. Czuła się teraz jak sponiewierana dziwka.

Klaun patrzył na nią bez słowa. Kiedy spojrzała na niego, zobaczyła, że na twarzy, obok tej wytatuowanej, pojawiła się prawdziwa łza, potem następna i następna. Odwrócił twarz zażenowany, ukradkiem ocierając łzy.

– Przecież faceci nie płaczą, ty chyba nie jesteś facetem, tylko jakąś zniewieściałą męską dupą!!!! – krzyknęła bardziej jednak wściekła na siebie, że wylała swoje żale obcemu facetowi. Wtedy po raz pierwszy usłyszała jego głos, tylko taki jakiś załamany...

– Ja tu jestem, żeby ciebie wysłuchać... ale ON być może będzie chciał tobie pomóc... Idź, opowiedz to JEMU... – powiedział, patrząc jej prosto w oczy.

– Komu? Jaki on? Co ty pieprzysz?

Znowu nie odpowiedział, tylko skinieniem głowy wskazał pobliski kościół św. Anny. Nie odezwał się już ani słowem.

Anna wstała, zrobiło jej się potwornie głupio i jak zwykle chciała położyć banknot o największym nominale, jaki miała przy sobie. Złapał ją jednak za rękę i zamknął banknot w jej dłoni. Poczuła jego aksamitny i niespotykanie delikatny dotyk. Sama tym zaskoczona poczuła, że ogarnia ją nienaturalnie przyjemne ciepło.

Znowu usłyszała jego głos:

– Nie dla mnie to dzisiaj, ale jeśli musisz, zanieś to JEMU – długo patrzył w jej oczy i dodał:

– Widzisz, my tu jesteśmy tylko odtwórcami scenariusza pod tytułem „życie". Jednak ktoś go dla nas pisze, dla jednych jest to los, a dla innych właśnie ON... Idź, co ci szkodzi, i powiedz mu o wszystkim własnymi słowami, tylko może pomiń niektóre wyrazy...

Anna bezwiednie wstała i poszła w stronę kościoła. Mechanicznie weszła do środka, otrzeźwił ją chłód, jaki panował wewnątrz, rozejrzała się dookoła. W ławkach siedziało tylko kilka starszych pań. Anna przeszła przez cały kościół i usiadła w pierwszej ławce. Długo wpatrywała się w ołtarz, prowadząc cichy monolog. Z każdym słowem wypowiadanym w myślach czuła coraz większą ulgę. Nie zauważyła, że zrobiło się późno i została prawie sama w kościele. W pewnym momencie poczuła, że w ławce tuż za nią ktoś siedzi i bacznie się jej przygląda. Odwróciła głowę i zobaczyła księdza.

– Niech będzie pochwalony... – powiedziała zażenowana.

– Na wieki wieków... – odpowiedział ksiądz. – Jestem tutaj proboszczem, mam na imię Zygmunt. Od paru minut obserwuję panią, nie chciałem jednak przeszkadzać. Widzę, że pogubiła pani drogę w życiu i przyszła tu ją odszukać. Myślę jednak, że spotkała pani swojego anioła stróża, który pokazał pani, gdzie można spróbować ją odnaleźć. Tylko proszę pamiętać, że cokolwiek pani zrobi w życiu, to tak należy czynić, aby nikt przez panią nie płakał... A On już ułoży dla pani scenariusz życia.

– Dziękuję – powiedziała Anna i skierowała się do wyjścia.

– Z Panem Bogiem – powiedział za odchodzącą Anną ksiądz.

Anna wyszła na zewnątrz, zamierzając wrócić do klauna, ale nikogo już nie było. Nawet nie wiedziała, kiedy i jak dotarła do domu. Zmęczona dniem pełnym emocji i wrażeń usnęła w ubraniu na kanapie.

Rozdział 13

Po spotkaniu w Warszawie Daniel zrezygnował z Polski i wyjechał do Londynu. Nie dawał znaku życia. Odezwał się po roku. Anna postanowiła polecieć do Wielkiej Brytanii.

Czekał na nią na lotnisku Londyn–Luton.

– Zrobiłem błąd, przepraszam. Chciałbym wszystko naprawić. Poszukamy pracy dla ciebie – przytulił ją mocno.

Andrew przywitał ich w drzwiach szeregowego domu na Denmark Hill, nieopodal afrykańskiej dzielnicy Peckham. Trudno było określić jego wzrost, ponieważ cały czas był pochylony z powodu urazu kręgosłupa. Któregoś dnia w drodze ze sklepu został potrącony przez samochód. Rok leżał w szpitalu, a jego żona z Irlandii straciła zainteresowanie mężem, zostawiła go w opłakanym stanie i wyjechała do Ameryki. Na pożegnanie kupiła mu małego, czarnego kota, którego Andrew nazwał Debbie. Dostał rentę, ale pracował w domu, zajmował się montażem amatorskich filmów.

Pomimo urazu i niechęci do kobiet z czasem przekonał się do Anny. Oferował jej masaże z użyciem olejków eterycznych. Innym razem oddawał jej swoje karnety na basen, których jako inwalida miał bez liku.

Andrew świetnie gotował. Często zapraszał znajomych na lunch czy kolację w ogrodzie. Popijali wino w blasku świec do późna w noc. Tak jak Daniel nie stronił od alkoholu i papierosów. Niemal każdego wieczora jadali kolację w ogrodzie zakończoną spożywaniem wysokoprocentowego trunku.

Anna często jeździła z Danielem do pracy i czekała na niego w hotelu, dopóki nie skończy grać. Poznawała Londyn na własną rękę. Uczyła się rozkładu jazdy metra. W Warszawie działała tylko jedna linia metra, w Londynie było ich kilka i każda z nich miała inny kolor. Nie znała angielskiego, ale liczyła na pomoc Daniela w znalezieniu jakiejkolwiek pracy. Jednak bezskutecznie. Znowu traciła czas. Nie mogła żyć dłużej na łasce Daniela czy Andrew. Skończyły jej się pieniądze, które odłożyła na bilet powrotny. Nie śmiała prosić rodziców o pomoc, przyznając się, że popełniła kolejny błąd.

– Zostawiasz mi dwa funty na cały dzień i mam z tego jeszcze ugotować obiad? – robiła wyrzuty Danielowi.

– Idź do Ice Land. Kupisz tam cztery kotlety za funta. Gwarantuję ci, że zrobisz z tego lunch. Nie mam kasy.

Po trzech miesiącach Anna zmizerniała i schudła. Próbowała skontaktować się z Peterem, który mieszkał w innej dzielnicy Londynu. Jednak bezskutecznie. Któregoś dnia otrzymała od niego sms-a:

Wróciłaś do tego chujka, to teraz karm się miłością. Taka dziewczyna jak ty, z klasą, inteligentna, a w ogóle się nie ceni.

Anna odebrała to jako dobry znak.

„Skoro w ogóle odpisał, to znaczy, że jest szansa na kontynuację" – myślała.

Rzeczywiście, po wymianie wielu sms-ów i rozmowach telefonicznych umówił się z nią w sklepie Sainsbury's, niedaleko domu Andrew.

– Bardzo zmizerniałaś. Jak ty wyglądasz i co stało ci się w nogi? – zapytał, popijając kawę w barze znajdującym się wewnątrz sklepu.

– To przez kota Andrew. Przychodzi do mnie spać z pchłami. Atakują mnie w nocy. Dziwię się, że nie może spać na podwórku. W końcu to kot, a jest lato – powiedziała. – Ale ten kot jest święty. Prezent od żony Andrew.

Czuła, jak burczy jej w brzuchu. Była głodna i nie wiedziała, co ma robić. Daniel nie miał pieniędzy na to, żeby kupić jej bilet powrotny do Polski. Tak przynajmniej mówił. Z pewnością miał, ale chciał zatrzymać ją przy sobie. Andrew nawet nie śmiała zapytać.

– Ma pani za swoje. Trzeba było mnie słuchać. Ale ty zawsze słuchasz jakichś chujków i potem są rezultaty. Chodź, zrobimy ci jakieś zakupy – zaproponował.

Peter kroczył z Anną między półkami sklepowymi ubrany na czarno, jak zawsze elegancki.

– Nie krępuj się i bierz to, czego potrzebujesz – nalegał.

Przytaknęła. Wyjechali z supermarketu z koszem jedzenia. Peter pomógł zanieść Annie zakupy pod dom Andrew, ale szybko się oddalił. Na pożegnanie dał jej jeszcze kilka funtów, żeby miała na transport. Nie mogła ruszyć się z dzielnicy, w której mieszkała.

– Peter, jak mam ci dziękować? – zapytała.

– Nie musisz dziękować, OK? Dbaj o siebie – puścił do niej oczko i zniknął.

Andrew zauważył z okna swojego domu, jak Anna rozmawiała z Peterem, który pomógł jej przynieść zakupy.

– Ten elegancki mężczyzna musi być w tobie bardzo zakochany – powiedział Andrew.

– Nie wiem. To mój stary znajomy – rzekła, zapełniając lodówkę.

Daniel wrócił wcześniej z hotelu. Nawet pomyślała, że mógł minąć się z Peterem.

– Znowu spotkałaś się z Peterem? Ty z nim nigdy nie skończysz. Nie masz szans być samodzielną i niezależną kobietą – skomentował Daniel.

– Gdyby nie on, umarłabym z tobą z głodu. Co twoim zdaniem powinnam zrobić? Pracy mi nie załatwiłeś. Wiesz, że nie znam angielskiego. Nie znam też Londynu, a muszę coś jeść, żeby przetrwać – odpowiedziała.

– Skoro to twój sposób na życie... – Danielowi odpowiadał fakt, że nie musi płacić za utrzymanie Anny w Londynie.

Myślał, że wydał na nią zbyt wiele, kiedy jeszcze była studentką. Zrobił jej nawet wycenioną listę rzeczy, które jej podarował. Nie było tego wiele, ale zaczął jej wszystko podliczać.

Anna lubiła Andrew, ale warunki, w jakich przyszło jej mieszkać, były nie do zaakceptowania. Dom nie był brzydki, ale zaniedbany. Wraz z odejściem żony Andrew nikt tutaj nie sprzątał. Pierwsze piętro wynajął Johnowi, który pracował jako pielęgniarz i czasem jadł z nimi kolację. Jedynym pomieszczeniem, o które dbał Andrew, była kuchnia.

Po raz kolejny zwróciła się do Petera o pomoc.

– Czy możesz pomóc mi w znalezieniu pracy? – zapytała Anna, kiedy kolejny raz zaopatrzył ją w żywność.

– A co pani chce tutaj robić bez znajomości języka angielskiego? Przecież do fizycznej pracy pani się nie nadaje. Szkoda ciebie tutaj – mówił, pchając wózek w markecie.

– A jakie mam wyjście? Co mam robić w Polsce? Poza tym Londyn jest cudowny – odpowiedziała.

– Skoro taki cudowny, to siedź sobie z nimi i klep biedę – uciął. – Dzisiaj pojedziemy do mnie. Zobaczysz inną dzielnicę.

Zostawiła zakupy w domu i pojechała z Peterem. Wjechali windą na trzecie piętro wieżowca na Canary Wharf. Wystrój apartamentu był raczej hotelowy. Na środku salonu stały trzy skórzane sofy i szklany stół, skierowane w stronę dużej plazmy. Peter włożył płytę do odtwarzacza ukrytego w meblach. Było tam nieskazitelnie czysto, co pozostawało raczej zasługą sprzątaczki, a nie Petera.

– To mój służbowy apartament – powiedział, wkładając klucz do zamka drzwi. – Czego się napijesz? – zapytał.

– Poproszę wodę – powiedziała Anna.

Peter podał jej wodę w filiżankach z napisem Las Vegas.

– Dla pani jest tylko jedna możliwość, że będzie mnie pani słuchała. Nie masz czego szukać tutaj, w Londynie. Musisz wracać do Polski – powiedział.

Anna niechętnie przyjmowała taką ewentualność, ponieważ bardzo podobał jej się Londyn. Chciała tu zostać. Z drugiej strony nie chciała narażać się Peterowi, mówiąc o swoich odczuciach, ponieważ był jej jedyną szansą na zakup biletu powrotnego do Polski.

– Pomożesz mi kupić bilet do Polski? – zapytała, zatapiając się w brązowej skórzanej sofie.

– Pod warunkiem, że obiecasz posłuszeństwo i oddanie.

Nienawidziła, kiedy tak do niej mówił. Uwłaczało to jej godności. Czuła się jak panna Nikt. Po studiach, wykształcona, z dyplomem, a jednak pozwoliła sobą tak manipulować.

Przytaknęła. Nie widziała innego wyjścia.

– Nie słyszałem. Powtórz: będę poddana i wierna – powiedział.

– W porządku – potwierdziła Anna. – Zrozumiałam.

– W piątek dostaniesz na bilet – powiedział.

Po spotkaniu z Peterem wróciła na Denmark Hill i powiedziała Andrew, że wyjeżdża. Daniel nie rozpaczał. Jedyne, co powiedział:

– No, szkoda Niunia, że tak wyszło.

Spakowała rzeczy i wróciła do Polski. Jedyne, za czym tęskniła, to był Londyn. Powrót do Daniela nie miał już sensu.

Rozdział 14

Peter siedział w fotelu, przeglądając prasę, w apartamencie na dwudziestym piętrze hotelu Hilton.

– Już jestem – Anna weszła do pokoju, stawiając w korytarzu tekturowe torebki z zakupami.

– Znowu pani zaszalała, ale to dobrze, bo najważniejsze jest twoje dobre samopoczucie, a reszta nie ma znaczenia – powiedział, ściągając okulary i odkładając gazetę na mały szklany stolik.

Peter miał na sobie granatowy sweter i jasnoniebieskie spodnie. Liczył ponad 70 lat, ale był dobrze zakonserwowany. Używał więcej drogich kosmetyków niż niektóre kobiety. Ubierał się w sposób, który go odmładzał. Niegdyś nosił garnitury, zwłaszcza na spotkania biznesowe. Teraz i tak wszyscy mieli do niego szacunek, więc czasem potrafił przyjść w zielonych jeansach czy czerwonych skarpetkach, żeby rozmawiać o milionowych transakcjach.

– Słyszałeś, co się stało? Samolot z naszym prezydentem rozbił się w Smoleńsku. Włącz informacje – w pośpiechu ściągała płaszcz.

– Taaak? – zapytał spokojnie.

Włączył kanał informacyjny, gdzie bez końca pokazywano rozbity samolot, na którego pokładzie znajdował się prezydent z żoną i najwyższymi dowódcami wojskowymi.

– No widzi pani, samoloty się rozbijają, a ja taki niezaspokojony. Pani o mnie nie dba – powiedział, jakby już wcześniej słyszał tego newsa i było mu obojętne to, co się właśnie wydarzyło.

– Dziwi mnie twoja reakcja. To straszna katastrofa. Tylu wartościowych ludzi zginęło – Anna siedziała na krawędzi łóżka, nie mogąc oderwać oczu od telewizora.

– Mój kolega też był na pokładzie. Takie życie, proszę pani – odpowiedział.

– A więc wiesz? – zapytała.

– Mhm – przytaknął.

Telefon Petera zaczął dzwonić. Włożył okulary, żeby zobaczyć, czy odebrać połączenie. Zawsze selekcjonował dzwoniących i często nie odbierał telefonów, których numerów nie znał.

– Tak? – Peter zmienił ton głosu.

W słuchawce rozległ się męski głos.

– Zadanie wykonane. Raport będzie czekał na pana w Londynie – powiedział mężczyzna po drugiej stronie słuchawki. Anna siedziała na tyle blisko Petera, że usłyszała głos po drugiej stronie linii.

Rozmowa była krótka i rzeczowa. Anna zaczęła coś podejrzewać, ale nigdy nie wtrącała się do jego spraw. „Zadanie wykonane?" – myślała w kontekście tego, co się dzisiaj wydarzyło. To stąd ten spokój u Petera. Wiedział wszystko, zanim Anna przekroczyła próg pokoju hotelowego. Może ma z tym jakiś związek?

– Co Pani taka poważna? Pamiętasz, że dzisiaj idziemy na kolację do najlepszej restauracji? – zapytał.

– Bardzo lubię „Różaną". Ma taki fajny, domowy klimat.

– Przymierz, czy pasują – Peter wyciągnął z szafy skórzane, brązowe szpilki. – Powinnaś cały czas chodzić w butach na wysokim obcasie. Od razu inna sylwetka.

Anna lubiła dobrze wyglądać, choć nie stanowiło to dla niej priorytetu. Peter bardziej zwracał uwagę na strój i markę odzieży niż ona.

Kolacja należała do udanych. Nie rozmawiali o niczym ważnym. Peter traktowany był jak książę. Wszędzie gdzie się pojawił, wszyscy kłaniali mu się w pas. Nigdy nie mówił Annie nic na swój temat. Dopiero z czasem zaczął wspominać jej o swoich interesach. Jak się domyślała, tylko o tych legalnych.

– A ten, co wracał z restauracji na Helu na motorze i zginął? Co się z nim stało? – zapytał kiedyś znajomy Petera w obecności Anny.

– Za dużo chciał wiedzieć – odpowiedział Peter.

Wtedy Anna domyśliła się, że Peter jest nie tylko angielskim biznesmenem.

Skończyli jeść kolację. Peter został jeszcze w restauracji.

– Mam jeszcze jedno spotkanie, ale pani już jest wolna. Zmykaj – powiedział z uśmiechem.

Kiedy wyszła przed budynek, poczuła ciepłe, wiosenne powietrze. Miała wolny wieczór.

Kierowała się w stronę przystanku autobusowego, żeby złapać autobus 517 jadący w stronę dzielnicy, w której mieszkała, gdy zza rogu wyszedł mężczyzna.

– Ma pani wygląd modelki. Założę się, że jest pani z tej branży – zagadnął.

Anna uśmiechnęła się pod nosem. Zwykle nie wdawała się w dyskusje z ludźmi poznanymi na ulicy, jednak tym razem coś skusiło ją, żeby zamienić kilka słów z nieznajomym. Wino jeszcze krążyło w jej krwi. Mężczyzna miał może 50 lat. Był zbudowany jak kulturysta. Miał niebieskie oczy i jasne krótkie włosy. W jasnym garniturze z krawatem wyglądał na zwykłego przechodnia.

– To nie w moim zwyczaju, ale nie mogę oprzeć się pokusie potowarzyszenia tak pięknej damie. Czy zechciałaby pani wypić ze mną gorącą czekoladę? – ukłonił się nisko.

– Nawet pana nie znam, to również nie w moim zwyczaju – odpowiedziała, ale on szedł już równym krokiem z nią.

– Mam na imię Marek. A pani?

– Anna – odpowiedziała.

Pomyślała, że i tak spędzi cały wieczór samotnie w mieszkaniu w Ursusie. Peter rano wyjeżdżał do Londynu. Przyjeżdżał już tylko w interesach, ponieważ zamknął klub na Mazowieckiej ze względu na mały zysk. Napotkany mężczyzna nie wyglądał na groźnego. – Wejdźmy do Wedla, mają tam pyszną czekoladę. Proszę dać się zaprosić – nalegał.

– No dobrze, ale tylko na pół godzinki – odpowiedziała, wciąż niepewna swojej decyzji.

Rozmawiali na różne tematy, siedząc przed kawiarnią. Dowiedziała się, że Marek z żoną, z którą się rozwiódł, projektowali kiedyś ubrania. Od razu zauważyła, że zna się na kobiecym wyglądzie.

– Które twoim zdaniem są najlepsze? – zapytała, popijając czekoladę i pokazując zdjęcia z ostatniej swojej sesji, które akurat miała ze sobą.

– Te dwa. Widzisz? Korzystniej wyglądasz, kiedy delikatnie przechylasz głowę na bok. Jakby z profilu, ale nie do końca. Nigdy nie uśmiechaj się szeroko. Musisz mieć lekko rozchylone usta, wtedy twoja twarz nie będzie wyglądała na okrągłą. Powinnaś też zmienić brwi, to znaczy zapuścić, któraś z kosmetyczek źle ci to zrobiła. Jedną brew masz trochę cieńszą – mówił z zaangażowaniem.

Annie dobrze rozmawiało się z Markiem. Był miły i bardzo zabawny. Zastanawiała się, czy powiedzieć mu o Peterze, kiedy w nieskończoność pytał, co robi w Warszawie. Odważyła się w końcu opowiedzieć mu o tym, że tkwi w toksycznym związku i nie potrafi się od tego uwolnić.

– Możesz powtórzyć jeszcze raz? Jak on się nazywa? Nie jestem pewien, czy dobrze zrozumiałem – powiedział wyraźnie poruszony.

– Peter Goldman – odpowiedziała.

– Ten Peter? Nie wierzę!!!! – krzyknął.

– Znasz go? – Anna nie mogła uwierzyć.

– Ta stara świnia, manipulator i psychopata wychujał mnie nieraz – powiedział z nienawiścią w głosie. – On jest samotny. To psychopata i sadysta. Manipuluje tobą, ale też nie może bez ciebie żyć. Spróbuj zostawić go na jakiś czas i zobaczysz, co zrobi. Albo zacznij nim pomiatać, on to lubi. Znałem go kilka lat, a teraz nawet nie odbiera moich telefonów – Marek zaczął sypać łaciną jak z rękawa.

Powstrzymał się jednak, kiedy zobaczył wyraz twarzy Anny. Widać było, że to człowiek, który nie potrafi panować nad emocjami, ale mówił szczerze i w sposób dobitny.

– Poradzisz sobie sama, bez niego. Możesz mieszkać u mnie, jak chcesz. Nauczę cię angielskiego i załatwię ci stanowisko asystentki zarządu. Taka praca będzie dla ciebie dobra. A tę świnię pogoń, zanim będzie za późno, żeby się z tego wyplątać – zaproponował.

Anna nie dowierzała. Przed godziną jadła kolację z Peterem, a teraz spotyka jego dawnego kolegę.

– A czym on w ogóle się zajmuje? Znam go kilka lat, ale mało o nim wiem – zapytała.

– To stary esbek, siedzi w służbach specjalnych. Znajomi mówią na niego James Bond. Ma też jakieś dziwne powiązania... chyba... z mafią. Sam do końca nie wiem – odpowiedział Marek.

– Wiem tylko tyle, że jest emerytowanym wojskowym – powiedziała Anna. Czuła, że nie powinna wdawać się dalej w tę dyskusję, zwłaszcza na takie tematy. Marek zaczął narzucać się jej coraz bardziej, proponując podwiezienie do domu swoim samochodem. Odmówiła. Zostawiła jednak numer telefonu. „Może będę go kiedyś potrzebować?" – pomyślała.

Kiedy dojechała do domu, zaparzyła sobie herbatę i usiadła w kuchni przy stole, analizując całą sytuację. Wzięła telefon do ręki i wystukała numer.

– Peter?!!! W co ty ze mną pogrywasz? Podstawiasz mi swoich chłopców, żeby sprawdzić, na ile można mi ufać?! – krzyknęła do słuchawki.

– O co pani chodzi? – usłyszała.

– Już ty dobrze wiesz, o co! Najpierw podsyłasz Filipa, żeby sprawdzić, czy dam się zaciągnąć do łóżka, a teraz podstawiasz jakiegoś Marka! Żałosne. W ogóle nie masz do mnie zaufania – warknęła.

– Mam swoje powody, OK? – powiedział ze wstydem w głosie.

– Daj mi spokój – rozłączyła się.

Nazajutrz Peter odleciał do Londynu. Wciąż myślał o Annie. O tym, czy rzeczywiście nie przesadził, podstawiając Marka, żeby wystawić ją na próbę. Chciał mieć jednak nad nią pełną kontrolę. Nie obawiał się, czy Anna mu wybaczy, bo wiedział, że i tak prędzej czy później dziewczyna będzie w potrzebie.

Na lotnisku czekał na niego czarny land rover. Kierowca otworzył drzwi samochodu, w którym siedział mężczyzna w czarnym garniturze.

– To jest raport – mężczyzna podał teczkę Peterowi.

– Dobrze się spisaliście – powiedział Peter, podając dłoń mężczyźnie w czerni.

Rozdział 15

Warszawę zasypało śniegiem. Mróz szczypał Annę w policzki, kiedy chodziła bez celu ulicami Starego Miasta. Wczoraj pokłóciła się z Peterem, więc nie otrzymała od niego żadnych pieniędzy na utrzymanie. Nie miała też na bilet powrotny do domu.

Koło Kolumny Zygmunta postawiono gigantyczną choinkę, która rozświetlała plac. W powietrzu unosił się zapach smażonych pierogów, wędlin i grzanego wina. Poczuła, jak ściska ją w żołądku. Nie jadła nic od wczoraj wieczór. „Moja wina, powinnam zawsze coś odłożyć. Tylko jak? Peter daje mi takie grosze, że nie sposób z tego nic zaoszczędzić. On doskonale o tym wie" – myślała i czuła, że za chwilę straci czucie w stopach, które były lodowato zimne. Nie mogła wejść do restauracji, żeby się zagrzać, ponieważ nie miała nawet na herbatę. Postanowiła wrócić w okolice Dworca Centralnego, gdzie mogła za darmo posiedzieć w galerii „Złote Tarasy". Kiedy weszła do centrum handlowego i usiadła na ławce, poczuła senność.

Jestem na spotkaniu. Będę za godzinę. Zapraszam panią na lunch do hotelu Sheraton – napisał Peter.

„Jeszcze godzina" – pomyślała. Nie jadła śniadania, dochodziła już prawie piętnasta. „To nie może tak dalej być. Muszę coś z tym zrobić. Nienawidzę go, tracę przez niego siły i zdrowie. Dlaczego nie mogę się z tego wyplątać" – myślała. Była głodna, zła i zmęczona. Wcale nie miała ochoty na towarzystwo Petera. Wiedział, że nic nie jadła, nie ma pieniędzy ani gdzie się podziać, a mimo wszystko przetrzymywał ją na mrozie. Nie miała jednak wyjścia.

Możesz przyjść do Sheratona, już skończyłem – napisał.

„Przyjść?" – pomyślała. Sądziła, że chociaż zamówi jak zawsze taksówkę. Poczuła znajome zimno, na dworze robiło się szaro. W holu rozmawiali elegancko ubrani ludzie. Zastanowiła się, czy wejść. Nie czuła się na siłach.

Zadzwoniła do Petera.

– Jestem przed hotelem, ale nie mogę wejść. Źle się czuję – powiedziała.

– Daj spokój. Już po ciebie idę – usłyszała.

Peter wyglądał bardzo elegancko. Do granatowej marynarki założył czerwony krawat. Anna miała na sobie czarny sweterek, na który zarzuciła czerwony płaszcz. Jednak wyglądała blado u boku Petera. Objął ją w pasie, uśmiechając się od ucha do ucha, jakby nic złego się nie wydarzyło. Kiedy pomagał jej zdjąć płaszcz, zaczęła się trząść, coś w niej pękło. Czuła, że za chwilę rozpłacze się z własnej bezsilności. Wokół niej kręcili się zamożni ludzie, a ona przeżywała swój wewnętrzny dramat.

– Peter, nie mogę – szepnęła. Nie chciała robić scen.

– Rozbieraj się. Dobrze wyglądasz – powiedział swoim władczym i stanowczym głosem, delikatnie przytulając ją do siebie.

Ściągnął jej płaszcz.

– Muszę iść do toalety. Zaraz wracam – powiedziała.

Kiedy zamknęła za sobą drzwi, zaczęła płakać.

Usłyszała pukanie.

– Zajęte – odpowiedziała.

– Czy wszystko w porządku, proszę pani? – usłyszała kobiecy głos.

– Tak, dziękuję.

Po chwili napięcie minęło. Łzy pomogły na moment oczyścić jej duszę. Podeszła do dużego lustra i wyjęła z torebki szminkę, cienie i tusz do rzęs. Przypudrowała trochę bladą twarz i sińce pod oczami.

– Przepraszam, że tak długo. Musiałam zrobić szybki makijaż – usprawiedliwiła się przed Peterem.

– Nie trzeba było. Zawsze mówię ci, że najlepiej wyglądasz naturalnie – powiedział Peter.

Podeszli do zarezerwowanego stolika. Peter wyręczył ją, przynosząc jedzenie ze szwedzkiego stołu. Jadła powoli i w milczeniu. Peter przyglądał się jej uważnie. Po pierwszej lampce szampana poczuła się lepiej. Po drugiej nabrała kolorów.

– Dlaczego to robisz? – zapytała.

– Co robię? Ja nic nie robię. To pani ma problemy – powiedział.

W tym momencie do ich stolika podeszła znana aktorka.

– Cześć, Peter, świetnie wyglądasz – powiedziała, kłaniając mu się w pas.

– Co u ciebie? – zapytał.

„Nawet mnie nie przedstawił" – pomyślała Anna, nie mogąc oderwać wzroku od znanej gwiazdy filmowej.

Aktorka machnęła ręką na pożegnanie.

– Naprawdę cię nie rozumiem, Peter. Załatwiasz innym pracę. Znasz ludzi z branży, która mnie interesuje, i wiesz, że mam wszelkie predyspozycje, by zaistnieć, a jednak nie chcesz mi pomóc – powiedziała z wyrzutem.

– Przyniosę pani deser – zaproponował, zmieniając temat.

Postawił przed nią gofra w kształcie serca, na którym znajdowały się trzy gałki lodów truskawkowych.

– Serce? – powiedziała.

– Specjalnie dla pani – uśmiechnął się szeroko.

Chętnie rzuciłaby w niego tym daniem, ale szampan spowodował, że złagodniała.

Nie przyjęła jednak deseru.

– Odrzucasz moje oświadczyny? Podaję ci serce jak na dłoni – powiedział. – W takim razie zapraszam na drinka do baru – dodał.

Przeszli do pomieszczenia obok, gdzie było już nieco mniej oficjalnie. Grupa muzyków grała jazz. Peter i Anna dopijali szampana. Peter jak zawsze dokuczał uszczypliwie kelnerkom, pytając je o nieprzyzwoite rzeczy: Czy masz chłopaka? Ile tu zarabiasz? Przytyłaś ostatnio.

Anna była tym zbulwersowana.

– ...na nazwisko Kowalski – powiedział Peter, rozłączając rozmowę telefoniczną z centralą taxi.

Opuścili Sheraton późnym wieczorem.

– Przyjmiesz moje oświadczyny czy nie? – zapytał Peter w taksówce.

– Czy wiesz, jak wyglądają oświadczyny? – parsknęła lekceważąco.

– Ale przyjmiesz czy nie? – położył rękę na jej kolanie.

– Jesteś pijany – odpowiedziała, biorąc jego dłoń i kładąc ją tam, gdzie wcześniej ją trzymał.

Nienawidziła, kiedy Peter przekraczał dawkę alkoholu, która uniemożliwiała normalną komunikację. Gdy za dużo wypił, był bardzo upierdliwy. Potrafił pół nocy pytać ją o to samo.

– To doszliśmy do porozumienia czy nie? – zapytał.

– Tak – odparła dla świętego spokoju.

Taksówka podjechała pod apartament w Wilanowie, który Peter wynajmował od jakiegoś czasu. Kiedy wysiedli, ledwo trzymał się na nogach. Stał przed nią w samej marynarce z przewieszonym przez rękę płaszczem. Nie odczuwali już mrozu rozgrzani alkoholem. Stanął przed nią i spojrzał jej głęboko w oczy.

– Kocham cię – powiedział.

Anna zamarła. Miała mieszane uczucia. Jak ktoś, kto tak ją poniżał, a potem dawał luksus, mógł ją kochać? Toczył psychopatyczną grę, której stała się ofiarą. Wplątała się w pajęczynę, którą utkał dla niej Peter, by finalnie zniszczyć swoją ofiarę.

– Ubierz się, Peter, bo się przeziębisz. Idziemy – wzięła go pod rękę i weszli do apartamentu.

– Zrób mi drinka – powiedział, rozkładając się na sofie.

Kiedy wróciła, już spał.

„No i dobrze" – pomyślała.

Pięć lat później Anna siedziała nad brzegiem Morza Tyrreńskiego. Malta zapierała jej dech w piersiach. Tutaj odnalazła spokój. W Polsce była zima, a na wyspie wiosna. Dobry sezon, bez tłumu wczasowiczów. W samolocie Air Malta z Frankfurtu większość pasażerów stanowili Niemcy w wieku emerytalnym. Znalazła swoje miejsce, swoją skałę, na której siedziała, patrząc na wzburzone morze. Czuła jakąś bezgraniczną więź ze wszechświatem. Wiatr porwał jej kartkę papieru, na której zaczęła pisać wiersz. CZAS ODLOTU. Na drugiej próbowała stworzyć tekst piosenki. Wydawało jej się, że morze przemawia do niej i ją wyzwala. Nie było przy niej Petera, Daniela czy Jovana. Była sama. Myślała o tym, co przeszła. Gdyby mogła, nigdy już nie opuściłaby wyspy. W Polsce czekało na nią dziecko.

Było tu wiele domów na sprzedaż. Brakowało tylko zieleni, której zdecydowanie tu za mało. Nikt nigdzie się nie spieszył. Wymarzone miejsce, żeby tworzyć. Anna jak zawsze poszybowała daleko w chmury. Widziała siebie w małym domku z widokiem na morze, w którym pisze książki przy porannej kawie czy o zachodzie słońca. Nigdy nie potrzebowała wiele do szczęścia. Tutaj odnalazła upragniony spokój i równowagę. Czerpała ją z morza, które jednego dnia było spokojne, drugiego wzburzone. Zmieniało nastrój jak człowiek. Nie traktowała morza jak zbiornika wodnego. Raczej czerpała z aury, jaką wokół siebie tworzy. Owiane tajemnicą, stare. Morze, które pochłonęło niejedną duszę i wysłuchało niejednej historii. Morze, które jest lepsze niż konfesjonał. To w nim odnalazła Boga.

Z zadumy wyrwał ją odgłos przychodzącego sms-a.

Ty głupia, naiwna dziwko. Znowu jesteś z tym chujkiem? Jesteś zerem, nikim – przeczytała sms-a od Petera.

W jednej chwili jej ciało przeszedł dreszcz, a potem kolejny. Poczuła, jak jej zaprogramowane ciało ulega emocjom. Reaguje dokładnie tak samo. Peter zawsze przekonywał ją, że bez pieniędzy nie jest nic warta. Jej twarz zmieniła wyraz na bardzo przygnębiony. Skuliła ramiona, które wcześniej otwierała ku morzu. Czuła się tak, jakby ktoś jej coś zabrał. Kawałek jej duszy. „Peter, jesteś diabłem" – pomyślała.

Jestem na Malcie. Sama. Pozwól mi o tobie zapomnieć – odpisała, choć wiedziała, że nie powinna.

Od razu poczuła się gorzej, że daje się wciągnąć w zaczepki. Kiedy długo się do niego nie odzywała, atakował ją wyzwiskami, podejrzewając zdradę.

Widzę, że za mało jeszcze pani dostała po dupie – odpisał z uśmiechem.

Nie mam tutaj luksusów, jak z Tobą, ale nawet z kilkoma euro w kieszeni jestem bardziej szczęśliwa niż u Twojego boku – odpisała.

Powodzenia. Nie pisz do mnie więcej – odpowiedział, a ona poczuła się bardzo źle.

Przyzwyczaiła się, że zawsze może na niego liczyć. Sama świadomość, że jest ktoś, nawet daleko, ale jest, dawała jej złudne poczucie bezpieczeństwa, którego zabrakło jej w życiu. Może dlatego zawsze wybierała starszych od siebie mężczyzn z nadzieją, że przy nich odnajdzie stabilizację i spokój. Jednak była to złudna nadzieja.

Rozdział 16

Jeszcze zanim wyjdziesz stąd, zanim spojrzysz na mnie
Jeszcze zanim wyjdziesz stąd, zanim mnie zostawisz
Ostatni raz zapal światło, zostaw mi odrobinę nadziei...

W Londynie prószył śnieg. W oknie domu Andrew świeciło się światło. Anna siedziała ze słuchawkami na uszach i śpiewała do mikrofonu utwór, który poruszył jej serce kilka lat wcześniej. Była to kompozycja Daniela. W końcu uparła się i Daniel obiecał jej, że jeśli da mu jeszcze jedną szansę i przyleci do Andrew, na pewno będą nagrywać piosenki. Wróciła do Londynu. Nie mieli profesjonalnego studia. Anna śpiewała do własnej pończochy, która ochraniała mikrofon. Kiedy skończyli, Andrew obiecał zrobić film do tej piosenki. Teledysk poruszył, ale też rozbawił Annę do łez. Andrew chodził za nią z kamerą po domu przez tydzień. W końcu wybrał fragmenty, które idealnie wpasowały się w klimat utworu.

Wiatr szalał za oknem. Daniel zaświecił nocną lampkę, żeby jeszcze poczytać przed snem. Andrew oszczędzał na ogrzewaniu i kaloryfery w całym domu były zimne. Panowie często rozgrzewali się wódką. Andrew spał w tym, w czym chodził cały dzień. Czasem nawet w butach i w czapce. Debbie wcisnęła się pod jego śpiwór. Anna przywiozła z Polski na wszelki wypadek termoizolacyjny koc, który wyjęła z apteczki swojego auta. Koc sprawdzał się znakomicie, ale Daniel narzekał, że Anna szeleści w nocy.

– Jak długo jeszcze? Czy znalazłeś jakąś nową stancję dla nas? – zapytała, wtulając się w Daniela.

– Jutro poszukamy w internecie jakiegoś pokoju do wynajęcia. Dobranoc, Niunia.

Znaleźli stancję dwie przecznice od Andrew. Przestronny pięciopokojowy dom z ogrodem. Warunki były dobre. Przeprowadzili się po kilku dniach i zajęli duży dwuosobowy pokój w cenie 120 funtów.

– Anno, wszystko fajnie, ale pieniądze ci się kończą, a ja sam nie mogę płacić za wynajęcie pokoju – powiedział Daniel po dwóch tygodniach.

– A co z tą pracą pokojówki? Może poszedłbyś ze mną jutro do agencji? – szukała rozwiązania.

– Niunia, przecież wiesz, że masz alergię na kurz. Jak ty sobie to wyobrażasz, że będziesz sprzątać pokoje hotelowe? Przecież tam będziesz miała z nim styczność cały czas – oznajmił.

– Nie wiem... liczyłam, że będziemy grali w jakimś hotelu, restauracji... – zastanawiała się.

– To załatw coś, ty się na tym znasz – zaproponował.

– Tak, tylko musiałabym lepiej znać angielski – odpowiedziała. – Ale wiesz co? Kiedy byłam w Polsce, poznałam przez internet dyrektora tutejszej rozgłośni radiowej. Podoba mu się piosenka, którą nagrałam w Warszawie, i zaprosił mnie na wywiad. Może tędy droga?

– No to na co czekasz? Pojadę z tobą.

Wywiad był udany. W zasadzie najwięcej mówił Daniel. Anna oczarowała prowadzącego, który zaprosił ją do dalszej współpracy, a potem na ciastka i kawę nieopodal Harrods'a. Kevin był dżentelmenem. Był zauroczony Anną i miał nadzieję, że będą widywać się częściej. Tak też się stało po tym, jak Anna któregoś dnia odczytała sms-a w telefonie Daniela:

Misiu, tęsknię za Tobą. Pamiętam te chwile namiętności w Twojej kabinie. Chciałabym przeżyć i poczuć Cię jeszcze raz. Twoja Dorotka.

Andrew jechał właśnie na rynek i wstąpił, żeby podać Danielowi skopiowaną płytę. Rozmawiali w drzwiach wejściowych, kiedy Anna przeczytała sms-a od Doroty. Nigdy nie grzebała w jego telefonie, ale kiedy zobaczyła na wyświetlaczu imię, nie mogła się oprzeć i kliknęła. Serce biło jej jak oszalałe. Słyszała, jak Daniel wchodzi po schodach na pierwsze piętro, gdzie zajmowali pokój. Nie wiedziała, jak zareaguje. Nie miała czasu do namysłu. Kiedy stanął w drzwiach, uderzyła go w twarz.

Stanął jak wryty.

– Co się stało? Za co?

– Za to!!! – Anna rzuciła w niego telefonem i wybiegła z płaczem.

Długo chodziła po parku, żeby ochłonąć. Pamiętała, kiedy po pierwszych kontraktach otrzymywał od niej sms-y, ale nie były one aż tak jednoznaczne. Nie mogła uwierzyć. W końcu Dorota jeździła z mężem na statki od wielu lat. Występowali w duecie. Daniela poznali podczas kontraktu i wszędzie zaczęli chodzić we trójkę. Zdradzała męża potajemnie z Danielem, a teraz wysyłała mu sms-y.

– Możesz wrócić do Andrew. Przeprowadzam się do sąsiedniego pokoju. Jest jeszcze wolny – powiedziała.

Kiedy wróciła, Daniel był pijany. Nie wiedział, co powiedzieć.

– To nie tak, jak myślisz. Ona ma męża – mówił.

– Daruj sobie – powiedziała, ciągnąc kołdrę po podłodze. – Rozmawiałam z właścicielem. Mogę zająć pokój obok, ten za 100 funtów tygodniowo.

Wzięła swoje rzeczy i z rozdartym sercem poszła spać do drugiego pokoju. Tej nocy długo jeszcze płakała w poduszkę. Chciała przytulić się do Daniela, który chrapał za ścianą, ale rozsądek mówił: nie. Ona planowała ślub w Polsce, a tymczasem on uprawiał seks z inną kobietą na statku. Nawet jeśli to jednorazowa przygoda, to nie był pierwszy raz, kiedy ją zawiódł. To też nie był pierwszy raz, kiedy spała samotnie, tęskniąc za nim. Wiedziała już, że ich związek nie przetrwa.

Tydzień później Kevin zaparkował swoje bmw pod domem przy Choumert Road.

– *Happy birthday*, Anna – powiedział od progu.

– To dla ciebie – podał jej komputer.

– Naprawdę? Komputer? Nie musiałeś, Kevin, to za wiele. Proszę, wejdź do środka.

Anna zaparzyła angielską herbatę z mlekiem i zaniosła ją na tacy wraz z ciastem do salonu na parterze, który był miejscem wspólnych spotkań lokatorów. Kevin siedział wyprostowany. Na koszulę naciągniętą miał bawełnianą kamizelkę. Ubierał się trochę staromodnie, ale Annie podobał się jego kulturalny sposób zachowania. Był prawdziwym angielskim dżentelmenem. Przy nim mogła trochę odetchnąć po tej szarpaninie z Danielem.

– Anno, wiem, że nie pracujesz w tej chwili, i chciałbym pomóc ci opłacić pokój i kupić to, czego potrzebujesz, żeby się jakoś urządzić. A na twoim miejscu zmieniłbym dzielnicę, bo tutaj to nawet bałem się wjechać samochodem – powiedział, mieszając łyżeczką herbatę.

– To bardzo miłe z twojej strony, Kevinie, ale muszę to sobie jeszcze przemyśleć, poukładać. Dopiero co rozstałam się z Danielem – te słowa z trudem przeszły jej przez gardło.

– Wiesz, że mi na tobie zależy – powiedział.

Długie rzęsy Anny zasłoniły jej oczy, kiedy spojrzała w podłogę. Nie wiedziała, co ma powiedzieć. Kevin zupełnie nie był w jej typie. Za szczupły i nie lubiła łysych mężczyzn.

– Wiem i naprawdę doceniam twoją pomoc, ale potrzebuję trochę czasu.

– Rozumiem i poczekam. A teraz mam dla Ciebie drugą niespodziankę. Rozmawiałem z dyrektorem teatru i będziesz mogła tam wystąpić. Czy masz przygotowany jakiś koncert? – zapytał.

– Świetna wiadomość, niestety, moim jedynym akompaniatorem jest Daniel. Bardzo chciałabym wystąpić – powiedziała.

Kevin pożegnał się kulturalnie i odjechał, zastanawiając się, jak może zbliżyć się do Anny.

Anna straciła siłę. Czuła się samotna. Przygarnęła kota, który wyglądał na chorego. Zaczęła go karmić. Dwa tygodnie później, kiedy wczesnym rankiem otwierała okno, żeby wpuścić świeże powietrze, pod jej oknem stały już trzy koty.

– Przyprowadziłeś kolegów, co? – uśmiechnęła się na widok trzech kotów z zadartymi głowami, które patrzyły na nią wyczekująco.

„Ciekawe, czy te koty rozumieją po polsku" – pomyślała.

Zeszła do kuchni.

– Cześć, Paweł, co tak wcześnie dzisiaj skończyłeś? – zapytała współlokatora, który wyjmował pizzę z piekarnika.

– A rozniosłem listy wcześniej – powiedział.

Paweł był listonoszem. Za dwa tygodnie miała wprowadzić się do niego dziewczyna.

– A co to za delegacja czeka na ciebie w ogrodzie? – zapytał.

– No właśnie, muszę wyskoczyć do sklepu po jakieś kocie jedzenie. Może ta delegacja do czegoś się przyda. Zeszłej nocy, kiedy schodziłam do kuchni i zapaliłam światło, dwie myszy wyskoczyły ze śmietnika. Wszędzie tu ich pełno. Myślałam, że dostanę zawału serca. Te angielskie myszy potrafią skakać jak kangury. Nie widziałam, żeby nasze polskie były tak wysportowane – rzekła dowcipnie.

Po chwili wróciła z karmą dla kotów, a potem poszła na śniadanie do małej knajpki za rogiem. Lubiła ekskluzywne restauracje, jednak klimat małej knajpki na rogu ulicy też jej odpowiadał. Panował tam zawsze duży ruch. Na stolikach leżały obrusy w czerwono-białą kratkę. Zamówiła herbatę z mlekiem i tost. Na pierwszej stronie przeczytała wiadomość o zaginięciu pięcioletniej Madeleine McCann.

Po śniadaniu poszła na bazar po świeże owoce. Przechadzając się po Peckham Rye, zauważyła przystojnego młodego chłopaka, który pracował przy stoisku z telefonami komórkowymi. „Cukiereczek" – uśmiechnęła się w duchu. Chłopak był od niej młodszy o kilka lat. Po jego urodzie Anna wywnioskowała, że pochodzi z Pakistanu. Miał na imię Usman. Anna zdecydowała się na pierwszy krok pod pretekstem zakupu telefonu. Spotkała się z nim kilka razy, a potem rzuciła go, jakby w rewanżu za to, co ją spotkało. Religia Usmana zabrania seksu przed ślubem, więc czuła się z nim bezpieczna. Był taki młody i niewinny. Rozkochała go w sobie i zniknęła. Złamała mu serce. Kiedy odchodziła, płakał.

Pomyślała, że zrobiła mu przysługę. Z jednej strony czuła potrzebę wyrządzenia krzywdy komuś za to, co ją spotkało, a z drugiej nie chciała, żeby taki fajny chłopak trafił na jakąś cwaniarę, więc dała mu się przekonać na jej przykładzie, jakie potrafią być kobiety.

Próbowała znaleźć pracę na własną rękę, ale wszędzie było jej za ciężko. Pamiętała pierwszy dzień w KFC na Peckham. Dostała na głowę czyjąś przepoconą czapkę i koszulkę jako strój roboczy. Była jedyną białą pracownicą. Więcej tam nie wróciła. Potem miała pracować w kuchni u Turka, ale tam też nie wytrzymałaby dziesięciu godzin dziennie, w pocie czoła smażąc frytki.

– To nie dla mnie – powiedziała i z żalem po raz trzeci opuściła Londyn.

Nie na długo. Po kilku miesiącach pobytu u rodziców znalazła pokój przez internet. Szukała w tej samej dzielnicy, ponieważ tam znała każdy kąt i czuła się pewniej. *Wynajmę pokój spokojnej dziewczynie bez nałogów* – przeczytała i wiedziała, że to dla niej.

Kevin przywitał ją na lotnisku i pomógł zainstalować się u Beaty.

– Może jednak zmienisz dzielnicę na Richmond. Jesteś pewna, że chcesz tu zostać? – pytał.

– Tak, Kevin. Dziękuję za pomoc i do zobaczenia na koncercie za tydzień.

Anna pogodziła się z Danielem, ale nie chciała z nim zamieszkać. Sporadycznie odwiedzał ją u Beaty, z którą się z czasem zaprzyjaźnił. Pod jej nieobecność brał ciepłą kąpiel, ponieważ nie miał warunków u Andrew. Betty często wyjeżdżała do pracy poza Londyn i Anna zostawała sama. Zgodziła się, by Daniel ją odwiedzał, ale bez zostawania na noc.

– Hej, Niunia, mam świetny przepis na pomidorową na golonce. Miodzio. Andrew wczoraj gotował – podał jej kartkę z przepisem, stając w progu drzwi mieszkania Beaty.

– Super. Akurat mam pustą lodówkę, to może przejdziemy się do Morrisson i kupię coś na zupę? Ugotujemy razem?

– Jak samopoczucie przed koncertem? – zapytał w drodze do sklepu.

– Nie mogę się doczekać. Krawcowa w Polsce uszyła mi czerwoną, długą sukienkę. Taką, w której zawsze chciałam wystąpić. Wiesz, że w teatrze pojawiły się już plakaty z moim zdjęciem? Kevin do mnie dzwonił.

Na koncert pojechali we trójkę: Betty, Daniel i Anna.

– Zrób mi małego drinka, nie wytrzymam tego napięcia. Czy trema jest nieuleczalna? Śpiewasz tyle lat i ciągle to samo? – zapytała w sali, w której mieli przećwiczyć dwa utwory przed koncertem.

– Niunia. Jak nie masz tremy, to jeszcze gorzej. Mała trema musi być – powiedział.

Rozpoczął się *Love songs* (Wieczór piosenki miłosnej). Publiczność wypełniała salę po brzegi. Na scenie pojawiła się Anna, która w blasku świec i kwiatów wyglądała olśniewająco. Śpiewała godzinę, a po każdej piosence czytała tekst o miłości przygotowany na tę okazję. Magnetyzm, jaki miała w sobie, sprawił, że na sali panowała cisza. Zahipnotyzowała publiczność swoim głosem i wyglądem. Kiedy wykonała ostatni utwór, otrzymała owacje na stojąco. Żałowała wówczas, że nie było nikogo, kto uwieczniłby ten występ. Zdjęcia i wywiad z Anną pojawiły się potem w „Dzienniku Polskim" w Londynie.

Kiedy Anna znalazła pracę w kasynie, nie miała już czasu na śpiewanie czy sporadyczne spotkania z Danielem, na które zgadzała się już tylko z przyzwyczajenia. Daniel założył zespół z Anglikiem o imieniu Rupert, który fałszował, co jeszcze bardziej irytowało Annę i przyprawiało o zazdrość z powodu odbicia jej akompaniatora.

Daniel nigdy więcej nie wystąpił z Anną, widząc, że to ona znajduje się w centrum zainteresowania.

– Cześć, Daniel – zadzwoniła do niego któregoś dnia. – Dzisiaj nie pracuję w kasynie i chciałabym pójść do lekarza. Wiem, że czwartki masz wolne. Może zjedlibyśmy razem jakiś lunch i wstąpili do szpitala?

– OK, Niuniu. Dlaczego nie? – powiedział.

Wciąż zależało mu na Annie, ale wiedział, że w jej życiu pojawił się ktoś nowy. Ktoś z kasyna. Daniel był o niego szalenie zazdrosny.

– Czy ty wiesz, z jakiego kraju on pochodzi? Serbowie mordowali się na potęgę – powiedział, kiedy jedli zupę wonton w chińskiej restauracji.

– Nie generalizujmy, OK? Każdy człowiek jest inny – powiedziała.

– A po co właściwie idziesz do tego lekarza? Nie wyglądasz na chorą. Nieźle temu, jak mu tam? Jovan? A więc temu Jovanowi chyba średnio na tobie zależy, skoro nie ma czasu, żeby pójść z tobą do szpitala w potrzebie.

– Danielu... jestem w ciąży, a Jovan jest ojcem dziecka – powiedziała, patrząc mu głęboko w oczy.

– To niemożliwe!! Naprawdę? Żartujesz chyba – twarz Daniela w ciągu trzydziestu sekund wyraziła wszystkie możliwe emocje.

– To prawda. Przykro mi, jeśli cię to zraniło. To dla mnie zupełna nowość i sama nie wiem, jak zareagować. Mam bóle i nie wiem, czy utrzymam ciążę, dlatego skierowano mnie do szpitala.

Kiedy wyszli z restauracji, Daniel wtulił się w Annę i zaczął płakać jak dziecko. Stała tak niewzruszona, a po chwili objęła go również, czując cały jego ból i przykrość, jaką odczuwał.

– Nie płacz, proszę, bo zaraz i ja się rozpłaczę.

Oderwali się od siebie i zaczęli śmiać się przez łzy.

– To mogło być twoje dziecko, Danielu, ale nie chciałeś – powiedziała.

– To nieprawda, chciałem. Zasługujesz na to dziecko, bo bardzo długo na nie czekałaś. Chodźmy do szpitala – powiedział.

Siedzieli w milczeniu na korytarzu w długiej kolejce. Daniel przyniósł jej kawę z ekspresu.

– Dziękuję. Jovan powinien być tutaj za pół godziny. Pracę kończy o siódmej, ale wyszedł dzisiaj wcześniej.

– Nie chcę się z nim spotkać. Skoro jesteś pewna, że on tu zaraz będzie, to lepiej sobie pójdę. Trzymaj się, kochana – uścisnął Annę na pożegnanie.

– Do zobaczenia, Danielu.

Patrzyła, jak odchodzi długim korytarzem i czuła w sercu ból i smutek. Mężczyzna, którego kiedyś kochała i z którym spędziła tak piękne chwile, odchodził z jej życia.

„Będę pamiętać tylko te piękne chwile" – pomyślała, a w oku zakręciła jej się łza.

– Trzymaj się, maluszku. Twój tatuś zaraz tutaj będzie – pogładziła się po brzuchu, a jej twarz rozpromieniła się na widok Jovana, który zdyszany szedł korytarzem.

Rozdział 17

W szpitalu powiedziano, że wszystko jest w porządku i Anna nie ma się czym martwić. Powinna jedynie zrezygnować z pracy w nocy. Starała się porozmawiać z Kate, żeby dała jej dzienne zmiany. Niestety, nie udało jej się wynegocjować dniówek. Ciągle chciało jej się spać, więc nie była już tak zwinna jak na początku. Powoli nosiła tacę. Czasem nad ranem w kasynie było jej zimno w jedwabnej sukience na ramiączkach. Kupiła więc bolerko, żeby zarzucić je, kiedy odczuje chłód.

– Co to ma być? Natychmiast to zdejmij! – powiedziała rozkazująco Kate, kiedy zobaczyła Annę.

Wyczerpanej dziewczynie zachciało się płakać. Pomyślała, że nie ma nic ważniejszego od jej dziecka i skoro ma się przeziębiać, bo nie może założyć bolerka na sukienkę, w takim razie rezygnuje z pracy. Dokładnie o to chodziło Kate. Wolała zatrudnić nową dziewczynę, a że nie mogła zwolnić ciężarnej, robiła wszystko, żeby Anna odeszła sama.

Początkowo Kate była bardzo zadowolona z Anny, dawała jej nadgodziny, ale na wieść o ciąży zmieniła swoje nastawienie. Anna mieszkała nadal z Jovanem. Nie pracowała już w kasynie. Obeszli wszystkie biura, żeby zapytać o pomoc socjalną dla Anny, niestety, musiałaby przepracować minimum rok w kasynie i być zarejestrowana w Home Office, czego nie zrobiła, bo zwyczajnie o tym nie wiedziała. W tej sytuacji została bez środków do życia. Miała jeszcze jakieś oszczędności z kasyna, ale szybko się skończyły. Jovan pracował, Anna robiła zakupy, sprzątała i gotowała. Któregoś dnia zasłabła. To był dopiero drugi miesiąc ciąży.

– Zapraszam do mojego biura, musimy porozmawiać – Jovan zawsze żartował, mówiąc na swoje łóżko *office*.

– O co chodzi? Coś się stało? – zapytała, kładąc się koło niego.

– Sama widzisz, jaka jest sytuacja. Nie możesz liczyć na pomoc z socjalu w Londynie. Nie spełniłaś warunków.

– Nie wiedziałam. Nawet Betty nie powiedziała mi, że powinnam zarejestrować się w Home Office, żeby dostać zasiłek na dziecko.

– O tym powinien poinformować cię pracodawca w momencie zatrudnienia – powiedział. – Jak ty to sobie teraz wyobrażasz? Masz jakiś pomysł? Nie masz się z czego utrzymać. Ja nie utrzymam nas trojga. Nie możemy też mieszkać tutaj w jednym pokoju z dzieckiem. Wracaj do swojego kraju. Poza tym musisz rozważyć, czy urodzić to dziecko. Wczoraj rozmawiałem ze znajomą lekarką z Australii i powiedziała, że skoro brałaś różne zioła z Chinese Medical Centre, dziecko może urodzić się chore.

– Sugerujesz, żebym dokonała aborcji???!!! – zapytała z niedowierzaniem.

– Chyba tak będzie najlepiej – odrzekł.

Anna nie mogła uwierzyć w to, co słyszy. Ręce zaczęły się jej trząść, a łzy obficie spływały z oczu. Zawsze marzyła o pięknym ślubie i dzieciach. Po tym, co przeszła z Danielem, u boku Jovana pierwszy raz w życiu czuła się spokojna. Jego sposób bycia był pełen harmonii. Ale teraz, po tym, co jej zaproponował, tylko jedno przyszło jej na myśl.

– Wracam do Betty – powiedziała.

Nie chciała, żeby widział, jak płacze, jak jej na nim zależy. Nie zdążyła spakować rzeczy. Chwyciła płaszcz i wybiegła z domu. Kiedy jechała autobusem, wysłała Beacie sms-a, żeby się nie martwiła, bo teraz cały czas będzie pilnowała jej mieszkania.

Trzymaj się, kochana. Faceci to świnie – odpisała Betty.

Anna przyglądała się kropelkom deszczu spływającym po szybie autobusu. Padało mocno. Poczuła przygnębienie i smutek, a zwłaszcza ból w sercu. Kochała Jovana i ich nienarodzone dziecko. Nie mogła przyjąć do wiadomości, że Jovan chce zabić owoc ich miłości.

W mieszkaniu Betty panował półmrok. Od dawna nie było tu wietrzone. Na szczęście teraz, w ciąży, nie była narażona na zatruwanie siebie i dziecka papierosami Betty. Po drodze wstąpiła do Tesco Express koło domu, żeby kupić coś na kolację, choć tak naprawdę miała ochotę na drinka. Kiedy weszła do pokoju, rzuciła się na łóżko i zaczęła płakać. Coś w niej pękło. Od rozstania z Jovanem do chwili przekroczenia progu mieszkania Betty wszystkie emocje dusiła w sobie. Płakała długo i zasnęła z wycieńczenia. Kiedy się obudziła, był już późny wieczór. W telefonie zobaczyła kilka nieodebranych połączeń od Jovana. Rzuciła telefon na drugi brzeg łóżka.

– Nie mam już o czym z tobą rozmawiać, morderco – powiedziała. – Nie martw się, moje maleństwo. Poradzimy sobie sami – i znowu zaczęła płakać.

Kiedy wylała już wszystkie łzy, poczuła się lepiej. Wzięła kubek z kawą i postanowiła poinformować rodziców o ciąży. Betty miała darmowe połączenia do Polski, więc Anna chwyciła za telefon.

– Halo, mama? Co u was słychać? – zapytała spokojnie.

– Nic ciekawego, robiłam dzisiaj gołąbki i sałatkę, a teraz skończyłam piec ciasto.

– Chętnie bym zjadła. Tutaj jedzenie smakuje jak papier – powiedziała.

– A jak tam twój nowy narzeczony? – zapytała mama.

– No właśnie... jestem z nim w ciąży – Anna zebrała się na odwagę, żeby to powiedzieć, w końcu i tak musiałaby to kiedyś zrobić.

– A do tego rzuciłam pracę, a on zaproponował mi aborcję. Teraz znowu jestem u Beaty – dodała jednym tchem.

Mama Anny nie wiedziała, jak zareagować.

– Wróć do pracy, a on na pewno jeszcze będzie żałował.

– Ale ja nie mogę pracować w nocy. Przecież to zaszkodzi dziecku – odpowiedziała z wyrzutem Anna.

– Nic się nie stanie. A jak nie chcesz pracować, to wracaj do Polski.

Anna wiedziała, że matka w kryzysowej sytuacji stara się ją pocieszyć, ale po czasie i tak musiałaby usłyszeć, jak sobie skomplikowała życie i jak mało wartościową jest osobą. Matka Anny była dobrą kobietą, a jednak nie potrafiła znaleźć wspólnego języka z córką. Nigdy jej nie chwaliła. Po koncertach mówiła, jak ładnie zaśpiewały jej koleżanki, a dlaczego ona tak cicho. Anna ciągle była krytykowana przez oboje rodziców. Ojciec dziewczyny całe dnie pracował, więc nie miał czasu dla dzieci i rzadko z nimi rozmawiał.

– Inne dziewczyny mają mężów, dzieci, a ty co? Zawsze pakujesz się w biedę i kłopoty – twierdziła.

– Po co ci były te studia, skoro teraz pracujesz fizycznie w Londynie? W Polsce byłabyś kimś. Tam jesteś nikim. Mam już dosyć tych wszystkich twoich mężczyzn.

– Kiedy się w końcu wyprowadzisz na swoje? – padło pytanie ze strony matki.

Informacja doszła nawet do Petera. Zadzwonił dopiero następnego dnia późnym wieczorem. Po głosie usłyszała, że jest kompletnie pijany.

– Żartujesz, prawda? Ty nie możesz być w ciąży. To niemożliwe – rzekł.

– A jednak jestem i bardzo się cieszę, bo zawsze chciałam mieć dziecko.

– Obiecaj mi, że będziesz tylko moja – prawie się rozkleił.

Nie znała go od tej strony. Zawsze był taki twardy i oficjalny. A teraz prawie rozczulił się do słuchawki.

– Przykro mi, Peter. Dobrej nocy – rozłączyła się.

Ciąża dodała Annie siły. Radziła sobie z porażką całkiem dobrze. Może dlatego, że przebywała wciąż w Londynie, mieście, które dodawało jej energii i chęci do życia. Była delikatną i wrażliwą dziewczyną. Do tej pory zawsze potrzebowała kogoś, kto będzie ją wspierał w tym, co robi. Mimo wrażliwej, artystycznej duszy była silną kobietą. Nazajutrz postanowiła zadzwonić do Daniela:

– Cześć, Aniu, jak ty się czujesz? Co powiedział lekarz? – zapytał zazdrosny Daniel.

– Jeśli chodzi o ciążę, to wszystko w porządku. Odeszłam od Jovana. Czy mógłbyś wpaść do Betty? Mieszkam teraz u niej. Nie najlepiej się czuję, siedząc tutaj sama w ciąży – poprosiła.

– Oczywiście, Niunia. Mogę przyjść wieczorem. A co z twoją pracą? Już nie pracujesz? – zapytał.

– Na razie nie. Jestem na zwolnieniu, a w zasadzie to już odeszłam, to tylko kwestia kilku dni, może tygodnia.

Rozdział 18

– Nie możesz tak po prostu od niego odejść. Musisz uregulować sprawy prawne. Niech płaci na dziecko – powiedział Daniel, rozkładając się na kanapie Betty.

– Sama nie wiem. Nic od niego nie chcę – odrzekła smutno Anna.

– Mówiłem ci, że to morderca. Chciał zabić twoje dziecko. Musisz chociaż zabezpieczyć się na przyszłość, żeby nie uciekł, bo co wtedy zrobisz? Koniecznie zrób ksero jego paszportu – kontynuował.

– Może masz rację, ale jak ja mu to powiem? Nie mam siły na takie rozmowy. Może po prostu napiszę do niego list.

– To też jakiś pomysł, jak chcesz, pomogę ci napisać i przetłumaczyć na angielski – zaproponował Daniel.

– Dziękuję. W sumie masz rację, to też jego dziecko i nie może uciekać od odpowiedzialności, a pieniądze na pewno będą potrzebne.

Anna miała na sobie moherkowe ponczo z golfem, a na stopach balerinki. Włosy związała wysoko w koński ogon. W dłoni trzymała kubek z herbatą. Kiedy skończyli list z określeniem wysokości spodziewanych alimentów, pozostało już tylko umówić się na spotkanie z Jovanem.

Daniel poszedł do siebie. Anna zadzwoniła do Jovana.

– Witaj, czy możemy się spotkać?

– Jak się czujesz? Czy wszystko w porządku? Dzwoniłem do ciebie chyba ze sto razy – zapytał zaniepokojony.

– Dziękuję. Mam się dobrze. Czy możemy spotkać się jutro w porze twojego lunchu przy Victoria Station?

– Oczywiście, będę – odpowiedział.

Nazajutrz czekała na niego, przeglądając książki w księgarni na stacji. Miała na sobie czarną tunikę, na którą zarzuciła skórzaną krótką kurtkę w tym samym kolorze. Dodatek stanowił malinowy szal. Usta pomalowała na czerwono, ponieważ to dodawało jej pewności siebie. Podkręciła długie kasztanowe włosy tak, że teraz układały się na jej ramionach w loki. Wyglądała bardzo seksownie, pomimo już widocznego zaokrąglonego brzuszka. Zauważyła go. Udawała, że wciąż przegląda książki.

Jovan podszedł do Anny. Jak zawsze wyglądał elegancko. Miał na sobie jasny płaszcz i czarne spodnie.

– Anna? Nie poznałem cię, świetnie wyglądasz – usłyszała za plecami jego głos.

– Cześć, Jovan – odparła chłodno, odstawiając książkę na półkę.

– Biografia Elizabeth Taylor? – wskazał palcem na odłożoną przez nią książkę.

– Tak – ucięła, nie potrafiąc z siebie wydusić nic więcej.

– Zapraszam cię na kawę i ciastko – zaproponował.

– Nie mogę, chciałam tylko przekazać ci ten list i zapytać, kiedy mogę wpaść po swoje rzeczy – powiedziała, podając mu kopertę.

– Daj spokój, przecież nie będziemy tutaj rozmawiać. Chodź – powiedział stanowczo, biorąc list do ręki.

Siedzieli w Starbucksie, pijąc cappuccino. Jovan czytał list. Chciała mu go tylko podać i uciec. Teraz siedziała naprzeciwko, patrząc na jego łagodne oczy i opuszczone długie rzęsy, kiedy czytał list.

– A więc kto pomógł ci napisać ten list? Marta? – zapytał, chowając list do koperty.

– Nikt mi nie pomógł – odrzekła stanowczo.

– Nie żartuj, przecież nie znasz jeszcze na tyle angielskiego, żeby pisać tak poprawnie – odpowiedział.

– A może Daniel? – dodał.

W tym momencie Anna spojrzała na niego w sposób, który wyjaśnił wszystko. Nie potrafiła go okłamywać.

– No, teraz rozumiem, skąd te 400 funtów miesięcznie – uśmiechnął się pod nosem. – Nie wiem, czy będę mógł ci tyle płacić. W związku z tym, że moje życie również zmieni się ze względu na dziecko, postanowiłem wyjechać do Singapuru. Mam tam znajomych i na pewno znajdzie się dla mnie jakaś lepiej płatna praca. Niestety, to daleko, więc będę mógł widywać dziecko raz w roku – powiedział.

Anna słuchała i czuła, jak traci czucie w nogach. Przełknęła ślinę. Miała nadzieję, że może jeszcze zmieni zdanie, że wszystko się ułoży. A jednak on myślał o wyjeździe.

– Kiedy mogę wpaść po rzeczy? – zapytała.

– W każdej chwili. Masz klucz. Poza tym nie musisz zabierać rzeczy, możesz tam mieszkać, jeśli chcesz. Całe dnie jestem w pracy, u mnie będziesz mieć lepsze warunki niż u Beaty – oznajmił.

„Wypchaj się" – pomyślała. Po spotkaniu wstąpiła do katedry westminsterskiej, gdzie zawsze chodziła, żeby pomodlić się, a czasem posłuchać chóru. Zapaliła świeczkę. Tym razem prosiła Boga o to, żeby Jovan zmienił zdanie, żeby był dobrym ojcem dla ich dziecka. Skoro Bóg połączył ich dzieckiem, dwoje ludzi z innych krajów, to widocznie miał w tym swój cel. Anna często zauważała, jak podobna jest do Jovana. Dobra, szczodra, miła dla ludzi. „Miał taki cel, żeby nasze drogi się spotkały, drogi dwojga ludzi po przejściach" – myślała.

Żeby nie tłuc się na Peckham autobusem, wsiadła w kolejkę. Kiedy pociąg ruszył, poczuła żal po spotkaniu z Jovanen. Pomyślała, że wyśle mu sms-a.

Obojętnie, co się stanie i jaką decyzję podejmiesz, pamiętaj, że wciąż Cię kocham i czekam na Ciebie – napisała.

Dziękuję – odpisał.

„Dziękuję? I to wszystko? Tylko dziękuję?" – pomyślała.

Oparła głowę o siedzenie i patrzyła na zachmurzone niebo. Po powrocie do domu zgodnie za namową mamy, do której dzwoniła teraz codziennie, postanowiła poprosić Kate o powrót na nocne zmiany. Kate nie mogła jej odmówić, ponieważ Anna oficjalnie nie zwolniła się z pracy. Jeśli będzie pracowała w nocy, może spokojnie pracować do urodzenia dziecka, a potem wziąć urlop macierzyński.

Anna wróciła do kasyna. Teraz już mogła zmienić sukienkę, żeby ukryć odstający brzuszek. Kupiła czarną sukienkę na ramiączkach w BHS na Oxford Street. Zakrywała jej brzuch i była bardzo elegancka. Nie przyjmowała teraz wielu zamówień, żeby nie dźwigać ciężkiej tacy. Wolała przejść się kilka razy niż nadwyrężyć kręgosłup. Pracownicy kasyna dziwili się, że Anna musi pracować, będąc w ciąży, skoro ojcem dziecka jest zamożny mężczyzna.

– Co? A to skurwysyn! – powiedziała Marta. – Zostawił cię w ciąży? A do tego nie ma pieniędzy? Wiedziałam, do tego na pewno ma masę długów. Słyszałam o nim, że przegrał mnóstwo pieniędzy w kasynach. Zapytaj obok w Empire – powiedziała.

– Najlepiej jego byłej dziewczyny, Key – dodał Robert, wchodząc do kuchni.

– Spadaj Robert! Nie widzisz, że rozmawiamy? Dziewczyna ma problem. Nie wolno wam wchodzić do kuchni – rzuciła Marta.

– Dobra, dobra, zrobię tylko kawę i spadam – powiedział, uśmiechając się pod nosem.

– Co to za Key? – zapytała Anna.

– Chodził z nią chyba jakiś rok. Pochodzi z Tajlandii i jest starsza od niego. To koleżanka mojej dziewczyny – powiedział Robert, odchodząc z kawą do recepcji.

– Już wiem, która to jest. To kelnerka, która podawała nam zawsze kolację. Dlaczego nie powiedział mi, że była jego dziewczyną? – myślała głośno Anna.

– Sama widzisz. Okłamuje cię. Ten dureń stawiał wszystkim. Całe kasyno piło za jego pieniądze. Rozrzutny – powiedziała Marta. – Już dawno zauważyłam, że lubi stawiać innym, a sam nic nie ma. Uciekaj od niego jak najszybciej. Po co ci taki z długami? Popracujesz tutaj, pójdziesz na macierzyński i dasz sobie radę. W najgorszym wypadku możesz urodzić w Polsce, potem zostawisz dziecko u mamy i poszukasz pracy w innym kasynie, bo Kate nie zatrudnia tych samych osób po raz drugi.

Marta miała dobre intencje, ale też lubiła mieszać wszędzie, gdzie się da. Opowiadała Annie niestworzone rzeczy na temat Jovana. Któregoś dnia Robert powiedział Annie, że Jovan jest jednak gejem. Anna miała dosyć. Na początku było fajnie, ale teraz okazuje się, że kasyno jest siedliskiem plotek. W piątek wybrała się na Camden, żeby zabrać swoje rzeczy. Kiedy włożyła klucz w zamek, okazało się, że drzwi są otwarte. Klamka puściła. Weszła i zdjęła buty.

Jovan jeszcze był w łóżku.

– Myślałam, że dzisiaj pracujesz – zapytała zaskoczona. Była zmęczona po nocnej zmianie. Chciała tylko zabrać kilka rzeczy i wrócić do Beaty.

– Zamieniłem się z kolegą. Pracuję w następnym tygodniu – zerwał się z łóżka.

– Możesz spać dalej, wezmę tylko kilka rzeczy i wychodzę – Anna wspięła się na krzesło, sięgając po walizkę na szafie. Krzesło zachwiało się, straciła równowagę i spadła prosto w ramiona Jovana.

– Przepraszam, jestem zmęczona. Całą noc pracowałam – powiedziała szeptem.

– Połóż się i odpocznij. Przecież mogłaś mnie poprosić, zdjąłbym walizkę z szafy. Wracasz do pracy? – zapytał.

– Tak – potwierdziła.

Trzymał ją w ramionach i patrzył prosto w oczy. Zmarzła, a on był ciepły. Połączenie temperatur sprawiło, że zalała ją fala rozkoszy. Chciała zamknąć powieki, wtulić się w niego i zasnąć.

Stali tak w milczeniu przez kilka sekund, po czym ich usta spotkały się w namiętnym pocałunku. Całowali się coraz bardziej łapczywie. Anna zsunęła z ramion płaszcz, tak że opadł na miękką wykładzinę.

Niedopowiedzenia nie miałyby sensu. Mimo gwałtowności uczuć, które nim miotały, delikatnie zbliżył się do niej. Przekraczając granice, jeszcze ryzykował, ująwszy ją za biodra, by odwrócić plecami do siebie. Niedopowiedzenia ulotniły się mimo milczenia. Wyczuwała – na swoim karku – ciepło jego policzka pochylonego nad jej ramieniem, na skórze tułowia – opuszki palców wkradające się zręcznie pod bluzkę. Obejmujące go nogi i ramiona, ssące go wargi, z wbitymi pomiędzy pośladki palcami, zaczęły zaciskać się z nową, nieznaną siłą.

Otworzył zamknięte w zapamiętaniu oczy… Jej twarz wyrażała jakąś wielkość, koncentrację, obcowanie z nieznaną mu, ale bezwzględną prawdą najgłębszej kobiecości, ostatecznego sądu – wchłonięcia ciała i duszy, oddania prawom natury. Jej hipnotyczny trans uświadomił mu, że oddychanie nie jest w tej chwili koniecznością. Kiedy zalała ją fala znajomego ciepła, zasnęła. Obudziła się dopiero, kiedy poczuła zapach lunchu przygotowywanego przez Jovana. Otuliła się kołdrą, żeby jeszcze trochę pospać.

Rozdział 19

Anna nie wiedziała, czy może ponownie zaufać Jovanowi. Na wszelki wypadek postanowiła nadal mieszkać u Beaty, zostawiając rzeczy na Camden. Nie była pewna, jak potoczą się sprawy, ale miała świadomość, że nie może dłużej mieszkać na Peckham ze względu na zdrowie dziecka. Mieszkanie Betty było przesiąknięte tytoniem, a ściany zaczął pokrywać grzyb.

Zrobiła ksero jego dokumentów na wypadek, gdyby znowu coś się między nimi zmieniło. Jeśli zdecydowałby się na wyjazd do innego kraju, nie wiedziałaby, gdzie go szukać.

Widywali się niemal codziennie. Po pracy wsiadał w autobus numer 36, który zawoził go do dzielnicy, gdzie mieszkała Anna. Często czekała na niego z kolacją, czasem chodzili do jej ulubionej restauracji „Hong Kong City" przy New Cross niedaleko mieszkania Betty.

Anna lubiła tę restaurację i odwiedzała ją nawet sama, by wypić zieloną jaśminową herbatkę, zjeść zupę wonton czy pierogi z krewetkami. W restauracji mieściło się duże akwarium, z którego szef kuchni wyciągał wybrane przez klienta ryby.

– Aniu, nie chcę cię okłamywać, ale musisz wiedzieć, że ja cię nie kocham – powiedział Jovan.

Anna poczuła się tak, jakby ktoś ją spoliczkował.

– To dlaczego pisałeś, że mnie kochasz? Dlaczego ze mną sypiałeś? Czy ty tak potrafisz bez uczuć? – zarzuciła mu.

– Pisałem to, co chciałaś usłyszeć. Ja... Ja chyba nie potrafię kochać. Kiedyś, dawno temu byłem zakochany w dziewczynie ze swojego kraju, ale wyszła za innego – powiedział. – Ale będę ci pomagał, jak tylko będę mógł – dodał.

– Żadne pocieszenie – przemilczała, spuszczając głowę.

Nie tego szukała w życiu. Gorzej trafić nie mogła. Myślała, że po tym wszystkim, co przeszła, po tych nieudanych związkach, los w końcu będzie dla niej łaskawszy.

Chciała pełnej rodziny dla swojego dziecka. Jovan zachowywał się co najmniej dziwnie. Głaskał ją po brzuchu, mówił o planach na przyszłość, kochali się namiętnie. Innym razem przemawiał przez niego obcy człowiek, chłodny i obojętny, jakby patrzył w przeciwnym kierunku niż ona. Człowiek, któremu w głowie przewijają się tylko cyfry, jakie obstawić w kasynie. Zauważyła, że wszystko zależne było od wygranej czy przegranej. Gdy przegrywał w kasynie, czuł się bezwartościowym człowiekiem i odtrącał Annę. Nie miał ochoty na czułości, a zwłaszcza seks. Uznał, że lepiej będzie dla niej, jeśli ułoży sobie życie z kimś innym, kto zapewni jej i dziecku stabilizację.

Tymczasem Betty pocieszała Annę.

– Może to reakcja na wieść o ciąży? Nie był przygotowany na ojcostwo – usłyszała głos Betty, która właśnie dzwoniła do niej podczas przerwy w pracy.

– Mam nadzieję, słyszałam, że mężczyźni różnie reagują, a potem akceptują fakt, że zostaną ojcami. Akurat ten mężczyzna zareagował bardzo źle. Złamał mi serce – rzekła smutnym tonem.

– Zobaczysz, może jeszcze się między wami ułoży, a jak nie, to przynajmniej będziesz miała dziecko. Przecież zawsze chciałaś zostać mamą – Anna usłyszała, jak Betty zaciąga się papierosem.

– Chciałam, ale trochę inaczej... Chciałam zapewnić dziecku poczucie bezpieczeństwa, normalny i ciepły dom – oznajmiła Anna.

– Nie można mieć wszystkiego, kochana – rzekła Betty, kończąc rozmowę.

Wkrótce relacje między Anną a Jovanem zaczęły się poprawiać. Zaproponował, żeby przeprowadziła się do niego na stałe. Którejś nocy, kiedy spali, Anna usłyszała spadające krople deszczu. Pomyślała, że miło wtulić się w Jovana, kiedy za oknem pada. Chociaż na moment mogła poczuć, że ona i jej dziecko są bezpieczni. Po chwili zorientowała się, że deszcz nie pada za oknem, ale w domu. Wstała po cichu, zaświeciła światło w pokoju Betty. Woda kapała z żyrandola.

Obudziła Jovana, który podstawił miskę. Pilnowali jeszcze mieszkania Betty kilka dni, żeby nie zalało go całkowicie, po czym przenieśli się do Jovana. Chodzili na spacery do Regent's Park. Często jadali w restauracjach. Rozmawiali i kochali się namiętnie. Anna czuła, że Jovan zbliża się do niej coraz bardziej. Zrezygnowała z pracy w kasynie, ponieważ zaczęła źle się czuć w nocy, miała mdłości i często wymiotowała. Była w trzecim miesiącu ciąży i właśnie umówiła się na USG. Wtedy, w szpitalu na Camden, po raz pierwszy zobaczyła swoje dziecko.

– Widać już rączki i można policzyć paluszki, jednak za wcześnie, żeby określić płeć – powiedziały pielęgniarki. Były to dwie młode, sympatyczne dziewczyny z Indii.

Anna przyglądała się dziecku, które bawiło się rączkami. Otrzymała kilka zdjęć, które podarowała Jovanowi, wstępując po drodze do recepcji budynku, w którym pracował.

Był zachwycony. Od tej pory oficjalnie zaczął chwalić się wszystkim, że zostanie tatą.

– Weźmiemy ślub w Las Vegas – powiedział, kiedy Anna zasugerowała mu, że inaczej to sobie wyobrażała.

– Tylko my dwoje. Ty i ja. Najpierw mała ceremonia, a potem zjemy kolację w restauracji.

– Sama nie wiem... Tak bez rodziny, bliskich?

– Wiesz, pomyślałem – dodał – że może jest jeszcze jakaś szansa na życie w Londynie. Jutro rano pojedziemy na lotnisko. Znajomy ma tam podać mi pieniądze, które pożyczyłem na wynajęcie apartamentu dla nas i dziecka. Na depozyt i start wystarczy – kontynuował.

– To bardzo dobra wiadomość. Może moja mama będzie mogła przylecieć do nas i zająć się dzieckiem, a ja poszukam pracy? – zapytała.

Nazajutrz udali się na lotnisko. Wieczorem Anna po raz ostatni chciała posłuchać koncertu Daniela, więc poszła do „Landmark Hotel" na Marylebone. Jovan jak zwykle pojechał do kasyna.

Zależało jej, żeby dziecko już w brzuchu oswajało się z dźwiękami fortepianu. Nie miała ochoty na kasyno. Cały ten teatr i tych wszystkich uzależnionych ludzi. Z Jovanem nie mogła porozmawiać o muzyce i książkach. Przy Danielu rozwijała swoje zainteresowania. Zdecydowanie wolała spędzić wieczór, słuchając muzyki na żywo, niż obstawiać cyfry w kasynie. Daniel grał zachwycająco. Siedziała zasłuchana. Chyba pogodził się ze stratą, choć często coś w nim pękało. Wtedy nie potrafił zapanować nad emocjami i wycierał nos chusteczką. Starał się być lepszy niż do tej pory. Nie miała wątpliwości, że gdyby to było jego dziecko, dbałby o nią. Czuła, że to już ostatnie ich spotkanie. Tak właśnie chciała je zapamiętać: kiedy specjalnie dla niej grał utwory bliskie jej sercu. Podziękowała Danielowi za tę wspaniałą ucztę duchową.

Do domu Jovana wróciła pełna sprzecznych uczuć. Z jednej strony godziła się z czymś, co już nie wróci, choć i tak wiedziała, że ten związek nie miał szans na przetrwanie. Z drugiej kochała Jovana i cieszyła się, że będą mieli dziecko. Kiedy weszła do domu, Jovan leżał na łóżku nieruchomo. Spojrzała na niego i już wiedziała, że coś jest nie tak.

– Czy coś się stało? Chyba nie masz mi za złe spotkania z Danielem. Chciałam ostatni raz posłuchać, jak gra na fortepianie. Zresztą przecież był w pracy – powiedziała.

– Nie o to chodzi, chociaż nie podoba mi się, że spotykasz się ze swoim byłym. Przegrałem w kasynie wszystkie pieniądze, jakie pożyczyłem na nasz start w Londynie z dzieckiem. Przegrałem wszystko w godzinę.

Anna od razu źle się poczuła i pobiegła zwymiotować. Nie miała siły na dyskusje. Liczyła, że dziecko zniechęci go do hazardu. Kiedy wróciła z toalety, położyła się koło Jovana. Była blada. Wsunął jej poduszkę pod głowę.

– Jak się czujesz? – zapytał.

– A jak mam się czuć, Jovanie? Teraz nie ma już możliwości, by dziecko urodziło się tutaj – powiedziała.

– To ja pożyczyłem te pieniądze i ja spłacę dług. Sama widzisz, kim jestem. Nie okłamywałem cię. Kiedyś myślałem, że najlepszym wyjściem dla mnie byłoby udanie się do zamkniętego zakonu, gdzie żyje się w ubóstwie. Nawet sobie taki upatrzyłem we Francji. Może powinienem się tam udać? – obwiniał się.

Czuła żal, ale sama już nie wiedziała, czy żałowała Jovana, czy siebie i dziecka. Chyba obojga. Zdała sobie sprawę, że nie jest w stanie mu pomóc. Nigdy nie lubił, kiedy mówiła o jego pociągu do hazardu jako chorobie czy uzależnieniu. Nie chciała już tak żyć. Była zmęczona. Mdłości, senność towarzyszyły jej teraz każdego dnia.

– Wracam do Polski – powiedziała w trakcie rozmowy telefonicznej z matką.

– A jednak? Co się stało? – zapytała zaniepokojona mama.

– Jovan przegrał wszystkie pieniądze. Źle się czuję, nie mogę pracować w ciąży w nocy. To chyba będzie najlepsze wyjście dla dziecka.

– To przyjeżdżaj – zaprosiła ją mama.

– Mówiłem ci, że to najlepszy plan – powiedział Jovan, kiedy Anna pakowała swoje rzeczy.

– Nie wiem, czy najlepszy. Po prostu nie mam wyjścia. Wiesz o tym. Będzie mi bardzo brakowało tego miasta. Nigdy nie byłeś w Polsce, w małym mieście, w którym mieszkam. Można tam zwariować z nudów. Zwłaszcza mieszkając u rodziców – powiedziała, próbując dopiąć walizkę.

– Cała sztuka polega na tym, żeby odpowiednio poukładać ubrania. Zróbmy to jeszcze raz – powiedział, próbując wyjąć rzeczy z walizki.

Anna była bezsilna. Nie mogła pogodzić się z porażką. Kupiła kwiaty dla Kate. Pożegnała się ze wszystkimi. Umówiła się z Betty, że często będą do siebie dzwonić. Kupiła też wiele ubranek dla dziecka, ponieważ w Londynie ubrania były tańsze niż w Polsce.

– Ostatni raz patrzę na Londyn – powiedziała do Jovana, spoglądając na miasto przez szybę autobusu, który wiózł ich na lotnisko.

– Nigdy nie wiadomo. Na pewno znajdziemy jakieś rozwiązanie – uspokajał ją Jovan.

To było bardzo trudne rozstanie. Opuszczała kraj, który odmienił na chwilę jej życie, i mężczyznę, którego dziecko nosiła. Na lotnisku nie potrafiła nic powiedzieć, czuła, że gdy zacznie mówić, na pewno się rozpłacze. Po raz ostatni patrzyła na Jovana i jego brązowe, ciepłe oczy, które otulały ją całą, kiedy kolejka przesuwała się do odprawy.

Jovan patrzył na dziewczynę wzrokiem, który wyrażał miłość do niej i dziecka.

– Dbaj o siebie i o dziecko – powiedział.

– Dobrze – szepnęła.

Rozdział 20

W posiadłości pod Londynem w przyciemnionym gabinecie na skórzanej sofie siedział Peter, szef agencji. Przeglądał właśnie raport, który dostarczył mu jego człowiek, gdy na podjazd przed domem podjechało czarne stare bmw, z którego wysiadł Carlo. Peter oczekiwał na jego przybycie. Carlo był bardzo wysokim, szczupłym mężczyzną z jasnymi, prostymi włosami sięgającymi do ramion, zaczesanymi za uszy. Z twarzy sterczał haczykowaty nos, Carlo miał duże niebieskie oczy i jasną karnację.

– Co tam u pana nowego? – zapytał Peter, kiedy Carlo wszedł do gabinetu.

– Bruno ostatnio sypnął, mieliśmy z nim trochę problemów i zastanawiamy się, co z nim zrobić – odpowiedział.

– Nie spuszczaj go z oka. Usiądź. Czego się napijesz? – Peter wstał, żeby zapełnić dwie szklanki whisky z colą.

– Dla mnie bez coli, za to z dużą ilością lodu, jak zawsze – powiedział Carlo.

Peter traktował go jak syna. Kiedy go poznał, Carlo był skromnym młodym chłopakiem, któremu brakowało poczucia własnej wartości. Pracował w Instytucie Chemicznym, ubierał się w stare, powyciągane swetry, chodził z przewieszoną przez ramię teczką. Peter nauczył go, jak rozmawiać z ludźmi, jak z nimi postępować i jak się ubierać. Edukacja trwała kilka lat. Pasją Petera było znajdowanie ofiar. Ludzi, których mógł ulepić na swoje podobieństwo. Ludzi słabych psychicznie lub silnych, ale z jakiegoś powodu skrzywdzonych przez los, szukających wsparcia i pomocy. Carlo stał się obiektem jego fantazji seksualnych i mógł wykorzystać go dla swoich potrzeb. W kręgu Petera zawsze żartowano na temat imponujących rozmiarów przyrodzenia Carla. Pewnego wieczora po kilku drinkach Peter zażyczył sobie, żeby Carlo pochwalił się tym, o czym tak wszyscy plotkują. Carlo robił wszystko, co Peter kazał mu zrobić. Łączyła ich szczególna więź — również seksualna. Carlo był zniesmaczony sytuacją, jednak nie chciał tracić kontaktu z Peterem. Kiedy Peter zorientował się, że Carlo jest mu oddany i wykonuje wszystkie polecenia, zatrudnił go u siebie.

– Słuchaj, jest robota – Peter zaplótł dłonie. Robił tak zawsze, kiedy miał coś ważnego do powiedzenia.

– Tak? Słucham? – Carlo wypił łyk whisky, zainteresowany nowym tematem.

– Zbierz wszystkie informacje o niejakim Jovanie Paviciu. Sprawdź jego przeszłość. Pochodzi z Serbii, więc powinno się coś na niego znaleźć – oznajmił Peter.

– To jest przecież narzeczony Anny. Co u niej? Taka miła, piękna dziewczyna – powiedział Carlo.

– Ano widzisz, niedobrze. Facet machnął jej dziecko, a teraz ucieka przed odpowiedzialnością. Trzeba go sprowadzić na dobrą drogę – Peter zaczął się śmiać.

Carlo wiedział, że chodzi tu o coś więcej niż dobro Anny.

– Na razie dowiedz się o nim jak najwięcej, a potem w odpowiednim czasie dam znać, co z nim zrobimy. Musimy poczekać na właściwy moment – dodał.

– OK. Załatwi się. A co ze sprawą prezydenta? Oglądałem relacje – powiedział Carlo.

– To jest już rozdział zamknięty – uciął Peter.

Carlo miał czasem za długi język, zwłaszcza po alkoholu. Nadmiar informacji mógł mu zaszkodzić.

– A teraz wybacz, Carlo, ale mam jeszcze trochę papierkowej roboty – Peter nie proponował mu kolejnego drinka, wiedząc, że Carlo ma słabość do alkoholu i niekończących się rozmów.

– Nie ma sprawy. Jesteśmy w kontakcie – Carlo uścisnął mu dłoń.

Peter poklepał go po plecach, prowadząc do wyjścia.

– Dowiedz się wszystkiego – dodał.

Telefon na ciemnym dębowym biurku zaczął wibrować. Peter odczytał sms-a:

Peter, potrzebuję Twojej pomocy. Jestem załamana. Nie wiem, co mam dalej robić. Przecież nie mogę tak żyć z dzieckiem u rodziców. Tutaj tylko się pogrążę. Nie ma tu dla mnie przyszłości. Co mam robić? Już się nie podniosę.

Uśmiechnął się pod nosem i odpisał:

Pani to tylko narzeka. Niektórzy mają gorzej. Jeszcze będzie się pani z tego śmiała. Niebawem będziesz miała wszystko, a ten głupek nie wie, co robi. Liczę, że przyjedzie pani do Warszawy za tydzień. Jaki hotel mam zarezerwować?

„Niebawem będziesz tylko moja na wyłączność" – pomyślał, dopijając drinka. W tym momencie poczuł przeszywający ból w okolicy żołądka. Rok temu stwierdzono u niego raka trzustki. Nie powinien był pić alkoholu. Ostatnio dużo stracił na wadze. Znajomy sprowadził dla niego saszetki z Tybetu z naturalnym wyciągiem z tamtejszego owocu. Jedne miały efekt przeczyszczający, drugie powodowały, że nie odczuwał głodu. Peter miał pieniądze, dzięki którym mógł przedłużyć sobie życie, choćby trochę. Cierpiał w tajemnicy przed Anną. Kiedy ją widział, chciał zaimponować jej dobrym wyglądem i znakomitą formą. Zawsze jednak, kiedy nie widziała, brał tabletki. Teraz podszedł do okna, żeby zaczerpnąć świeżego powietrza. Wiewiórki wspinały się po drzewach. Jego posiadłość obejmowała również wzgórza i fragmenty doszczętnie zniszczonego zamku. Z oddali widać było samochody, które podjeżdżały pod ruiny na wzgórzu. „Już czas" – pomyślał. Otworzył szafę, z której wyciągnął kostium. Był gotowy do ceremonii.

Rozdział 21

– Jaki on cudowny, boski – szepnęła Anna, patrząc w oczy nowo narodzonego syna, którego właśnie położono jej na piersiach.

W asyście lekarza i położnej na świat przyszedł Alan. Jovan nie był przy porodzie, ale towarzyszył jej w bólach przedporodowych, trzymając za rękę. Kiedy położna zabrała niemowlaka, potarł o niego banknot, na którym odbiły się ślady krwi i wód płodowych, po czym dyskretnie schował go do kieszeni.

– To na szczęście, Alan, żebyś był bogatym człowiekiem – szepnął do syna, po czym zasłabł z wrażenia.

Położna kazała mu usiąść i głęboko oddychać. Kiedy doszedł do siebie, zawiózł Annę na wózku do pokoju, w którym czekała, aż pielęgniarka przyniesie jej umyte i ubrane dziecko. Alan zdobył dziesięć punktów w skali Apgar. Jovan był dumny jak paw, starając się tłumić emocje, jak to miał w zwyczaju.

Dziecko było najpiękniejszym stworzeniem, jakie Anna kiedykolwiek widziała. Zamieszkali w domu rodziców Anny w zwykłym małomiasteczkowym blokowisku, gdzie wszyscy o wszystkich wiedzieli więcej niż oni sami o sobie.

Przez osiem miesięcy oboje zajmowali się dzieckiem, starając się zapewnić mu wszystko, co najlepsze. Anna kupiła synkowi śliczne ubranka jeszcze w Londynie, pomalowała pokój i urządziła go tak, żeby było przytulnie i funkcjonalnie. Codziennie czytała mu kolorowe książeczki. Pokazywała obrazki. Kiedy zaczął siadać, sadzała go na kolanach za klawiaturą pianina, żeby uwrażliwić go na muzykę.

Rozmawiali ze sobą w języku angielskim, chociaż Jovan bardzo szybko zaczął mówić łamaną polszczyzną. Do formy po porodzie doszła w mgnieniu oka, była jeszcze szczuplejsza niż przed zajściem w ciążę.

Jovan doskonale sprawdzał się w roli ojca. Miał wiele zalet, jeśli chodzi o prowadzenie domu, jednak czasem przesadna pedanteria stresowała Annę. Lubiła czystość, porządek, ale uważała, że są rzeczy ważniejsze niż chodzenie ze ścierką cały dzień, robienie zakupów i gotowanie. Jovan pomagał jej w robieniu zakupów. Kupili też starego volkswagena. Teraz wszystko kręciło się wokół Alana. Anna była szczęśliwa, że Jovan tak troszczy się o syna, ale czuła wyraźny brak miłości do niej. Uczucia znowu osłabły. Codzienność, małomiasteczkowa wegetacja i rutyna, jaka wkradła się w ich życie, spowodowały, że oddalili się od siebie. Im więcej mówiła o tym, że chciałaby sfinalizować nagranie płyty, napisać książkę, pracować w mediach, uczyć się aktorstwa, tym bardziej się od niej oddalał.

– Zupełnie nie rozumiem, po co ci tyle książek – powiedział któregoś dnia, wskazując ręką na biblioteczkę.

– Zupełnie nie rozumiem, jak można zadać takie pytanie. Książki przenoszą mnie w inny wymiar. Mogę chociaż na chwilę przenieść się wyobraźnią do innego świata. Przeżyć coś, czego nie doświadczyłam. Czytając, uczysz się pięknie mówić, rozwijasz wyobraźnię i wrażliwość – tłumaczyła.

– I co z tego masz finansowo? Co masz z nagrywania piosenek w studio, czytania książek? – powiedział.

Na niewiele zdały się wyjaśnienia Anny. Miał swoje zdanie. Nie rozumiał jej świata.

Wazniejsze dla niego byłoby, gdyby Anna podjęła pracę jako fryzjerka albo kelnerka i przynosiła do domu wypłatę co miesiąc, zajmowała się domem, gotując, sprzątając i robiąc zakupy. Nie rozumiał, że Anna ma artystyczną duszę i pragnie realizować własne cele.

Choć Anna szybko doszła do siebie po porodzie, nie sypiali już razem. Udostępniła Jovanowi pokój, w którym zaszywał się przed komputerem lub telewizorem. Czasem jechał do innego miasta, żeby pograć w kasynie. Choć był zodiakalnym rodzinnym Koziorożcem, nie lubiła drugiej strony jego osobowości. Kiedy zamykał się przed nią, był obcy i daleki. W seksie nie zostawiał miejsca na czułość, gra wstępna była tylko tym, jaki obraz tworzył. Nigdy nie odczuła pełni szczęścia, obcując z Jovanem, choć wiele razy tłumaczyła mu, czego potrzebuje. Przerastały go dotyk, pieszczota, czułość. Szukała różnych teorii na temat jego dziwnego zachowania. Pierwszą były złe doświadczenia w jego życiu, drugą – skomplikowana psychika hazardzisty. Wiedziała też, że wielu mężczyzn nie chce sypiać z kobietą po porodzie, jednak już wcześniej tak się zachowywał. Nie trzymał jej za rękę, nie obejmował jej, nie całował. Zasypiając w drugim pokoju z Alanem, czuła się samotna i opuszczona.

„Tylu mężczyzn zainteresowanych jest mną, a ja godzę się na coś, co nie rokuje dobrze, z drugiej strony kocham go i nie wiem, co robić..." – myślała.

Uczucia do Anny wyrażał troską o nią i o dziecko. Wszystko, co miał oddawał im, żeby uszczęśliwić oboje. Z drugiej strony, nie tylko w stosunku do niej zachowywał się w ten sposób, rozdawał wszystko, nigdzie nie pojawiał się bez prezentu, czekoladek czy wina.

– To miłe, Jovan, ale jak ma się zabezpieczoną sytuację finansową. Ty masz masę długów, obdarowujesz innych, a potem sam nic nie masz. To godne, ale masz dziecko, myśl o jego przyszłości – zarzucała mu, choć sama nie była skąpa.

Taką już miał naturę. Kiedyś wszystkim fundował, pomagał i nie umiał z tego zrezygnować. Zamawiał helikopter, limuzynę w Australii czy Las Vegas, żeby zaimponować pięknym dziewczynom, a teraz nie stać go było na zakup własnego mieszkania.

– Może pojedziemy gdzieś na kawę? Alan śpi. W razie czego mama zadzwoni – zaproponowała Jovanowi któregoś dnia.

– OK – powiedział.

Miała już dosyć codzienności. Potrzebowała odskoczni, czego on nie rozumiał.

Nawet wyjście na kawę do restauracji było jej potrzebne jak powietrze.

Na dworze sypał śnieg. W osiedlowych oknach mieniły się jeszcze dekoracje świąteczne, choć była już połowa stycznia. Jovan wyszedł wcześniej, żeby odśnieżyć stare auto, które kupili okazyjnie. Anna zrobiła makijaż, chcąc chociaż na chwilę poczuć się inaczej. W dresach z dzieckiem na ręku nie była dla niego atrakcyjna.

Zaparkował przed stacją paliw, leżącą trzy kilometry od centrum miasta. Znajdowała się tam miła restauracja, w której przy kominku w zimowy wieczór można było napić się gorącej herbaty z malinami. Zamówili jednak kawę. Na zewnątrz było już ciemno. Spojrzała w oczy Jovana, które w wieczornym świetle przybrały ciemniejszą barwę. Założył biały wełniany sweter, który kupiła mu pod choinkę. Ona założyła kozaki na obcasie, getry i tunikę.

– Chyba coś się między nami popsuło... – zaczęła.

– To prawda – powiedział.

– Co to znaczy? Nic już do mnie nie czujesz? – zapytała wprost.

Musiała zapytać go bezpośrednio, ponieważ nie należał do osób, które otwarcie mówią o uczuciach.

– Nie.

– Nie? – zapytała z niedowierzaniem.

– Po prostu nic nie czuję. Z tego, co do ciebie czułem, zostało może 30 procent – powiedział.

Nie skomentowała. Co mogła powiedzieć? Miał prawo do własnych uczuć. Nigdy nikogo nie zmuszała, by ją kochał. Poczuła tylko, jak drętwieją jej nogi pod stołem. Znała to uczucie. W głowie przewijały się jej różne myśli. Milczała, patrząc na płomień w kominku. Była w stanie zaakceptować ten fakt, jednak sytuacja się powtarzała. W Londynie też powiedział, że jej nie kocha, a zaraz po tym był najcudowniejszym i najbardziej opiekuńczym mężczyzną. Pomyślała, że to jakaś chora gra. Najpierw mówi jej, że jej nie kocha i nie chce z nią być, a zaraz po tym pokazuje, jak dobrym i opiekuńczym jest mężczyzną. Nie mogła dłużej znieść tej karuzeli. Chciała stabilizacji, zwłaszcza gdy pojawił się Alan. Dosyć już straciła zdrowia przez Daniela, a potem przez niepewną sytuację z Jovanem.

Matka Anny przyglądała się całej sytuacji z boku.

– Jemu zależy na dziecku, a nie na tobie – powiedziała któregoś dnia. Podobnie jak Anna nie wiedziała, co o nim myśleć. W końcu na co dzień był dobrym i uczynnym człowiekiem.

Kiedy Alan miał trzy miesiące, Jovan zaproponował Annie wyjazd na Sri Lankę, gdzie znajomy zaoferował mu pracę na stanowisku dyrektora hotelu. Anna nie wyobrażała sobie wyjazdu z małym dzieckiem do obcego kraju, czego Jovan nie mógł zrozumieć. Czuła się bezpieczna u rodziców i chciała, żeby dziecko też było pod opiekuńczymi skrzydłami. Pomimo iż Jovan starał się zmienić zaistniałą sytuację, wciąż pamiętała, że jest uzależniony od hazardu. To byłoby za duże ryzyko jechać z nim tak daleko. Zarzucał jej, że stracił swoją szansę. Miałaby własny apartament, a nawet szofera. Dziecko mogłoby chodzić do międzynarodowej szkoły razem z dziećmi dyplomatów.

– Mogę jechać tam na wakacje, ale mam obawy związane z przeprowadzką. Gdybym była sama, bez Alana, nie zastanawiałabym się długo. Znasz mnie, wiesz, jak lubię poznawać nowe kraje, kulturę, obyczaje. Jednak w tym wypadku... Czuję się odpowiedzialna za syna, nie zabiorę go w nieznane, tutaj jest bezpieczny, nie mogę – odpowiedziała.

– Nie myślisz perspektywicznie – zripostował wówczas.

Kelner dorzucił drewna do kominka. Teraz zrobiło się cieplej. Anna dopijała latte.

– Wiesz, pomyślałem, że wrócę do Kopenhagi i postaram się o mieszkanie dla nas. Potem przyjadę po ciebie i dziecko – powiedział.

– Nie wyobrażam sobie życia w Danii – odpowiedziała mało entuzjastycznie. – No i jak w ogóle możesz mówić o wspólnym życiu, skoro przed chwilą powiedziałeś, że pozostało ci 30 procent uczuć do mnie. A czego ty w ogóle oczekiwałeś? Mieszkamy z moimi rodzicami, nic dziwnego, że miłość wygasła – rzuciła.

Zaproponowała mu wyjście z domu, mając nadzieję, że zbliżą się do siebie, tymczasem tylko ją zdenerwował. Kiedy usłyszała słowa: „Przyjadę po ciebie", przypomniała jej się deklaracja Daniela, który wyjechał do Londynu i obiecał przyjechać po nią za cztery dni. Nigdy już nie wrócił. Nie mogła całe życie wciąż na kogoś czekać.

– Dlaczego? To dobry kraj. Skandynawia ma świetną pomoc socjalną dla dzieci – powiedział.

– Kiedy chcesz wyjechać? – zapytała.

– Jak najszybciej.

W samochodzie nie odzywała się do niego. Musiała zaakceptować nową sytuację, do domu wróciła przygnębiona. Od razu zauważyła to jej matka, która zapytała, co się stało.

– Jovan wyjeżdża do Danii – powiedziała matce w kuchni.

– Jak to? – zapytała.

– Uważa, że tam będzie nam lepiej. Dostanie mieszkanie socjalne. Poszuka dla mnie pracy. Sam nie musi pracować, bo ma rentę, więc zajmie się dzieckiem w domu – powiedziała.

– No, uważaj tylko, żeby nie zabrał dziecka i nie zostawił cię z niczym. A poza tym, co ty tam będziesz robiła bez znajomości języka? Tylko praca fizyczna, więc po co były te studia? – matka Anny zawsze widziała negatywne strony życia.

– Myślisz jak większość Polaków. To specyfika naszego narodu. Wszystko widzą tylko w ciemnych barwach i narzekają. Sama tym przesiąknęłam. Dopiero w Londynie poczułam się lepiej – powiedziała.

Wiedziała jednak, że matka ma rację. Anna miała klasę i powinna zadbać inaczej o swoją przyszłość z dzieckiem. Dokładnie zapamiętała dzień, w którym Jovan opuścił Polskę. Tego dnia w telewizji oglądali jeszcze transmisję ze ślubu księżnej Kate i Williama. Był to 29 kwietnia. Siedziała przed telewizorem, karmiąc małego mlekiem.

Do pokoju wszedł Jovan.

– To dla ciebie – powiedział, wręczając jej piękny bukiet frezji.

To był pierwszy raz, kiedy kupił jej kwiaty.

– Dziękuję, są piękne. A więc trwała przyjaźń? – zapytała. Znała język kwiatów.

– Nie myślałem o tym – powiedział.

Spojrzał w telewizor, gdzie Kate i William składali przysięgę małżeńską.

– My na ich miejscu prezentowalibyśmy się znacznie lepiej – rzekł, pakując rzeczy.

Wiosna i lato minęły Annie bardzo szybko. Mały rósł zdrowo. Przebywanie z nim sprawiało jej wiele radości. Kupowała mu kolorowe książeczki, wciąż nowe zabawki. Chodziła z dzieckiem na spacery nad jezioro, na plac zabaw i działkę rodziców. Myślała o Jovanie. Jednak nie wyobrażała sobie wyjazdu z Alanem. Miał tutaj wszystko, niczego mu nie brakowało. Mógł oddychać świeżym powietrzem w małym mieście otoczonym jeziorami i lasem. Pewnego zimowego wieczora Jovan zadzwonił.

– Dostałem mieszkanie. Załatwiłem ci pracę jako pomoc kelnera na początek. Później znajdziesz coś lepszego – powiedział.

– To super. Więc teraz mogę przylecieć – powiedziała, jednak w środku była pełna sprzeczności.

– Chciałabym wyjechać na trzy dni do Kopenhagi. Zostałabyś z Alanem? – zapytała mamę.

– Zobaczysz, on nic do ciebie już nie czuje. Sam nie wie, czego chce. Wrócisz do domu bez dziecka i co to w ogóle za praca, pomoc kelnera? Tak się szanujesz? – mówiła matka Anny.

Miesiąc później spotkali się na lotnisku w Malmö. Rozłąka sprawiła, że znowu za sobą zatęsknili. Stamtąd pojechali pociągiem przez morze mostem, który łączył Szwecję z Danią. Annie podobało się centrum Malmö, ale Kopenhaga nie zrobiła na niej wrażenia. Duński był dla niej trudny i nieprzyjemny dla ucha. Pogoda zmieniała się co chwilę. Pomimo iż piła po trzy kawy dziennie, wciąż czuła się senna. Mieszkanie Jovana było przestronne. Składało się z dwóch pokoi z balkonami. Meble dostał od kolegi, jednak były przesiąknięte dymem papierosowym. W Danii nie smakowało jej jedzenie, wszystko było zbyt drogie. Nic jej się nie podobało, ani klimat, ani język, ani kraj.

Być może Jovan nie pokazał jej miejsc wartych uwagi. Poza mieszkaniem, sklepem i spotkaniem w sprawie pracy w restauracji. Czuła się zagubiona. Wszystko było takie szare, smutne. Może dlatego, że pojechała tam zimą? Zdecydowanie wolała Anglię.

Jedynym plusem był fakt, że ich miłość wróciła z dawną siłą. Anna nie podjęła pracy jako pomoc kelnera. Wzięła CV i następnego dnia zaproponowała Jovanowi, żeby odwiedzili kilka miejsc, gdzie mogłaby popytać o pracę. Zostawianie CV nie miało już sensu, ponieważ zabukował jej bilet powrotny na następny dzień, nawet nie zdążyła poszukać czegoś, co mogłoby jej odpowiadać.

– Ty nic nie rozumiesz, Jovanie. Nie podoba mi się tutaj, to fakt. Zastanawiam się, w jaki sposób będę komunikować się z własnym dzieckiem, które zapewne będzie mówić po duńsku lepiej niż ja, jak pomogę mu w nauce. Jednak nie dałeś mi szansy, żebym została tutaj dłużej, może przyjechała z dzieckiem na miesiąc, dwa i poszukała jakiejś pracy – mówiła. – Nie potrafię zostawić Alana na długo. Tęsknię za nim już w dniu wyjazdu. Nie podoba mi się, że masz swój plan, który ja muszę zaakceptować, a jeśli nie, to nie ma już dla mnie innej szansy. Nie chcę pracować jako pomoc kelnera, ale mogę poszukać innej pracy – dodała.

Pożegnali się na lotnisku w Malmö. Wróciła do Polski. Odetchnęła dopiero na lotnisku w Gdańsku. Kiedy wzięła w ramiona Alana, uśmiech zagościł na jej twarzy.

– Cześć, syneczku. Już nigdzie się bez ciebie nie wybiorę. Bardzo za tobą tęskniłam – szepnęła do ucha dziecku.

Alan wpatrywał się w jej oczy, w końcu znalazł wytęsknioną pierś matki, pił długo, a potem zasnął wtulony w Annę.

Znała Jovana i wiedziała, że chwilowy poryw namiętności szybko przerodzić się może w nienawiść. Konsekwencją tego mógłby być fakt, że wróciłaby do Polski bez dziecka.

Syn miał dopiero roczek i nie wyobrażała sobie rozłąki.

– Co teraz będziesz robić? – zapytał Jovan przez telefon.

– Wrócę tam, gdzie mogę realizować się zawodowo. Do Warszawy – odpowiedziała.

– W porządku. Wynajmę więc mieszkanie w Danii, a ty poszukaj dla nas mieszkania w Warszawie – Jovan poszedł na kompromis.

Następnego roku w grudniu wynajęli mieszkanie w centrum Warszawy. Lokalizacja była dogodna, jednak Anna nalegała, żeby za jakiś czas, kiedy znajdzie pracę, przenieśli się na spokojniejsze osiedle w pobliżu parku. Mieszkali tuż przy Alejach Jerozolimskich. Dziecko często wybudzał ze snu hałas na ulicy. Nie mieli balkonu, a cena wynajmu małego mieszkania była szokująca.

Przez pierwszy tydzień była z nimi mama Anny, żeby pomagać trochę przy dziecku. Potem niespodziewanie przyjechał brat Anny z dziewczyną, żeby poszukać pracy w stolicy. Nawet nie zapytali o możliwość mieszkania u nich. Anna była zła, ponieważ dopiero sami się wprowadzili, a już pojawiła się jej rodzina.

W trzecim tygodniu mieszkania w Warszawie poszła do jednej z agencji aktorskich i wygrała casting. Otrzymała główną rolę w serialu. Wyjeżdżała na plan zdjęciowy o szóstej rano, a wracała późnym wieczorem. Jovan zajmował się Alanem, a kiedy wracała, brał taksówkę i jeździł do kasyna. Była bardzo szczęśliwa, że może wykonywać pracę, którą lubi, a dziecko może przebywać z ojcem bez konieczności zatrudniania niani. Niestety, praca na planie serialu okazała się krótkim zleceniem. Anna wciąż nie znalazła jeszcze stałego zajęcia. Jovan codziennie chodził do kasyn w Marriocie i Hiltonie. Miał dobą passę. Odłożył już na większe mieszkanie i święta, które mieli spędzić w ciepłych krajach.

Któregoś dnia Anna postanowiła odwiedzić tarocistkę, u której była kilka lat wcześniej. Przychodzili do niej słynni ludzie, biznesmeni, a nawet księża, którzy wchodzili zamaskowani do starej kamienicy, zakrywając się kapeluszem, okularami, żeby nie przyłapali ich paparazzi. Karina mieszkała w starej kamienicy na Pradze. Schody trzeszczały, kiedy Anna wchodziła po nich na drugie piętro. W drzwiach powitała ją ciepłym uściskiem.

– Wejdź, kochanie. Cieszę się, że przyszłaś – powiedziała.

Nic się nie zmieniło od czasu jej ostatniej wizyty. Na kanapie siedział ten sam czarny kot, który przyglądał się jej uważnie. Na stoliku stała świeczka i złożona talia kart.

– To dobry człowiek – powiedziała z zadumą Karina, kiedy Anna położyła przed nią zdjęcie Jovana.

– Jednak po co ci to. On ma masę długów. Niebawem przegra duże pieniądze. Nie będziecie razem. Lepiej załóż osobne konto. Musisz się zabezpieczyć. Twój syn będzie artystą, który będzie podróżował po świecie. Masz w sobie niebywałą mądrość oraz ogromną intuicję. Wykorzystaj to. Widzę cię w pracy w mediach – mówiła, obserwując reakcję Anny.

– Jeśli chodzi o Petera, to bardzo mądry, zamożny i wpływowy człowiek. On cię kocha. Jednak za wiele by stracił, będąc z tobą, ma swoje zobowiązania w Londynie. Nie wiem, czy ci pomoże. Jest bardzo chory. Poznasz kogoś, z kim stworzysz szczęśliwą rodzinę. Wciąż widzę koło ciebie cesarza, a ty jesteś w kartach cesarzową. Cesarz przeprowadzi cię do innego świata. Jednak nie wiem, kim on jest.

Po wizycie u Kariny Anna wracała tramwajem do domu. Czuła rozczarowanie, ponieważ nie chciała już zmieniać partnera. Była tym wszystkim zmęczona, choć jakaś niesamowita energia wypełniała jej duszę.

Z drugiej strony wiedziała, że byłaby naiwna, wierząc we wróżby. Jednak przekaz podziałał na nią i nie potrafiła przestać o tym myśleć.

– Dlaczego nie powiedziałeś mi o swoich długach – zaatakowała Jovana po powrocie do domu.

– Znowu byłaś u tarocistki? Co jeszcze ci powiedziała? – krzyknął.

– Nie będziemy razem i przegrasz duże pieniądze – powiedziała Anna z wyrzutem.

Jovan sięgnął po butelkę rumu. Nie pił alkoholu, ale tym razem wypił prawie do dna i wyszedł z domu, zatrzaskując za sobą drzwi. Anna wiedziała, co się wydarzy tego wieczora. Karina jej to przepowiedziała.

O północy wszedł cicho do domu. Alan już spał. Anna udawała, że śpi, ale czekała na niego. W końcu wstała. Zamknęła za sobą cicho drzwi od pokoju i usiadła przy kuchennym stole, przyglądając się badawczo Jovanowi.

– Chcesz wiedzieć, co się stało? – zapytał.

– Domyślam się. Przegrałeś – powiedziała spokojnie.

– Czy wiesz, ile przegrałem? – zapytał.

– Nie wiem... – bała się zadać to pytanie.

– Wszystko, co miałem, plus wyczyściłem konto do zera. Nie mamy nawet na życie. Masz jeszcze jakieś pieniądze? – zapytał.

– Coś tam jeszcze mam, ale niewiele – odpowiedziała, czując, jak przez jej ciało przechodzi znajoma fala, paraliżując organy wewnętrzne. Czuła na szyi niewidzialną rękę, która zaciska się coraz mocniej.

– To wszystko przez ciebie i twoje wróżki. Jutro wyjeżdżam do Danii. A ty potrzebujesz faceta, najlepiej bogatego, który będzie płacił za twoje pasje, hobby, no i niańkę, bo przecież ktoś musi zajmować się dzieckiem, gdy biegasz po castingach – powiedział.

– Nie możesz tak po prostu nas zostawić. Co ja teraz zrobię? A dziecko? – zapytała.

– Zarezerwuję bus na piątek. Odwiozę cię z dzieckiem do rodziców. Dobranoc – powiedział chłodno.

Anna wsunęła się pod jego kołdrę. Nie chciała rozstania. Wiedziała, że Jovan jest uzależniony, ale wciąż go kochała.

– Nie zostawiaj mnie, kocham cię – powiedziała.

Nic nie mówił. Był chłodny i obojętny. W jednej chwili zmienił się w innego człowieka.

– Idź spać do Alana – odpowiedział.

Wiedziała, że decyzja jest ostateczna. Znowu czuł się przegrany i bezwartościowy.

Próbowała położyć się koło niego, kiedy zasypiał.

– Idź do dziecka – powtórzył chłodno.

„To nie może tak się skończyć" – pomyślała, patrząc na śpiące dziecko w świetle ulicznej lampy.

Boże Narodzenie zbliżało się wielkimi krokami. Nazajutrz wstała o piątej rano i po cichu wyszła z domu.

– Ktoś tu się nie wyspał – powiedział reżyser, kiedy zobaczył Annę na planie.

Rzeczywiście płakała ostatniej nocy i spała zaledwie trzy godziny. Nie mogła pogodzić się z decyzją Jovana, jak również z tym, że traci możliwość mieszkania w Warszawie. Jednak sama nie poradziłaby sobie finansowo z dzieckiem.

Makijażystki na planie zdziałały cuda, żeby wyglądała jak najlepiej. W przerwie zwierzyła się serialowemu mężowi.

– Nie martw się, na pewno wszystko się jeszcze ułoży. Mnie też kilka razy w życiu tarot namieszał.

Tego dnia Jovan zabrał Alana na spacer do Łazienek. Bił się z myślami. W głębi duszy bał się bliskości Anny, ponieważ wiedział, że grozi to zranieniem. Dlatego zachowywał dystans i wznosił wokół siebie mur. Był zazdrosny o jej pracę. Wiedział, że jest atrakcyjną dziewczyną i w każdej chwili może poznać kogoś bliższego jej artystycznej duszy. Odchodząc od niej, chciał ją ochronić. Może z kimś innym będzie miała stabilną sytuację? Analizował, dlaczego przegrał. Tysiące liczb i kombinacji, prawdopodobieństwo następujących po sobie numerów. Nie potrafił znaleźć odpowiedzi poza jedną: nie powinien pić alkoholu, kiedy gra.

Alan pobiegł za wiewiórką, która, widząc go, wspięła się na drzewo. Potem podeszli do budki, w której miła pani piekła gofry. Jovan kupił jednego dla syna, a resztkami nakarmili kaczki przed Pałacem Na Wodzie.

W przeddzień Wigilii odwiózł ją i dziecko do małego miasta na Pomorzu, gdzie wychowała się Anna. Milczał przez całą drogę. Ona siedziała z dzieckiem na tylnym siedzeniu ze łzami w oczach.

Wszystkie rzeczy zostawiła w Warszawie. Nie mieli teraz pieniędzy na transport.

Rodzice Anny wiedzieli już o tym, co się stało. Poinformowała ich telefonicznie.

Alan był zachwycony, kiedy przekroczył próg domu dziadków. Natychmiast pobiegł do swojego pokoju i zabawek. Nie chciał pożegnać się z ojcem, wtulony w babcię. Rodzice Anny mimo wszystko nalegali, żeby spędził z nimi Wigilię. Przyzwyczaili się do Jovana. Przeprosił, tłumacząc, że nazajutrz wyjeżdża do Danii. Anna odwiozła go na autobus, którym wrócił do Warszawy. Długo jeszcze siedziała w samochodzie na parkingu, nie mogąc powstrzymać się od płaczu. Przytuliła go jeszcze, kiedy nadjechał autobus, ale nie odwzajemnił jej uścisku.

– Dbaj o Alana – powiedział.

W jego oczach było cierpienie.

Wigilię spędził samotnie w pustym mieszkaniu w Warszawie. Nie miał pieniędzy na powrót do Danii. Musiał poczekać na koniec miesiąca. W lodówce znalazł jeszcze to, co zamroziła Anna. Zawsze kupowała na zapas. Robiła to tylko z tego względu, że nie lubiła stać w długich kolejkach w marketach. Nie rozumiała, po co instalują tyle kas, skoro tylko dwie są czynne. Wiedział jednak, że jedynie odchodząc, może ochronić Annę i syna. Nie mógł jej przecież powiedzieć, że przez swój nałóg wplątał się w niebezpieczne interesy i gdyby został z nimi, to groziłoby Annie i Alanowi wielkie niebezpieczeństwo.

To były najgorsze święta Bożego Narodzenia Anny. Siedziała przy stole, karmiąc Alana rybą. W tym roku pod choinką znalazł skromne prezenty. Przy stole zabrakło Jovana. Zawsze, kiedy pytał o tatę, czuła, jakby ktoś wbijał jej nóż w serce.

Minął kolejny rok. Emocje opadły. Nie szukała nikogo. Zablokowała się zupełnie na nowy związek.

Wpadła w nerwicę. Poświęciła się bezgranicznie dziecku. Nie zabiegała o pracę ani znajomych.

Kiedy obejrzała w telewizji serial ze swoim udziałem, znowu zatęskniła za Warszawą.

Czasami szukała oparcia w Peterze.

On jest głupi. A Ty masz klasę, nie zapominaj o tym – napisał Peter.

Jovanek jest dobry. Powinnaś się go trzymać – pisał innym razem.

Nie była pewna, czy było to właściwe posunięcie, jednak znowu zaczął pomagać jej finansowo i kiedy przylatywał z Londynu, ona przyjeżdżała na kilka dni do Warszawy, żeby się z nim spotkać.

Ani Peter, ani Jovan nie wiedzieli, że Anna pracuje nad utworami w studio w Warszawie. Nagrała dla Jovana utwór *Bo jesteś Ty*. Kiedy śpiewała, myślała o Londynie, o tym, jak się poznali, o chwilach uniesienia, o tym, jak patrzyła na London Eye i Parlament, siedząc w autobusie. Zrozumiała, że prawdziwy artysta musi wiele przeżyć, żeby potem móc to wyrazić i rozpalić serca ludzi, którzy słuchają tego, co tworzy. Dzięki Peterowi stanęła trochę na nogi. Znowu zaczęła o siebie dbać, kupować kosmetyki i ubrania. Jednak zawsze na pierwszym planie był Alan. To o niego dbała najlepiej jak mogła. Syn miał już trzy latka. Jovan odwiedzał go co kilka miesięcy, starając się być wzorowym, kochającym ojcem. Znowu zbliżyli się do siebie z Anną. Wyjeżdżali na wspólne wakacje nad morze. Czas spędzony z Alanem zbliżył ich do siebie. Znowu zaczęli rozmawiać o wspólnej przyszłości.

Anna zapamiętała dzień, w którym razem z Jovanem poszli do znanego jasnowidza. Była wówczas w ciąży. Jasnowidz cieszył się ogromną popularnością i słynął z wielu rozwiązanych spraw. Jovan chciał zapytać go o okoliczności śmierci swojej matki. Drzwi otworzyła im córka jasnowidza.

– Proszę zostawić swoje ubrania, najlepiej takie, które były nieprane, żeby została na nich energia i zapach, oraz swoje zdjęcie. Wróćcie tutaj za godzinę – powiedziała i zamknęła drzwi.

– Interesujące, co? – zagadnęła Anna. Siedzieli w pizzerii nieopodal, czekając na odpowiedź jasnowidza.

Po godzinie ponownie zapukali do drzwi.

– Tata ma jeszcze wizję. Przyjdźcie za pół godziny – powiedziała córka jasnowidza.

Kiedy pojawili się tam po raz ostatni, podała im kartkę, na której jasnowidz zapisał:

Mam wrażenie, że Pani Anna uwikłana jest w jakąś tajemnicę.

Urodzi syna. Jest między wami prawdziwe uczucie. W przyszłości będziecie w stałym związku, ale bez ślubu.

Mama Jovana została zabita i była to intryga, w której udział wzięło dwóch mężczyzn i kobieta.

Odradzam Panu powrót do rodzinnego kraju, ponieważ czeka tam na Pana niebezpieczeństwo. Najlepsza dla Was będzie Polska.

Rozdział 22

Kiedy Anna wysiadła na lotnisku Luton, wspomnienia wróciły z dawną siłą. Fajnie było znaleźć się w tych samych miejscach. Spojrzeć na wszystko z innej perspektywy. Nie była już panienką, tylko matką trzyletniego chłopca, który był jej całym światem. Betty powitała ją z radością. Rozmawiały w każdej wolnej chwili. Anna wróciła do kasyna. Do jej ponownego zatrudnienia przyczynił się w dużej mierze Robert, którego polubiła od momentu, w którym zatrudniła się w Napoleons. Przekonał menedżerkę Kate, żeby dała dziewczynie jeszcze jedną szansę. Tym razem odkładała napiwki i wysyłała je co tydzień przekazem Western Union do Polski, dla syna.

Cieszyła się, że w końcu dojrzała do tego, żeby uwolnić się od Petera. Nie reagowała na jego sms-y. Wiedział tylko tyle, że znowu pracuje w kasynie Napoleons. Znajomość z Peterem uznała za zakończoną. Doskonale wiedziała, że jeśli odpowie chociaż na jednego sms-a, wciągnie ją w dyskusję, czego konsekwencją będzie porzucenie pracy.

Początkowo trudno jej było złapać dawny rytm, a zwłaszcza przestawić się na funkcjonowanie w nocy. Była pełnia lata, więc kiedy wracała nad ranem z kasyna, świeciło już słońce. Pewnego dnia po pracy postanowiła posiedzieć w parku. Może chociaż trochę się opali, pooddycha powietrzem innym niż w kasynie. Zwykle wsiadała do autobusu i od razu jechała do domu, żeby jak najszybciej położyć się spać. Tego dnia nie musiała już iść na nocną zmianę, ponieważ był weekend. Usiadła więc na ławce w Hyde Park. Brytyjczycy bez jakiegokolwiek skrępowania siedzieli na trawie. Można było tutaj spotkać mężczyzn w garniturach, którzy właśnie jedli drugie śniadanie, siedząc na trawie w parku, i pary całujących się nastolatków. Na ziemi rozłożyła poranną gazetę „Sun", którą otrzymała, wysiadając z metra. Usiadła na niej i wystawiła twarz do słońca. Otworzyła pojemnik ze śniadaniem, które kupiła po drodze. Kiedy zjadła, niechętnie podniosła się z miejsca, żeby wyrzucić opakowanie do kosza. Wówczas zauważyła mężczyznę, który siedział na ławce i uważnie się jej przyglądał. Zlekceważyła to, ponieważ nie była jedyną osobą w parku. Po nieprzespanej nocy poczuła senność, posiłek wzmagał uczucie zmęczenia. Promienie słoneczne były coraz cieplejsze. Trawa już dawno wyschła od porannej rosy. Poczuła, jak jej ciało staje się coraz cięższe. Przestała przejmować się ludźmi, położyła się na trawie i zasnęła. Ze snu wyrwał ją pisk dzieci. Mężczyzna na ławce wciąż tam siedział. Dzieci przebiegły tuż koło Anny w pogoni za latawcem. Ich opiekunka zajęta była rozmową z jakąś młodą mamą, która właśnie podawała butelkę mleka dziecku w wózku.

Annę ścisnęło za serce. Pomyślała o Alanie, swoim ukochanym synku.

„Ciekawe, co teraz robi. Pewnie jest na działce z dziadkami" – myślała.

Zatęskniła za dzieckiem. Wyjęła jego zdjęcie z portfela i coś w niej pękło. Zaczęła szlochać.

– „Mój synku, przepraszam. Jesteś dla mnie najważniejszy na świecie" – mówiła w duchu, głaszcząc jego zdjęcie.

Poczuła, że zakręciło jej się w głowie. Była zbyt zmęczona i obolała, żeby siedzieć tak długo na słońcu. Wytarła oczy i przeniosła się na ławkę w cieniu.

– Czy wszystko w porządku? – zapytał mężczyzna, który siedział na sąsiedniej ławce i od godziny przyglądał się Annie. Miał około czterdziestu lat. Był zadbany, elegancki. Na dłoni, w której trzymał gazetę, miał drogi zegarek, spod którego wystawało wytatuowane znamię. Mężczyzna był bardzo wysoki, miał jasne włosy i niebieskie oczy.

– Tak, dziękuję – odpowiedziała.

– Czy pozwoli Pani, że spocznę tu przez chwilę w cieniu? Zmęczyło mnie słońce na tamtej ławce – wskazał ręką miejsce, które wcześniej zajmował.

– Proszę – kiwnęła głową.

– Co jest powodem płaczu tak pięknej kobiety? Taka osoba jak pani nie powinna mieć zmartwień – zagadnął.

– Zostawiłam w Polsce synka i… – czuła, że znowu zacznie płakać.

– Proszę się uspokoić. Niech pani mówi. Trzeba zrzucić ten ciężar – to pomoże.

– Po co mi te pieniądze, skoro nie mogę dzielić szczęścia z synkiem, patrzeć, jak dorasta każdego dnia. Kiedy uczy się czegoś nowego. Na pewno za mną tęskni i ja za nim też – tym razem rozpłakała się na dobre, nie zważając na obecność obcego.

Podał jej chusteczkę.

– Dziękuję – szlochała, wydmuchując nos.

– Rozumiem, że jest pani bardzo ciężko – powiedział.

– Tak, to prawda. Nie wiem, czy podjęłam słuszną decyzję, wracając do pracy i zostawiając syna. Powinnam jak najszybciej wrócić do Polski. Stale o nim myślę – Anna otworzyła się przed nieznajomym.

– Jak pani na imię? Przepraszam, nie przedstawiłem się. Jestem Carlo – podał jej rękę.

– Anna. Miło mi – powiedziała.

– Przepraszam, że tak się użalam i obciążam pana własnymi sprawami – nie patrzyła mu prosto w oczy. Wiedziała, że po nieprzespanej nocy nie wygląda najlepiej. Zaraz jednak wróci do domu i odpocznie.

– Niczym mnie pani nie obciąża. Proszę się nie zamartwiać. Dziecko na pewno ma się dobrze. Podjęła pani słuszną decyzję. On tego nawet nie będzie pamiętał. A pieniądze niestety są w życiu ważne. Może mu pani zapewnić lepsze życie – powiedział, okazując współczucie i zrozumienie.

– Tak właśnie myślałam. Chciałabym, żeby miał wszystko co najlepsze, ale nie jestem doskonałą matką – Anna obwiniała siebie.

– Wszystko będzie dobrze. Jest pani bardzo zdenerwowana. Proszę wybaczyć, ale znam jeden sposób dobry na wszystko – powiedział.

– Jaki sposób? – zapytała.

– Masaż. Potrzebny pani masaż – powiedział stanowczo.

– Tak, wiem... Zawsze mi pomaga. Chodzę czasem do Chinese Medical Centre, ale nie tak często jak kiedyś. Oszczędzam pieniądze dla syna – powiedziała.

– U mnie ma to pani gratis – uśmiechnął się. – Wiem, co pani sobie myśli, jakiś facet dosiada się w parku i proponuje masaż, a to dopiero zboczeniec – starał się wprowadzić luźną atmosferę.

Uśmiechnęła się pod nosem. Masaże były jej słabością. Zawsze miała napięte mięśnie i żeby funkcjonować normalnie, potrzebowała masażu każdego dnia. Jovan robił to dobrze, ale był daleko.

– Proszę usiąść do mnie plecami – zaproponował.

– Nawet pana nie znam – dodała.

– Już mnie znasz. Jestem Carlo, mów mi po imieniu, proszę – powtórzył.

Nie wiedziała, co zrobić. Zmęczenie i łzy zrodziły jakąś bezsilność i potrzebę wsparcia. Usiadła tyłem do mężczyzny. Wówczas poczuła jego miękkie i ciepłe dłonie na swoich barkach. Mężczyzna masował ją delikatnie. Już po chwili poczuła rozluźnienie i dziwną emanującą od niego energię, która wprowadziła ją w błogi relaks.

– Doskonale masujesz, Carlo – powiedziała.

– Nic nie mów, po prostu myśl o czymś przyjemnym. Musisz też mi pomóc, zaufać moim dłoniom, poddać się temu, co robię – usłyszała szept koło swojego ucha.

Nic już nie mówiła. To, co poczuła, było niesamowite. Tym razem masował jej kark, a potem całe plecy. Zamknęła oczy. Czuła, że gdzieś odpływa... To był inny wymiar, w którym wszystko było wypełnione harmonią i pięknem. Nie chciała, żeby przestawał. Przecież to było szalone, nawet go nie znała. Do mózgu dobiegał jeszcze ostrzegawczy komunikat, jednak zmęczenie i jego dotyk sprawiał, że nie chciała słuchać żadnych poleceń. Mogła tak trwać wieczność w niesamowitym transie, hipnozie, w którą wprowadził ją Carlo.

Kiedy skończył, poczuła się o wiele lepiej.

– Dziękuję, Carlo. Jak ty to robisz? Uzdrowiłeś mnie – powiedziała spokojnie, patrząc mu tym razem prosto w oczy.

– To żadna tajemnica. Słyszałaś pewnie o mesmeryzmie i magnetyzmie zwierzęcym?

– Nie słyszałam – odpowiedziała.

– Mesmer był zdania, że każde ciało promieniuje, wysyła energię przechodzącą na inne ciała, „fluid magnetyczny". Choroby zaś zakłócają to promieniowanie. Przesuwając dłonią po skórze albo bezpośrednio nad nią, wpływa się na to promieniowanie, co może spowodować wyleczenie – wyjaśnił.

– Ciekawe – rzekła Anna.

– Pola magnetyczne faktycznie na nas oddziałują i to w stopniu o wiele większym niż dotychczas przypuszczaliśmy. Magnetyzm zainspirował niemieckiego lekarza Franza Antona Mesmera do sformułowania teorii „magnetyzmu zwierzęcego". To właśnie z tej teorii wywodzi się hipnoza – dodał.

Spojrzał na zegarek. Anna zauważyła raz jeszcze wytatuowane znamię.

– Muszę lecieć, Anno. Miło było cię poznać – zerwał się z ławki jak oparzony.

– Dziękuję, Carlo. Miło... – nie zdążyła nic powiedzieć, mężczyzna odszedł szybkim krokiem. Siedziała tak jeszcze przez chwilę, po czym wstała pełna sprzecznych myśli i udała się w kierunku przystanku autobusowego.

Kiedy dotarła do domu, Betty brała właśnie kąpiel.

„No pięknie. Łazienka zajęta" – pomyślała.

– Cześć, Betty – zastukała do drzwi łazienki.

– Cześć, kochanie. Miałaś nadgodziny?– zapytała.

– Tak jakby. Przytrafiło mi się coś dziwnego. Opowiem ci, jak wyjdziesz z łazienki – powiedziała.

Nie odczuwała już zmęczenia. Nie spała 24 godziny. Po masażu, który zrobił jej Carlo, dostała dużo dobrej energii.

– Dajesz się masować jakiemuś obcemu facetowi, Anno? Co z tobą? – powiedziała Betty, wycierając włosy ręcznikiem.

– To nie tak. To była jakaś chwila słabości, a potem wszystko jakoś się samo potoczyło – powiedziała.

– Z Jovanem też się potoczyło. Oj, lepiej uważaj, żebyś nie narobiła sobie znowu kłopotów – dodała.

– Jovan to żaden kłopot, dzięki niemu mam Alana. A on jest dla mnie wszystkim – Annę zdenerwowała reakcja Betty.

– OK, rozumiem – powiedziała, tasując karty.

– No i co tam widać? – zapytała Anna.

Betty zesztywniała.

– Sama nie wiem... – długo myślała, patrząc w karty. – Widzę tutaj jakieś poważne problemy, ale nie wiem, jakie. Sama zobacz – wyszła mi karta śmierć. A ten facet z parku... jest uwikłany w jakąś tajemnicę, lepiej na niego uważaj – pokazała Annie kartę.

– Nie chcę tego oglądać. Nie wierzę w te brednie. Dosyć mam czarów na dzisiaj, a tego faceta już pewnie nigdy nie spotkam. Idę spać – powiedziała.

– Nie bądź taka nerwowa – rzuciła Betty.

– Przepraszam, miałam ciężką noc i początek dnia. Dobranoc – powiedziała.

Nie miała już siły na kąpiel. Kiedy przebudziła się późnym wieczorem, słyszała, jak Betty rozmawia przez telefon za ścianą. Nie chciało jej się wstawać, gdyby nie fakt, że musi coś zjeść. Wzięła gorącą kąpiel. Wysuszyła włosy i założyła na siebie letnią tunikę na ramiączkach, na którą zarzuciła ażurkowe bolerko z długim rękawem, gdy Betty właśnie skończyła rozmawiać.

– Wstałaś? Właśnie rozmawiałam z moim pracodawcą. Dali mi zlecenie od jutra. Pięć dni poza Londynem. Znowu Yorkshire.

– A więc zostanę sama.... – powiedziała Anna.

– Mhmm – Betty wydmuchała dym.

– Słuchaj idę do sklepu, może przejdę się nawet do Sainsburys. Nie mam nic do jedzenia. Może zrobię jakąś fajną kolację?

– Chce ci się iść o tej godzinie? Już prawie dwudziesta – Betty spojrzała na zegarek w komputerze.

– Przejdę się. Dobrze mi to zrobi. W końcu mamy lato. Jest miły, ciepły wieczór, a mnie wciąż brakuje świeżego powietrza przez to kasyno – oznajmiła Anna.

– OK. Jak możesz, to kup mi papierosy, skończyły mi się, te, co zawsze – krzyknęła za nią Betty, kiedy Anna wychodziła z domu.

– Dobrze, kupię.

Przyjemnie było przejść się po całym tygodniu pracy. Wiał lekki wiaterek, który rozwiewał jej włosy, gdy szła przez Choumert Road. Słuchała energetycznej muzyki z iPoda. Chciała podjechać autobusem, ale uznała, że może z powrotem wsiądzie w autobus z zakupami. Powoli oglądała produkty w sklepie. Starannie wybierała owoce i warzywa, gdy poczuła na sobie czyjś wzrok. Rozejrzała się po sklepie, ale nikogo nie zauważyła. Spakowała wszystko w dużą papierową torbę i udała się na przystanek autobusowy. Spojrzała na rozkład jazdy.

– O kurczę, zapomniałam, że dzisiaj jest sobota – powiedziała pod nosem.

W sobotę autobusy jeździły trochę rzadziej. – No nic. Zanim przyjedzie autobus, dojdę do następnego przystanku.

Zakupy zajęły sporo czasu. Kupowanie sprawiało jej przyjemność. Na dworze było już szaro i zrobiło się chłodniej. Wiatr zaczął wiać mocniej.

„Chyba znowu będzie padało" – pomyślała.

Szła krętymi uliczkami, które prowadziły wzdłuż szeregowych domków na Denmark Hill. Ulice o tej godzinie były puste. Widziała, jak w domach rodziny czarnoskórych oglądają telewizję przy wspólnej kolacji. Zatęsniła za domem. Nagle zza rogu z piskiem opon wyjechało czarne bmw, tuż przed jej nogi, tak że odskoczyła w ostatniej chwili. Papierowa torba pękła, a po chodniku poturlały się ziemniaki. Kiedy schyliła się, żeby pozbierać zakupy, poczuła ból. Ktoś zadał jej cios prosto w głowę. Zemdlała.

Kiedy się ocknęła, czuła, że jedzie samochodem. Na głowie miała worek. Poczuła ukłucie w rękę. Była to jeszcze świeża mikstura prosto z laboratorium chemicznego.

Rozdział 23

Peter przejrzał się raz jeszcze w lustrze. Wciąż prezentował się dosyć dobrze, pomimo podeszłego już wieku. Zachował nienaganną sylwetkę, dzięki dawnej służbie w armii. Ubranie leżało idealnie.

Miał na sobie fioletową sutannę z kapturem ze złotymi ornamentami. Kolorystyka jego stroju symbolizowała władzę, która należała do guru. Na jego palcu znajdował się sygnet z symbolem tajnej organizacji. Na jego twarzy malowało się zadowolenie. Tym razem rytuał miał się odbyć z udziałem bliskiej mu osoby. Nie chciał jej skrzywdzić, ale przestraszyć na tyle, żeby nigdy już nie myślała o powrocie do Anglii. Londyn był jego bazą, a ostatnim życzeniem to, by ona zaczęła tu węszyć, pytać, a zwłaszcza dowiedzieć się o żonie, z którą mieszkał. Peter chronił swoją prywatność. Żona nie wiedziała o tajnych praktykach. Była wspólniczką w niektórych jego interesach, natomiast nie miała pojęcia o seksualnych praktykach i rytuałach. Ich życie intymne skończyło się wiele lat temu. Byli ze sobą wyłącznie z powodu lojalności, zasad i przyzwyczajenia. Często myślał, jakby to było, gdyby zdecydował się żyć z Anną, ale zbyt wiele by stracił, decydując się na młodą dziewczynę. Z żoną łączyły go wspólne interesy. „Bezpieczniej jest trzymać Annę na odległość i spotykać się z nią w Warszawie raz na jakiś czas, niż ułatwiać jej start na wyspach" – myślał Peter. Jeszcze raz spojrzał przez okno swojego gabinetu. Zobaczył, jak samochód Carla zbliża się do strzeżonego fortu na wzgórzu. Sama myśl o tym, że w aucie znajduje się Anna, sprawiła, że poczuł dreszcz emocji. Nie chciał, żeby go rozpoznała. Poinformował członków bractwa, że tym razem będzie się przyglądał z ukrycia. Na rytuał zaprosił również Marka z Polski, którego podstawił Annie kilka lat temu w Warszawie, żeby sprawdzić jej lojalność.

Anna zaczęła budzić się z długiego snu. Poczuła dziwny zapach. Po chwili zorientowała się, że to kadzidła. W tle słyszała jakąś demoniczną muzykę. Była związana i leżała na twardym podłożu. Widziała tylko ciemność, ponieważ zasłonięto jej oczy opaską.

Wpadła w panikę. Chciała się uwolnić. Serce biło jej jak oszalałe. Wtedy na ramionach poczuła znajomy dotyk. Myśli przebiegały w jej głowie z prędkością światła. Znała ten dotyk. Tak masował tylko Carlo.

„Carlo?" – chciała powiedzieć, ale nie mogła wydobyć z siebie żadnego dźwięku.

Jej ciało było sztywne i sparaliżowane ze strachu. Jednak masaż i muzyka wprowadzały ją w hipnozę. Chciała na trzeźwo ocenić sytuację, uciec, jednak ciało i umysł odmawiały jej posłuszeństwa. W pewnym momencie w szparze materiału, który miała na głowie, zobaczyła rękę, która przesuwała się po jej ciele. Znajdował się na niej jakiś znak. Już go wcześniej widziała. Pamiętała go z parku...

– Carlo! – powiedziała ochrypłym głosem.

Ręce przestały ją masować, jakby w odpowiedzi na to, co mężczyzna usłyszał. Jednak po chwili kontynuował. Teraz poczuła rozkosz. Jego dłonie wędrowały po jej udach. Potem poczuła coś wilgotnego. To był jego język. Pieścił ją po całym ciele. Rozchylił jej uda. Poddała się. Nie poznawała siebie. Jej życie było zagrożone, a jednak to, co działo się wokół niej, wprowadzało ją w odmienny stan.

Czuła rosnące podniecenie. Zaczęła delikatnie poruszać biodrami, zachęcając go do współpracy. Oblizała językiem spierzchnięte usta w oczekiwaniu na przyjęcie narzędzia rozkoszy. Rytmicznie napinała pośladki, żeby spotęgować uczucie utrzymującego się podniecenia. Kiedy poczuła dotyk na udach, rozchyliła je, zapraszając go do kresu podróży. Nie mogła już wytrzymać rosnącego napięcia. Zaczęła szarpać za linę, która oplatała jej ręce.

– Uwolnij mnie – błagała.

Zrobił, co mu kazała. Lina zostawiła ślad na jej nadgarstkach. Teraz gładziła swoje rozpalone ciało, szukając ukojenia. Odwróciła się. Leżąc na plecach, wygięła głowę do tyłu, a jej długie ciężkie włosy koniuszkami dotykały podłogi. Tłum gapiów wokół niej skandował crescendo wraz z rosnącą rozkoszą, jakby dopingując, zachęcając do kulminacji. Dłonią pieściła już miejsce, które było teraz jej centrum wszechświata, rajem, niekończącą się ekstazą. Jęczała coraz głośniej, przechylając głowę do tyłu. Carlo złapał ją nerwowo za nadgarstek. Zobaczył, że jest już wystarczająco gotowa, żeby zgłębić jej wnętrze. Tłum ucichł. Carlo poczuł spływające krople potu, kiedy spojrzał na jej rozchylone uda, które zapraszały go do współpracy.

Peter od lat nie mógł albo nie chciał wprowadzać się w stan podniecenia. Jednak teraz, kiedy obserwował Annę, która ulega pieszczotom jego podwładnego, poczuł ukłucie zazdrości i żal. Czuł, że jest gotowy do odbycia stosunku, jednak szacunek do Anny był silniejszy.

Nagle rozległ się hałas, drzwi wyleciały z łoskotem z futryny, słychać było tylko krzyki: „Policja, wszyscy na ziemię i nie ruszać się!!!!". Zapanował ogólny chaos. Poczuła, jak ktoś ściąga jej opaskę z głowy. Wokół panował półmrok. Przetarła oczy i usiadła, zasłaniając piersi fragmentem pogniecionej sukienki. Miała spierzchnięte usta i chciało jej się pić. Ludzie leżący na ziemi wokół niej ubrani byli w czerwone szaty.

W sali znajdowały się malowidła przedstawiające sceny erotyczne i tajemne rytuały. Naprzeciwko ołtarza mieścił się tron przeznaczony dla guru obserwującego cały obrzęd, jednak teraz fotel był pusty. Wszędzie było pełno policjantów z bronią gotową do strzału. Panowało ogólne zamieszanie.

– Wszystko w porządku? Nic pani nie jest? – usłyszała. Obok stał zamaskowany policjant.

– Tak – odpowiedziała. – W porządku, czuję się tylko oszołomiona.

W panice jednak myślała, jak mogłaby stąd uciec. Zerwała się z miejsca i zaczęła biec w kierunku czarno-szarych drzwi, które były zablokowane. Tylko rozłożone uda kobiet i przyrodzenia mężczyzn widziała jak przez mgłę. Każdy miał na ciele znamię symbolizujące bractwo. Pchnęła ciężkie drzwi i zaczęła uciekać wąskimi podziemnymi korytarzami. Słyszała za sobą odgłos kroków, przekonana, że ktoś ją goni. Jednak był to wyłącznie dźwięk, który sama tworzyła. Korytarze były ciemne. Nie oglądała się za siebie, biegła do światła, które ujrzała na końcu tunelu. Wybiegła przed fortecę. Już świtało. Szybko zorientowała się, że o własnych siłach nie dostanie się do Londynu. Zaczęła więc kierować się w stronę pobliskiego lasu, żeby gdzieś się ukryć. Zdyszana musiała przystanąć. Kręciło jej się w głowie. Za sobą usłyszała odgłos zbliżającego się samochodu, który wjechał w leśną drogę. „To już koniec" – pomyślała. Poczuła, że nie może ruszyć się z miejsca. Auto zatrzymało się z piskiem opon tuż przed nią.

– Wsiadaj. Szybko! Dopóki są zajęci sobą – rzucił Marek.

Nie wiedziała, co zrobić. Czy może mu zaufać?

– No już. Nad czym się zastanawiasz? Chcesz, żeby każdy z nich cię wypieprzył?!!! – krzyknął zdenerwowany Marek.

Wsiadła do auta, które oddaliło się w pośpiechu, zostawiając za sobą unoszący się kurz. Była w szoku. Nie wiedziała, skąd nagle wziął się Marek. Czuła wstyd. Otuliła się sukienką i zaczęła szlochać. Spojrzał na nią:

– Już dobrze. Nic ci nie grozi – powiedział spokojnie.

– Co to jest? Kim są ci ludzie? I co ty tutaj robisz? – zapytała.

– To tajne bractwo zrzeszające zamożnych, wpływowych ludzi. Mają swojego guru. Spotykają się tutaj raz w miesiącu, oddając niewiastę w ofierze. Carlo, który słynie z olbrzymich rozmiarów przyrodzenia, odbywa stosunek z ofiarą. Potem oddaje ją w ręce członków bractwa. Zwykle dziewczyna nie ma szans, żeby wrócić do domu. Jeśli przeżyje, sprzedają ją szejkom arabskim, wywożą za granicę. Uwalnianie ofiar byłoby zbyt ryzykowne, ktoś zacząłby tu węszyć. Ciesz się, że wyszłaś z tego cała. Ceremonii przygląda się Peter, który jest guru bractwa.

– Peter? O Boże! – jęknęła Anna.

– Mało o nim wiesz, Anno – powiedział Marek, skręcając gwałtownie.

– Zatrzymaj auto, proszę! – krzyknęła.

Kiedy zatrzymał samochód, zwymiotowała na poboczu.

– Proszę – Marek stał za nią, podając jej chusteczki.

– Dziękuję – odpowiedziała, starając się złapać oddech.

– A teraz odwiozę cię do domu, jesteśmy godzinę drogi od Londynu – objął ją w pasie, pomagając wsiąść do samochodu. – Anno, dlaczego uwikłałaś się w relację z tym chorym człowiekiem? Peter ma ogromną władzę i wie, jak manipulować ludźmi, ale obudź się, zanim będzie za późno. Pamiętaj, że masz dziecko – mówił spokojnie.

– Dlaczego on mi to robi? – zapytała.

– Na to pytanie nie jestem w stanie ci odpowiedzieć. Wiem tylko, że on cię potrzebuje i jesteś dla niego kimś wyjątkowym. On miał wiele kobiet, ale o tobie zawsze mówi ciepło – powiedział.

– To dlaczego mnie tak traktuje? – nie dowierzała.

– Nie wiem, nikt nie jest w stanie do końca rozgryźć Petera. Ja sam nie wiedziałem, że ceremonia odbędzie się z twoim udziałem. Zaprosił mnie tutaj, więc przyleciałem. Kiedy zobaczyłem cię na ołtarzu, od razu pomyślałem, że to kolejna intryga Petera. Dlatego mnie zaprosił. Wie, że mam do ciebie słabość. Anno, nie chcę cię niepokoić, ale... pamiętasz te piosenki, które dałaś Peterowi? I swoją książkę, którą chciałaś wydać w Polsce? – zapytał Marek.

– Pamiętam. Miałam nadzieję, że pomoże mi jakoś zaistnieć w branży artystycznej – powiedziała zmęczonym głosem.

– On to sprzedał i zarobił dużo pieniędzy. Twoje piosenki okazały się bardzo dobre, a książka jest hitem zagranicą – wyjawił.

– To niemożliwe – uchyliła okno i zaczęła głęboko oddychać. – Zabrał mi wszystko, na czym mi zależało! Nienawidzę go! – krzyknęła, zasłaniając dłońmi twarz.

– Wiem, że Peter będzie się jeszcze z tobą kontaktował, ale proszę cię, uważaj. Namawiałem go, żeby oddał należne ci tantiemy, jednak on woli cię biedną i oddaną jemu. Może tobą manipulować. On karmi się twoim nieszczęściem. Dzięki temu sam może jakoś egzystować – wyjaśnił. Był zły na Petera, że wciągnął go w całą tę sytuację. Z drugiej strony miał nadzieję, że teraz zbliży się do Anny, a ona zostanie jego dziewczyną.

Wjechali do dzielnicy, w której mieszkała Betty.

– Który to dom? – zapytał Marek.

– Ten tutaj po prawej stronie – wskazała palcem.

– Czy mogę coś jeszcze dla ciebie zrobić? – zapytał Marek.

– Pomogłeś mi bardziej, niż myślisz. Czy uważasz, że powinnam zgłosić to na policję? – zapytała.

– Lepiej tego nie rób. Nie wiesz, jaką władzę ma Peter. I co ci to da? Możesz inaczej się na nim zemścić. Lepiej wracaj do Polski. Pamiętasz mój numer telefonu? – zapytał.

– Tak, zapisałam w notesie jeszcze w Warszawie – odpowiedziała.

– Dzwoń, kiedy tylko chcesz. Obiecaj, że zadzwonisz – próbował się uśmiechnąć.

– Obiecuję – wysiadła z auta i szybkim krokiem udała się w stronę mieszkania Betty.

Rozdział 24

Anna przekręciła klucz w drzwiach mieszkania Betty. Jeszcze na schodach usłyszała, jak dzwoni stacjonarny telefon. W pierwszym odruchu bała się odebrać, jednak po chwili pomyślała, że to może Betty próbuje się dodzwonić z Yorkshire.

– Halo? – Anna podniosła słuchawkę.

– No, nareszcie! Martwiłam się o ciebie. Nie wróciłaś wczoraj na noc. Zostawiłam ci kilkanaście wiadomości na sekretarce. Spałaś u Daniela? – wyrzuciła jednym tchem Betty.

– Betty, ja... – Anna czuła, że za chwilę się rozpłacze. – Nie mogę ci powiedzieć.

– Co się stało?! Czy wszystko w porządku? Napędziłaś mi strachu. Nie wiedziałam, czy dzwonić na policję. A dzisiaj wydzwaniam od rana na stacjonarny – mówiła w pośpiechu.

– Ostatnia noc była koszmarna. Nie powinnam mówić o tym przez telefon. Podjęłam decyzję o powrocie do Polski najszybciej, jak to możliwe – Anna bała się, że rozmowa może być podsłuchiwana. Bractwo z całą pewnością wiedziało, gdzie mieszka.

– Znowu jakiś facet namieszał ci w głowie? A co z twoimi planami, żeby zarobić pieniądze dla dziecka? – zapytała.

Kiedy Anna pomyślała o synu, ścisnęło się jej serce. Poczuła się jeszcze gorzej.

– Właśnie dlatego muszę wracać. Tęsknię za nim. To była zła decyzja, żeby tu przyjeżdżać bez dziecka – tym razem głos jej drżał.

– No cóż, zrobisz, jak uważasz. A co z kluczem od mieszkania? Podam ci numer Justyny, podjedź do niej i daj klucz przed wyjazdem.

– OK. Zrobię, jak chcesz. Przepraszam, że nie mogę popilnować mieszkania, ale to, co się wydarzyło... Napiszę ci maila z Polski.

– OK. Trzymaj się. No szkoda, że tak wyszło – Betty się rozłączyła.

Anna usiadła do komputera i natychmiast zabukowała bilet na poranny lot do Polski.

Spakowała się i wyniosła z mieszkania. Noc spędziła w hotelu na lotnisku. „Jeszcze tylko jedna noc i będę w domu" – pomyślała.

Zadzwoniła do rodziców, by wyjechali po nią na lotnisko w Gdańsku.

– Mówiłam ci, że tak będzie. Po co w ogóle tam wracałaś? – usłyszała głos matki, która zarzucała jej niezaradność.

– Nic nie rozumiesz! Nie mogę tu zostać – Anna wstydziła się opowiedzieć matce o tym, co ją spotkało.

– No to przyjeżdżaj. Dziecko czeka. Nie trzeba było w ogóle jechać, tylko czekać na Jovana – zakończyła rozmowę i odłożyła słuchawkę.

Anna weszła do łazienki i odkręciła kurek. Woda powoli wypełniała wannę. Wlała olejek lawendowy. Rozebrała się i zanurzyła. Dokładnie oglądała swoje ciało, szukając śladów ubiegłej nocy. Nic nie znalazła. Kąpała się przy otwartych drzwiach. Wpadła w nerwicę, bała się być sama i nasłuchiwała każdego odgłosu.

Pomyślała o Jovanie. Zatęskniła za nim. Jednak w telefonie nie było żadnych połączeń ani sms-ów od niego. Po kąpieli usiadła na łóżku i połączyła się z Jovanem. Telefon milczał. Odezwała się sekretarka.

– Jovan, tu Anna. Chciałam ci powiedzieć, że wracam do Polski. Mój przyjazd tutaj był błędem. Bardzo za tobą tęsknię. Nie potrafię też żyć tutaj bez dziecka. Jutro rano mam samolot. Zadzwoń do mnie, jak będziesz mógł. Mam nadzieję, że u ciebie wszystko w porządku – Anna nagrała wiadomość, po czym się rozłączyła.

Kiedy skończyła, usłyszała pukanie do drzwi. Zamarła.

Ktoś zapukał raz jeszcze, tym razem głośniej.

Po cichu spojrzała przez judasza w drzwiach. Zobaczyła boya hotelowego. Mimo strachu otworzyła drzwi. Poczuła powiew świeżego letniego powietrza i poprawiła szlafrok, chowając część ciała za drzwiami.

– Polecony. To chyba do pani – podał jej list.

– Dziękuję i do widzenia – powiedziała Anna.

– Do widzenia. Miłego dnia – odpowiedział boy.

Wchodząc po schodach, zaczęła otwierać list zaadresowany na jej nazwisko. Było to dla niej dosyć dziwne, ponieważ na kopercie nie znalazła adresu banku, szpitala czy innej instytucji. Nigdy nie otrzymywała prywatnej korespondencji. A poza tym nikt przecież nie wiedział nawet, że jest w tym hotelu, bo nawet jeszcze nie zdążyła zejść do recepcji, żeby dopełnić zameldowania. Otworzyła kopertę i wyjęła z niej białą kartkę.

– Nie!!! – krzyknęła.

Jej oczom ukazał się znany jej już znak bractwa. Nie było żadnego listu. Po prostu kartka z narysowanym znakiem bractwa.

– A więc i tu mnie znaleźli – szepnęła przerażona.

Teraz zastanawiała się, czy zgłosić to na policję. Nie miała jednak żadnych dowodów poza listem, brak obrażeń na ciele, a sama procedura zgłoszenia zajęłaby z pewnością wiele czasu. Jedynym wyjściem wydało jej się szybkie opuszczenie Londynu.

Do rana siedziała jak na szpilkach. Bała się wyjść nawet do sklepu, żeby kupić coś do jedzenia.

Włączyła telewizor i wgapiała się w ekran. Cisza była nie do zniesienia. Wydawało jej się przez sen, że słyszy jakieś odgłosy. Włączyła wszystkie światła. Walizka stała już w korytarzu gotowa do drogi. Samolot odlatywał o godzinie 8:10. Z hotelu wyjechała jednak o siódmej rano. Po drodze opróżniła w bankomacie swoje konto Lloyds co do funta, zabierając pieniądze do Polski. Nie poinformowała kasyna, że rezygnuje z pracy. „Teraz już na pewno stracą do mnie zaufanie" – pomyślała.

Z lotniska wysłała sms-a do Kate:

Droga Kate, najmocniej przepraszam. Musiałam natychmiast wrócić do Polski w związku z nagłą sytuacją rodzinną w Polsce. Wybacz. Wszystkiego dobrego. Anna.

W samolocie przyglądała się ludziom uważniej niż do tej pory. Bała się, że ktoś z bractwa może lecieć tym samym samolotem. Lot jednak przebiegał spokojnie i bezpiecznie wysiadła na lotnisku w Gdańsku.

Rozdział 25

O mało nie zostałaś tak wydymana, że szkoda gadać – przeczytała sms-a od Petera.

Poczuła, jak fala strachu zalewa jej ciało.

Jak możesz tak pisać, Peter, przecież wiesz, że jestem sama. Peter, potrzebuję kilku złotych – nalegała.

Oparła rower o płot. Otworzyła bramkę od działki oddalonej o trzy kilometry od jej osiedla. Przyjechała tu wcześnie rano, zanim Alan wstanie z łóżka. Chciała zerwać dla niego trochę świeżych truskawek. Poranne krople rosy zmoczyły jej tenisówki, kiedy szła po owoce z kobiałką w ręce. Lubiła przyjeżdżać tu wcześnie rano, zanim jeszcze słońce zapiecze swym żarem. Czasem wsiadała w samochód przed wschodem słońca i jechała nad pobliskie jezioro, żeby popływać, zanim plażę wypełni tłum wczasowiczów. Po tym wszystkim, co przeszła, nie szukała kontaktu z ludźmi. Teraz każdy dzień z synem spędzali na plaży. Był to duży plus mieszkania w małym mieście, otoczonym trzema jeziorami i lasami. Anna nie mogła jednak doczekać się przyjazdu Jovana. Mieli wyjechać na kilka dni z Alanem nad morze.

W kieszeni sportowej bluzy znowu usłyszała wibrowanie telefonu.

Co?! Zadzwoń do Jovanka. On na pewno chętnie ci prześle. Albo do któregoś z twoich chujków internetowych. Mnie daj spokój. Jesteś ordynarna. Zejdź na ziemię. Ja nic nie muszę – przeczytała.

Wiem, że nie musisz. Jednak zapomniałeś już, co mi obiecałeś? Próbuję dodzwonić się do Jovana, ale przepadł bez śladu. Nigdy wcześniej nie zachowywał się w ten sposób – napisała.

Rozumiem wszystko, ale to nie z mojego powodu. Dlatego albo będziesz posłuszna i oddana, albo zapomnij o naszym spotkaniu. Ja chcę dawnej Anny. Co pani na to? Miłego dnia czy coś więcej?

Nie męcz mnie, proszę, jak możesz tak pisać po tym, co przeszłam w Londynie? Mam problemy i żyję w ciągłym stresie, a ty chcesz, żebym pisała zboczone sms-y? – odpisała.

Skoro nie chcesz mi dać tego, czego chcę, to zapomnij o mnie i rób to, co chcesz. Życie jest piękne i daje wiele możliwości – przeczytała.

Trzeba być człowiekiem bez uczuć, żeby wymuszać na mnie takie rzeczy. Od kilku lat obiecujesz, że przeprowadzisz mnie do innego świata. Tymczasem nic się nie dzieje. Jest gorzej niż było! – wysłała wiadomość.

Skoro tak myślisz, to zapomnij o pomocy i o mnie. Szkoda czasu, bo czy to wszystko moja wina, że kurwiłaś się na prawo i lewo – napisał z uśmiechem.

Prześlesz mi jakieś pieniądze czy nie? – zapytała.

Chyba żartujesz. Jak nie, to nie. Żadnej pomocy i nie ma żadnego przyjazdu. Zapomnij! Albo posłuszeństwo, albo nic – odczytała.

Co rozumiesz przez posłuszeństwo? – zapytała.

To znaczy, że masz mnie słuchać i robić to, co chcę, bo to dla twojego dobra. O ruchaniu na razie zapomnij – odpisał.

Chociaż gdybyś regularnie przyjmowała moje witaminki, twój mózg inaczej by pracował. Myślałabyś tak jak ja. Ale pani nie chce wykonywać prac społecznych – dodał.

Peter... Proszę... daj spokój. Ty tylko o jednym, a ja mam poważne problemy – nie wiedziała, co ma napisać.

Na końcu języka miała słowa, które mogłyby spowodować, że Peter nigdy by się do niej nie odezwał. Gardziła jego słownictwem, tym, w jak wulgarny sposób mówi o seksie. Jednak dusiła to w sobie, czując, jak boli ją serce, jak robi jej się duszno.

To dlatego, że ruchasz się z każdym, kto chce. Jesteś głupsza, niż myślałem, a do tego naiwna. Nigdy nie byłaś moja. Dlatego musisz być prowadzona na sznurku albo żegnaj – dostała nowego sms-a.

Miałeś wiele okazji, żeby stworzyć ze mną stały związek, ale przez to, jak mówisz, zrażasz mnie do siebie. Nigdy nie myślałeś o poważnej relacji ze mną, ale o tym, żeby mnie dobić, zmanipulować, karmić się moim nieszczęściem, kupić mnie za wymuszoną jałmużnę. Co stało na przeszkodzie? Przyjeżdżam do ciebie, a ty mnie zwodzisz, obiecujesz rzeczy, które nigdy się nie wydarzają. Tyle lat! – była zła.

Dziękuję, że się rozumiemy, i nie pisz do mnie więcej, proszę, bo szkoda czasu i kasy. Z tobą jest gorzej, niż myślałem – odpowiedział.

Do tego ciągle źle o mnie mówisz – dopisała już smutna i rozbita.

Ja ciebie nie krytykuję, tylko chcę tego, co chcę, żebyś wysyłała mi sms-y o ruchaniu. Dlatego skoro rezygnujesz, to wszystko jest proste. Życie jest piękne – to był ostatni sms od Petera tego dnia.

Z upływem lat linie wyrzeźbiły się na czole Anny, a piękne, duże oczy otoczyły zmarszczkami. Schudła za bardzo. Z pięknej, energicznej dziewczyny zamieniła się w przygnębioną osobę po przejściach. Miała 34 lata. Jej mimika, uśmiech i grzeczność powodowały, że nadal była ciepło odbierana, jednak nie czuła się już atrakcyjna. Życie odcisnęło na jej twarzy trwały ślad. Nieudane związki z mężczyznami, a co za tym idzie, niespełnienie zawodowe spowodowały, że zabiła w sobie miłość do sztuki. Próbowała z tym walczyć, lecz bezskutecznie. Musiałaby radykalnie zmienić swoje życie, żeby jeszcze odbić się od dna. „Odetnę się od Petera. Nie mogę tak dalej funkcjonować" – obiecywała sobie, wracając do domu. Jednak kryzys przyszedł bardzo szybko i znowu wpadała w jego sidła. Mogła mu się wyżalić, kiedy miała problemy, a wówczas był dla niej najbardziej oddanym przyjacielem, który potrafił wysłuchać i rzeczowo ocenić sytuację. Dla Petera była to tylko gra. Jego nudne życie w luksusie nie dostarczało mu tego rodzaju przeżyć. Z drugiej strony sam był słaby i potrzebował jej, żeby się nią karmić. To on czerpał siłę i witalność z Anny. Ona traciła zdrowie, a on psychicznie się wzmacniał. Anna była zbyt mocno uwikłana w relację z Peterem, żeby się z tego samodzielnie wyplątać. Nikomu nie przyznawała się do układu z nim. Wiedziała, że jest to nie do przyjęcia.

Rozdział 26

Do gabinetu Petera zastukał Carlo.

– Wejdź, Carlo. Oczekiwałem pana – powiedział Peter władczym tonem.

– Tutaj jest premia. Spisaliście się bardzo dobrze. Czy dziewczyna na tyle się przestraszyła, że nie wróci już do Londynu? – upewnił się Peter.

– Z całą pewnością. Wysłałem jej jeszcze list, więc na pewno nie zapomni – Carlo zaczął śmiać się w głos.

– A jak Jovan? – zapytał Peter.

– Nasi zajęli się nim w Serbii. Teraz czekamy na dalsze instrukcje – odpowiedział Carlo.

– Mam nadzieję, że nie ma żadnych uszkodzeń ciała. Macie obchodzić się z nim należycie. A pan zabukuje mi lot na piątek do Belgradu. Dawno nie byłem w tych stronach. Daj sygnał, że przyjeżdżam – Peter podał szczegółowe instrukcje.

– Tak jest – Carlo wyszedł z gabinetu z kopertą w dłoni. Kiedy tylko wsiadł do samochodu, przeliczył funty i uśmiechnął się pod nosem.

Jovan siedział w samolocie lecącym z Kopenhagi do Belgradu. Myślał o Annie i ich synku. Był jednak pełen obaw. Teraz, kiedy Anna wróciła do Londynu, może kogoś poznać, związać się z innym.

„Przygotuję dom, załatwię formalności, a potem wrócę po Annę z dzieckiem" – planował w myślach.

Samolot podchodził do lądowania. Pasażerowie zapięli pasy bezpieczeństwa.

– Proszę personel o zajęcie miejsc w związku z lądowaniem – usłyszał komunikat pilota.

Za oknem zobaczył zielony krajobraz Wojwodiny, okręgu rozciągającego się aż po przedmieścia Belgradu. Kiedy wyszedł z lotniska im. Nikoli Tesli, panował upał. W stolicy była pełnia lata. Termometry wskazywały czterdzieści stopni Celsjusza.

– Może taksówkę? – usłyszał za plecami.

– A ile będzie kosztowała do centrum? – zapytał.

– 55 dinarów za kilometr, dla pana będzie rabat. Proszę wsiadać – zaproponował.

Jovan doskonale znał Belgrad, chociaż nie był tutaj od siedmiu lat.

Wyglądał przez okno starej taksówki. Mijali uliczne kawiarenki, które o tej godzinie wypełnione były po brzegi. W pewnym momencie zauważył, że taksówkarz zmienia kierunek jazdy. Teraz jechali znacznie szybciej. Rozejrzał się nerwowo.

– To chyba nie ta trasa? – zapytał, ale kierowca podkręcił maksymalnie głośność radia.

Kiedy oddalili się od centrum, kierowca gwałtownie zahamował. Do samochodu wskoczyło dwóch uzbrojonych mężczyzn. Związali Jovanowi ręce, a na głowę wcisnęli wełniany worek. Oddychał coraz szybciej. Poczuł, jak samochód podskakuje, jadąc po nierównym terenie.

Zatrzymali się.

– Wysiadaj! – usłyszał i poczuł szarpnięcie.

– Kim jesteście? Czego od mnie chcecie? – zapytał wystraszony, gdy nagle poczuł coś zimnego i metalowego na swojej skroni. Było jasne, że to pistolet.

Na zewnątrz panował niesamowity upał. Choć miał worek na twarzy, czuł kurz, a pod stopami piasek.

– Zostaw, ma być żywy – usłyszał słowa w ojczystym języku.

Ciągnęli go za ręce. Po chwili skierowali się schodami w dół. Wtedy odczuł ogromną zmianę temperatur. Było tu zimno i ciemno. Ciężkie drzwi zatrzasnęły się z hukiem. W oddali słyszał głosy. Tysiące myśli przebiegało mu przez głowę. Szukał obrazów z przeszłości, które mogły przyczynić się do jego porwania. Myślał o wojnie, przed którą zbiegł. Po jakimś czasie za drzwiami usłyszał kroki. Ktoś postawił na podłodze coś metalowego.

– Jedz. Tylko bez żadnych numerów – nieznajomy mężczyzna zsunął worek z jego głowy na tyle, żeby odsłonić usta i nos.

Kiedy mężczyzna go karmił, kątem oka zauważył ślad na jego ręce. To było znamię przedstawiające znak bractwa. Noc minęła spokojnie. Przed drzwiami piwnicy pilnowało go dwóch mężczyzn. Słyszał niewyraźne rozmowy, jednak nie na tyle głośne, żeby zrozumieć, o czym mówią.

Nad ranem poczuł zesztywnienie stawów i ból kręgosłupa. Spał bardzo krótko, siedząc skulony w kącie pomieszczenia, w którym śmierdziało zgnilizną, przemarznięty do szpiku kości.

Drzwi otworzyły się z wielkim hukiem. Usłyszał kroki.

– Ściągnijcie mu to! – słyszał trzeci, nieznany ton głosu.

Ktoś zerwał worek z jego głowy. Zaczął nerwowo łapać powietrze do płuc.

Nad nim stał wysoki, szczupły mężczyzna z jasnymi włosami. Miał ze dwa metry wzrostu.

– Jesteście już wolni. Teraz ja się nim zajmę – powiedział do tamtych po angielsku.

Bandyci opuścili piwnicę. Usłyszał odgłos odjeżdżającego auta.

– A więc Jovan. Mała niespodzianka, co? – odezwał się Carlo.

– Kim jesteś? Czego ode mnie chcesz?

– Dobre pytanie, niestety, nie mogę powiedzieć – uśmiechnął się szeroko Carlo. – Za to muszę przyznać, że masz piękną dziewczynę – dodał.

– Skąd znasz Annę? – zapytał nerwowo Jovan.

– Niezła z niej kocica. Jęczała z rozkoszy, kiedy ją pieprzyłem – powiedział.

– Ty skurwielu! – syknął.

– Uważaj na słowa i nie zapominaj, kto tu rządzi – Carlo splunął przez ramię, przecierając usta dłonią.

– Co ma z tym wspólnego Anna? – zapytał tym razem spokojniej. Szybko zorientował się, że agresją nic nie zyska.

– Wiele, ale teraz nie ma to już znaczenia. Przynajmniej dla ciebie – wyjaśnił.

– Wszystko, co dotyczy Anny, jest dla mnie ważne – odpowiedział Jovan.

– Skoro tak bardzo chcesz wiedzieć. Jestem tu na polecenie Petera, który niebawem do nas dołączy, żeby zobaczyć, jak cię powoli dobijam. Peter lubi się przyglądać... – oznajmił tajemniczo.

Jovan próbował przypomnieć sobie, skąd zna to imię. „Peter... Peter... Rzeczywiście, Anna mu o nim opowiadała".

– Nic przez to nie zyska. Anny i tak z nim nie będzie – odpowiedział Jovan, po czym zdał sobie sprawę, że Carlo nie żartuje.

Carlo wyciągnął bowiem mały czeski pistolet i wycelował go w uwięzionego mężczyznę.

– Chociaż wiesz co? Nie będzie tak lekko. Peter poprosił mnie, żebym przygotował na tę okazję coś specjalnego. Jestem chemikiem i wyłącznie dla ciebie skomponowałem miksturę – pomachał mu przed nosem probówką wypełnioną płynem. – Będziesz umierał powoli, w męczarniach. Kiedy to wypijesz, najpierw nastąpi obrzęk warg, języka i krtani, który spowoduje, że nie będziesz mógł oddychać. Potem zacznie boleć cię brzuch, zaczniesz wymiotować, a wewnętrzny krwotok spowoduje pęknięcie żołądka i jelit. Następnie wystąpi u ciebie zaburzenie pracy serca i zapaść sercowo-naczyniowa – wyjaśnił szczegółowo Carlo.

Pomimo chłodu w pomieszczeniu Jovan zaczął się pocić, a świat zawirował mu przed oczami. Szukał wyjścia, ucieczki.

– Kiedy spotkam się z Peterem? – zapytał spokojnie.

– Powinien dołączyć do nas wieczorem. Nie możesz się doczekać? W sumie rozumiem, w takiej sytuacji też chciałbym mieć to za sobą – mówił ironicznie Carlo.

Jovan nie odpowiedział. Nie chciał tracić czasu na dyskusje z mężczyzną. Oceniał szanse wydostania się na wolność.

– No, dość gadania! – Carlo siadł na krześle oddalonym dwa metry od Jovana.

Wyjął z kieszeni gruby plik banknotów i zaczął przeliczać, uśmiechając się pod nosem.

– Co tak patrzysz? Dostałem niezłą zaliczkę za twoją podróż do innego wymiaru – parsknął.

Z drugiej kieszeni wyjął kolejny plik banknotów.

– A to za uprowadzenie i zerżnięcie twojej laseczki – pomachał przed jego nosem pieniędzmi.

– Czy ona żyje? Co z naszym dzieckiem? – zapytał Jovan.

– Żyje. Wróciła do Polski. Teraz wystarczy pozbyć się ciebie, żeby opłakując stratę po ukochanym, padła prosto w objęcia Petera – wyjaśnił.

– Masz jeszcze jakieś życzenia przed egzekucją? Na zewnątrz cholerny upał. Jadę do centrum po coś do picia. Może chcesz coś zjeść przed śmiercią albo zapalić? – zapytał.

– Nie palę... albo poproszę o papierosy – powiedział.

– Tyle mogę jeszcze dla ciebie zrobić – rzucił Carlo i wyszedł, zatrzaskując za sobą drzwi.

Kiedy usłyszał odgłos odjeżdżającego samochodu, zaczął walczyć z linami, którymi miał związane ręce i nogi. Czuł, jak przecinają mu skórę. W zasięgu wzroku nie widział niczego, co mogłoby ułatwić mu przecięcie sznurów.

Na krześle stała probówka z trującą substancją. To była jego jedyna szansa. Mógł się poruszać, przesuwając ciało po podłodze, natomiast nie mógł poluzować sznurów krępujących mu dłonie i nogi. Od krzesła dzieliły go dwa metry. Przesunął się powoli, docierając do celu. Drżącą ręką uniósł probówkę wypełnioną płynem. Zębami odkorkował naczynie, po czym wsunął je do rękawa.

Carlo wrócił w ciągu godziny. Jovan słyszał jego ciężkie kroki zbliżające się do drzwi. Siedział nieruchomo w kącie.

– Jak już się z tobą uwinę, to wieczorem wyskoczę na jakieś laleczki. Ładnie tu macie. Gościnny z was naród. Ciekawe, czy równie gościnne są uda Jugosłowianek – mówił, wypakowując z torby napoje.

– Co tak milczysz? Fajki dla ciebie – rzucił w Jovana pudełkiem papierosów.

– No tak, zapomniałem. Przecież nie możesz się ruszyć – rzekł.

Jakikolwiek ruch Jovana mógł spowodować wydostanie się płynu z probówki i poparzenie rąk.

– Mam ochotę na papierosa – zbierał siły na atak.

– Jasne – Carlo otworzył paczkę papierosów i odpalił zapalniczkę. Kiedy się nachylił, Jovan chlusnął mu w twarz zawartością probówki, którą wcześniej wysunął za plecami z rękawa.

– Aaaaach!!! – Carlo zaczął krzyczeć, zasłaniając twarz rękami.

Substancja wyżerała mu twarz. Upadł na podłogę, po której wił się jak węgorz. Chwycił za broń i zaczął strzelać w kierunku miejsca, w którym siedział wcześniej Jovan, po czym wypuścił ją z rąk, żeby zakryć twarz.

Jovan siedział bez ruchu, przyglądając się mękom Carla. Nie spieszył się, chciał, żeby Carlo przetestował swój produkt. Koło konającego w męczarniach człowieka leżał pistolet. Jovan przysunął się po cichu i chwycił w obie dłonie broń.

– To za Annę – powiedział głośno, kiedy celował nią w Carla. Leżał już w kałuży krwi, gdy Jovan oddał ostatni strzał. W kieszeni Carla znalazł nóż, którym przeciął krępujące go liny. Zabrał też wszystkie pieniądze, karty kredytowe i klucz od auta. Jechał prosto na lotnisko. Na szczęście nie zabrali mu dokumentów.

Nie wiedział jeszcze, dokąd poleci, jednak miał świadomość, że musi uciec jak najdalej. Ludzie Petera na pewno będą go szukać.

Zostawił auto Carla na parkingu w pobliżu sali odlotów. Wymienił pieniądze w kantorze i kupił bilet na wieczorny lot do Las Vegas. Poszedł do toalety, oblał twarz zimną wodą i spojrzał na swoje odbicie w lustrze. Ślady minionej nocy i zabójstwo Carla zostawiły piętno w jego oczach. Usiadł w poczekalni. Do odprawy pozostała już tylko godzina.

Peter wylądował w Belgradzie, wysłuchując informacji pilota o czasie lokalnym i temperaturze powietrza. Myślał o nocy pełnej emocji, kiedy będzie patrzył, jak na jego oczach skona ukochany Anny, uwieńczonej wspólnym drinkiem z Carlem i powrotem do Londynu.

W hali odlotów, w tłumie zobaczył mężczyznę. Miał wrażenie, że już gdzieś go widział.

„Jugole – pomyślał. – Wszyscy tacy czarni".

Jovan pamiętał Petera ze zdjęć w albumie Anny. Siedział bez ruchu, przyglądając się, jak przechodzi tuż koło niego. Miał ochotę splunąć mu w twarz. Wstał z krzesła i udał się do odprawy samolotu odlatującego do Las Vegas. Peter wyszedł przed budynek lotniska.

„Dziwne. Carlo powinien już tu być" – pomyślał.

Wziął telefon komórkowy do ręki i wystukał numer do podwładnego. Nie odbierał. „Carlo nigdy mnie nie zawiódł. To zły znak".

Tym razem zadzwonił do swoich ludzi z Belgradu.

– Goran? Co jest? Jestem na lotnisku i nikt po mnie jeszcze nie wyjechał? Co z Carlem? – zapytał.

– Nie wiem. Ostatnio widzieliśmy go, kiedy przejął od nas Jovana – usłyszał głos po drugiej stronie słuchawki.

– Macie tu natychmiast być i zawieźć mnie do miejsca, w którym go trzymacie – oznajmił Peter.

– Tak jest – odbiorca przyjął rozkaz.

Oczom Petera ukazał się Carlo, który tonął w kałuży krwi w ciemnej piwnicy na obrzeżach Belgradu. Wpadł w furię. Złość wydzierała mu serce. Do oczu napłynęły łzy.

– Byłeś dla mnie jak rodzony syn – powiedział, stojąc nad zwłokami Carla.

– Obiecuję ci, że on za to zapłaci – dodał.

Rozdział 27

Samolot linii Skyscanner wylądował na lotnisku McCarran w Las Vegas. Na jego pokładzie znajdował się Jovan. Kiedy szybował nad chmurami, rozmyślał o swoim synu i Annie. „Zrobię wszystko, żeby ich jeszcze zobaczyć" – myślał. Bardzo tęsknił za nimi. Nie widział Anny ponad dwa miesiące. Zastanawiał się, jak teraz wygląda Alan i czy wciąż pamięta tatę. Po opuszczeniu samolotu wsiadł do taksówki. Rosjanie obsługiwali tu większość z nich.

– Do hotelu Bellagio – zwrócił się do mężczyzny kierującego pojazdem.

– OK – odpowiedział.

Jovan był zmęczony długim lotem i choć lubił rozmawiać z ludźmi, tym razem nie miał ochoty wdawać się w dyskusję. Po ostatnich przejściach stał się nieufny w stosunku do nowo poznanych osób. Wysoki budynek hotelu w kształcie łuku z kopułą pośrodku robił wrażenie. W holu znajdował się piękny ogród, o który dbało dwunastu pracowników obiektu. We wnętrzu mieściły się restauracje i markowe sklepy. Dominującym kolorem hotelu był beż, aczkolwiek w innych pomieszczeniach kolorystyka była zróżnicowana. Po zameldowaniu w recepcji poszedł do bufetu, gdzie za 35 dolarów można było jeść do woli. Żywność sprowadzana była z różnych zakątków świata: czereśnie z Kenii, kobe beef z Japonii. Jovan uwielbiał kobe beef – bardzo delikatną wołowinę.

– Czy nadal funkcjonuje tu „O"-s? – zapytał kelnera, który zaproponował mu kawę.

– Oczywiście. To największe show w Las Vegas. Może pan obejrzeć je o godzinie siódmej i dziesiątej wieczorem. Aczkolwiek trudno kupić bilet, no, chyba że jest pan klientem kasyna, wówczas dostaje pan bilet za darmo. W innym wypadku trzeba zapłacić sto dwadzieścia jeden dolarów. Prawie co wieczór mamy tu dwutysięczną publiczność.

– Tak, słyszałem. Byłem tutaj dziesięć lat temu. Niesamowite. Zwłaszcza ten basen wbudowany w scenę robi wrażenie. Słyszałem, że budowa sceny wyniosła czterdzieści milionów dolarów? – zapytał Jovan.

– Zgadza się. Jednak inwestycja się zwróciła. Show zarabia dziennie pół miliona dolarów – powiedział kelner.

– Rozumiem. Dziękuję za kawę – odpowiedział Jovan.

Resztę dnia spędził w pokoju hotelowym, odpoczywając po podróży. Pokój na trzydziestym piętrze był przestronny, w kolorze grafitowym.

Kiedy się obudził, był już wieczór. Spojrzał przez okno. Życie o tej porze dopiero się zaczynało. Oświetlone budynki i ulice robiły wrażenie. Wziął krótki prysznic, założył świeżą koszulę i zarzucił marynarkę. Na kolację udał się do restauracji Olives, mieszczącej się w hotelu. Zamówił kaczkę. Jadł w pośpiechu, myśląc o kasynie. Dawno nie grał. Teraz było go stać, żeby grać za wysoką stawkę. Zakładał, że pomnoży pieniądze, a potem ucieknie z Anną i Alanem do Tajlandii lub gdzieś, gdzie Peter ich nie znajdzie.

Większość klientów w kasynie Bellagio stanowili zamożni ludzie, turyści. Kasyno obracało pieniędzmi z różnych źródeł, głównie nielegalnych: narkotyków i przemytu. Przy przeciętnej pensji Amerykanina mało kto grał za duże pieniądze. Anonimowe prostytutki kręciły się pomiędzy stołami do gry w black jacka, pokera czy ruletkę. W Las Vegas prostytucja była zakazana, jednak menedżer kasyna miał układ z dziewczynami, od czego miał profit. Każda z nich była bardzo atrakcyjna.

Równie piękne były kelnerki obsługujące gości. Wyglądały jak topmodelki. Ubrane były w dłuższe eleganckie, ciemne marynarki.

Kiedy wszedł do kasyna, dziewczyny zaczęły przyglądać mu się uważnie. Jednak starał się nie rozpraszać. Grę zawsze traktował bardzo poważnie.

– Czy mogę się dosiąść? – zapytał gracza przy stole.

– Zapraszamy – przy stole zwykle zamieniano kilka oficjalnych słów. Jovan zajął miejsce przy amerykańskiej ruletce. W Londynie zawsze grał we francuską ruletkę, gdzie prawdopodobieństwo wygranej było wyższe. Amerykańska ruletka różniła się tym, że posiadała dwa zera, natomiast europejska tylko jedno.

Mężczyzna postawił 35 000 dolarów na jeden spin. Jovan obstawił 100 dolarów.

– Czy to na lunch? – zapytał nieznajomy mężczyzna z uśmiechem.

– Powiedzmy... – odrzekł Jovan skrępowany, chciał grać ostrożnie. Planował wysłać Annie pieniądze porannym przekazem.

W pewnym momencie zauważył znajomą twarz.

– Husajn? – zostawił grę i zaczął przeciskać się przez tłum graczy.

– Jovan? – mężczyzna uścisnął go mocno. – Nie wierzę! To chyba już jakieś dziesięć lat od naszego ostatniego spotkania, prawda? Co tu robisz? Jak żyjesz? Chodź, zapraszam cię na *complementary diner* – dodał Husajn.

– Dziękuję, już jadłem w Olives, ale chętnie się czegoś napiję – powiedział Jovan.

Mężczyźni usiedli za barem.

– No dalej, opowiadaj, co u ciebie? – nalegał Husajn.

– Wiele się zmieniło. Jestem już ojcem – powiedział Jovan.

– No, no... Łamiesz serca tym wszystkim pięknym dziewczynom – uśmiechnął się Turek.

Husajn pochodził z Istambułu. Był szefem marketingu w kasynie Bellagio. Miał krótkie czarne włosy, był wysoki i szczupły. Jego twarz rozpromieniał śnieżnobiały uśmiech. Miał około pięćdziesięciu lat.

– A jak u ciebie, Husajn? Nadal mieszkasz z tą samą dziewczyną? – zapytał.

– Tak, wciąż jesteśmy razem. Ona nie wie, czego chce. Niezły staż, co? Spójrz – Husajn wskazał na mężczyznę przy stole do pokera. – Widzisz tego Turka?

– Tak – potwierdził Jovan.

– Wyobraź sobie, że facet wygrał już 20 milionów dolarów i nikt nie wie, jak on to robi.

– Co ty mówisz? Naprawdę? Może ma jakiś system? – Jovan zaczął uważniej przyglądać się grze milionera.

Mężczyzna chodził od stołu do stołu. Obstawiał liczby przy jednym stole i szedł do drugiego, zostawiając grę samą sobie. Krok w krok za nim szedł młody chłopak. Był to diler. Pilnował wygranych i je odbierał. Turek zwrócił się z prośbą do dyrektora kasyna o przydzielenie mu jednego z dilerów. Kasyno zwykle spełniało wszystkie zachcianki swoich gości.

Któregoś dnia jeden z graczy przegrał dwa miliony. Kasyno udostępniło mu darmowy helikopter, który przetransportował go do Kanady, gdzie gracz poleciał po kolejne dwa miliony dolarów, żeby wrócić i kontynuować grę.

– On wciąż wygrywa. Nikt nie wie, jak to robi. Obstawi jedną liczbę i zawsze pada wygrana dokładnie na nią. Niewiarygodne, co? Jak wiesz, posiadamy świetny monitoring, ale w tym przypadku nie ma się do czego przyczepić – powiedział Husajn. – Jednak wiesz co? – dodał. – Niebawem drzwi tego kasyna zamkną się dla niego na zawsze. Sam wiesz, jak to jest. Dyrektorowi nie na rękę są ludzie, którzy tylko wygrywają.

– No tak, znam takie przypadki, ale ten jest ewenementem, 20 milionów, no... no... – Jovan nabrał ochoty do gry.

– Bellagio jest takim miejscem, gdzie kasyno zarabia więcej niż hotel i tego się chcemy trzymać. Normalnie to hotel zarabia zawsze więcej. OK, stary, miło było cię spotkać, ale muszę wracać do moich obowiązków. Tutaj jest mój numer, w razie potrzeby dzwoń i koniecznie wpadnij do nas w niedzielę na obiad. Alise świetnie gotuje. Jak długo zabawisz w Las Vegas? – Husajn podał mu wizytówkę z numerem telefonu i adresem.

– Dziękuję. Sam jeszcze dokładnie nie wiem. Zostawiłem dziecko i dziewczynę w Polsce. To dosyć skomplikowane, ale może opowiem ci o tym następnym razem – odpowiedział.

– OK, do zobaczenia – uścisnął go raz jeszcze.

– Aaa – cofnął się Husajn. – Gdybyś potrzebował butlera, daj znak.

– OK, to na razie – odpowiedział uprzejmie Jovan.

Butler był osobą, która towarzyszyła klientowi kasyna i spełniała jego wszystkie prośby. Jeśli klient miał ochotę na arbuza, dostarczał go w mgnieniu oka, jeśli chciał wyprać koszulę, na którą właśnie wylał drinka, zadaniem butlera było ekspresowe znalezienie pralni i dostarczenie nowej koszuli. Jeśli klient zażyczył sobie, żeby butler oddał mu swoje ubranie, musiał to zrobić. Słowem, był od wszystkiego.

Tymczasem Jovan przyglądał się uważnie grze Turka. Był ciekaw, jakie liczby obstawia. Wolał jednak zachować dystans. Zagrał raz jeszcze w ruletkę. Wygrał 200 dolarów. „Na dzisiaj wystarczy" – pomyślał.

Wyszedł przed budynek kasyna, żeby zaczerpnąć świeżego powierza. Przed wejściem ustawił się długi rząd taksówek, jedna odjeżdżała, druga podjeżdżała. Było tu tak tłoczno jak w środku. Pomyślał, że fajnie byłoby przejechać się nocą ulicami Las Vegas, zanim wróci do hotelu. Podał dolara mężczyźnie, którego zadaniem jest przywołanie taksówki. Na tym polega jego praca. Zarabia od stu pięćdziesięciu do dwustu dolarów każdej nocy. Jednak żeby dostać taką pracę, trzeba zapłacić pięćdziesiąt tysięcy dolarów. Jovan wsiadł do taksówki, która podjechała z impetem pod drzwi kasyna.

– Dobry wieczór – mężczyzna z rosyjskim akcentem przedstawił się Jovanowi. – Dokąd jedziemy? – zapytał.

– Nie mam konkretnego adresu. Chciałem przejechać się trochę ulicami Las Vegas. Może pan zrobić dla mnie taką rundę?

– Oczywiście – Rosjanin wyraził swoje zadowolenie.

– Mieszka pan w Bellagio? – zapytał kierowca.

– Tak – odpowiedział Jovan.

– Od razu się domyśliłem. Ma pan akcent kogoś, kto nie pochodzi z Las Vegas.

– Urodziłem się w Serbii – wyjaśnił.

– A to niedaleko od nas. Prawie jak swój – powiedział taksówkarz. – Zatrzymał się pan w bardzo drogim hotelu – zainteresował się kierowca.

– Hotel dla graczy kasyna jest za darmo – powiedział Jovan, wyglądając przez okno taksówki.

– Widzę, że podoba się panu Paris Las Vegas – kierowca zerknął w lusterko. Rzeczywiście wieża Eiffla robiła wrażenie. – Gdyby pan chciał iść tam z dziewczyną na kolację, to wewnątrz wieży znajduje się restauracja. Można też wjechać windą na samą górę – teraz kierowca przejął rolę przewodnika.

Nie o to chodziło Jovanowi, chciał popatrzeć za okno, pomyśleć. Jednak taksówkarz starał się umilić jazdę w mylnym odczuciu, że osamotniony Jovan szuka towarzystwa.

– W zasadzie do Paris Las Vegas może pan pójść pieszo, w końcu to vis à vis Bellagio.

– Tak, wiem – ostatnio byłem tutaj dziesięć lat temu – wytłumaczył. – Czy może się pan tutaj zatrzymać? Chciałbym wysiąść. Spacer dobrze mi zrobi – powiedział Jovan.

– Już tutaj? No cóż, jak pan sobie życzy – odpowiedział.

Jovan podał dwudziestodolarowy banknot taksówkarzowi i pomachał na pożegnanie. Wysiadł na rogu hotelu Monte Carlo. Chciał spokoju. Jego serce było złamane. Nie wiedział, co robić. Tęsknił za synem coraz mocniej. Do hotelu wrócił pieszo, rozmyślając o domu.

Prawdziwym domu. Dosyć miał tułaczki przez ostatnie dwadzieścia lat swojego życia. Tej nocy przyśniła mu się Anna. Widział ją płaczącą, z dzieckiem na rękach. Obudził się przejęty.

Rozdział 28

Słońce wstało wcześnie. Jovan uchylił ciężkie kotary. Ostatniej nocy nie spał zbyt dobrze. Nie miał ochoty zejść na śniadanie do restauracji. Posiłek zamówił więc do pokoju. Kiedy kelner zapukał do drzwi, właśnie skończył brać prysznic.

– Moment! – odezwał się, wycierając włosy ręcznikiem.

Założył szlafrok i otworzył drzwi. Kelner wjechał z wózkiem do pokoju. Jovan dał mu napiwek w wysokości 20 procent od ceny śniadania. Odsłonił kotary w oknach pokoju. Wziął do ręki „Las Vegas Sun News" i upił łyk kawy. Przeglądając gazetę, zjadł jajecznicę i wypił sok pomarańczowy. Wziął do ręki pióro oraz papier znajdujący się na biurku i zaczął pisać:

Anno, mam nadzieję, że ty i Alan macie się dobrze. Wybacz moje milczenie, ale nie mogłem się z tobą skontaktować. Wyjaśnię ci wszystko, kiedy się spotkamy. Niebawem do ciebie zadzwonię. Jovan

Włożył kartkę do koperty i wrzucił do niej kartę Visa. Kiedy szedł ulicami miasta, słońce osiągnęło apogeum. Spacerował więc zacienionymi uliczkami. Szukał poczty, żeby nadać list do Anny. Równie dobrze mógł to zrobić z hotelu, ale chciał się przejść. Na rogu ulicy zauważył mężczyznę kryjącego się w cieniu palmy. Stał z wyciągniętą dłonią, prosząc przechodniów o pieniądze. Jovan miał dobre serce i zawsze pomagał potrzebującym, jeśli tylko mógł. Często sam był na skraju przepaści finansowej.

– Dzień dobry, jak się masz? – zapytał starszego posiwiałego mężczyznę w brudnych, powyciąganych ubraniach.

– Miło, że pan pyta. Ciężkie czasy – odpowiedział mężczyzna, spoglądając na niego dużymi niebieskimi oczami otoczonymi zmarszczkami.

– Może chciałby zjeść pan lunch? – zapytał.

– Tak, bardzo dziękuję – odpowiedział ze zdziwieniem.

Weszli do baru szybkiej obsługi. Można tu było zamówić hot doga, hamburgera i napić się kawy. Stoły nakryte były czerwonymi obrusami w białą kratkę. Zajęli miejsce przy oknie.

– Czy mogę przyjąć zamówienie? – zapytała kelnerka w średnim wieku.

W żaden sposób nie przypominała dziewczyn z Bellagio, jednak nadrabiała uprzejmością, uśmiechając się szeroko.

– Zamów, co chcesz – powiedział Jovan.

– Poproszę sandwich, kawę, sok pomarańczowy i może jeszcze sałatkę – powiedział starzec.

– A dla mnie tylko kawa – dodał Jovan. Był ciekawy, czy mężczyzna będzie zainteresowany zakupem alkoholu, jednak zachowywał się przyzwoicie.

– Jak masz na imię? – zapytał, kiedy kelnerka odeszła po przyjęciu zamówienia.

– Jestem Andy – odparł skromnie.

– Mam na imię Jovan – podał mu rękę.

– Jest pan bardzo dobrym człowiekiem. Nie zdarzyło mi się jeszcze, żeby któryś z przechodniów zaprosił mnie na posiłek. Ludzie są zabiegani, nie widzą nic, co dzieje się wokół nich. Każdy zamknięty jest w swoim świecie. Dopiero jak się zatrzymamy, jesteśmy w stanie wiele zauważyć – powiedział Andy.

– To prawda – przytaknął Jovan. – Skąd pochodzisz, Andy, i dlaczego stoisz na ulicy? Nie masz domu? – zapytał.

– Przyjechałem tutaj wiele lat temu z Anglii. Pracowałem w szkole jako profesor języka angielskiego. Teraz dostaję skromną emeryturę, która wystarcza mi na dwa tygodnie życia w tym piekle. Kolejne dwa tygodnie spędzam na ulicy, żeby jakoś przeżyć do końca miesiąca – wyjaśnił Andy.

Kelnerka przyniosła jedzenie i wlała do kubków kawę z czajnika.

– Dziękuję – uśmiechnął się Jovan.

Uregulował płatność i podarował kelnerce spory napiwek. Ukłoniła się i odeszła zadowolona do swoich obowiązków. Jovan od razu domyślił się, że mężczyzna nie jest zwykłym pijakiem, który prosi o pieniądze na alkohol, lecz inteligentnym mężczyzną pokrzywdzonym przez los.

– Pochodzisz z Serbii czy Chorwacji? – zapytał Andy.

– Z Serbii – uśmiechnął się Jovan.

– Śledziłem wydarzenia 1995 roku. To było największe ludobójstwo od czasów drugiej wojny światowej.

– Przykro mi, że Serbowie kojarzą się wszystkim tylko z wojną 1995 roku. To nie nasza wina... Serbowie to gościnni i hojni ludzie. Mamy dobry klimat, jedzenie.

– Gdzie się pan zatrzymał w Las Vegas? Przyjechał pan z rodziną? – zapytał Andy.

– W hotelu Bellagio. Jestem sam – odparł.

– To niech pan uważa na to miasto. Jest zepsute do szpiku kości. Jest pan młody i przystojny. Kręci się tu mnóstwo dziewczyn, które mają zaledwie po 16 lat. Potrafią opętać człowieka, a potem zgłaszają na policję gwałt – kontynuował Andy.

– Będę uważał – Jovan uśmiechnął się po raz pierwszy od dwóch miesięcy.

– Gdybym miał pieniądze, wyjechałbym stąd. Moja żona zmarła wiele lat temu na raka. Nie mieliśmy dzieci. Pozostał dom i wspomnienia. Wstydzę się, że muszę stać na ulicy i prosić o pieniądze. Wcześniej byłem szanowanym profesorem. Kto się będzie przejmował takim starcem jak ja – westchnął.

Kelnerka podeszła do nich ponownie.

– Czy dolać panom kawy? – zapytała.

– Nie, dziękuję, moje stare serce nie przywykło do takiej ilości kofeiny – Andy posłał jej miłe spojrzenie.

– A ja poproszę – Jovan nie miał ochoty na więcej, ale docenił fakt, że dziewczyna pofatygowała się, by podejść do nich raz jeszcze.

– Czasem widzę na ulicy tych bęcwałów, których kiedyś uczyłem, ale wtedy staram się ukryć. Wyobraź sobie, że 20 procent ludzi w Las Vegas nie potrafi pisać ani czytać – dodał Andy.

– Naprawdę? – zareagował Jovan.

– Takie są statystyki. Z drugiej strony, szkoda mi tych ludzi. Jest tu też duży procent samobójstw. Oficjalnie mówi się, że to samobójstwa, ale to wypadki, których nie można logicznie wyjaśnić – kontynuował Andy.

Kiedy Jovan dokończył pić kawę, wyszli z baru.

– Andy, miło było cię poznać. Czy wiesz może, gdzie jest najbliższa poczta? Chciałbym coś wysłać mojej dziewczynie z Polski – zapytał.

– Jedną przecznicę stąd. Chętnie cię zaprowadzę – zaproponował.

– Dziękuję, poradzę sobie. Wszystkiego dobrego, Andy – Jovan podał mu rękę i 18 dolarów.

– To na jakieś ubranie. Pewnie chciałbyś kupić sobie coś nowego? – zaproponował.

– To mój najlepszy dzień od ośmiu lat. Dziękuję – powiedział Andy.

Jovan zniknął za rogiem ulicy. Poczuł lekkość, jaka towarzyszyła mu zawsze, kiedy mógł komuś pomóc. To był dobry początek dnia. Nadał list bez adresu zwrotnego i wrócił do hotelu.

Wczoraj czuł się jeszcze zmęczony, ale dzisiaj chciał zagrać za wysoką stawkę. Przeznaczył pięć tysięcy dolarów na ruletkę. Obstawiał w skupieniu kolejne liczby. Początkowo szło mu nieźle, jednak dobra passa opuściła go pod koniec gry. Postanowił zakończyć z plusem tysiąca dolarów. Zniesmaczony wynikiem gry pomyślał, że spróbuje szczęścia w innym kasynie. Wsiadł w monorail, kolejkę, która kursowała pomiędzy hotelami, po czym wszedł do kasyna w MGM Grand Hotel.

– Czy nadal pracuje tu Najib? – zapytał grzecznie.

– Tak. Jest na sali – powiedział recepcjonista.

Podłogi wyłożone były wykładziną w kolorowe pasy. Stoły do gry utrzymane zostały w kolorze zielonym. Na ścianach wisiały obrazy przedstawiające stoły do gry w pokera lub żetony. Nie było tutaj tak tłoczno jak w Bellagio.

Przy barze siedział Najib. Kiedy zobaczył Jovana, zaniemówił.

– A niech mnie! Jovan? Ile to już lat? – tylko uścisk dłoni mężczyzn okazał spójność koleżeństwa.

– Trochę czasu minęło.

Najib był dyrektorem kasyna. Pochodził z Maroka. Zaprzyjaźnili się podczas pierwszej wizyty Jovana w Las Vegas. Kiedy rozmawiali, do baru podeszła wysoka blondynka. Usiadła na stołku barowym i zamówiła martini. Miała długie proste włosy blond i ciemną karnację. Widać większość czasu spędzała na plaży. Na długie, zgrabne nogi włożyła srebrne sandałki na obcasie. Czarna mieniąca się sukienka oplatała jej szczupłe ciało, podkreślając kształty. Rzuciła spojrzenie w kierunku mężczyzn rozmawiających przy barze.

Jovan zauważył dziewczynę siedzącą przy barze. Oszołomiła go jej uroda. Robiła wrażenie kobiety, która mierzy wysoko i wie dokładnie, czego chce. Kiedy poczuła na sobie wzrok Jovana, spojrzała na niego spod długich rzęs, odkrywając głębię intensywnej czerni. Zamoczyła usta w martini, zostawiając ślad po czerwonej szmince na kieliszku. Rozchyliła wargi, rzucając mu przeszywające spojrzenie i odeszła pewna swojej urody, kołysząc biodrami. Odgarnęła włosy, przerzucając je na piersi. Spojrzał wówczas na jej odkryte plecy w wyciętej prawie do pośladków sukience. Zniknęła za drzwiami kasyna. Wziął głęboki oddech, po czym kontynuował rozmowę z Najibem. Nie mógł już do końca skupić się na rozmowie.

– Cieszę się, że znowu tu jesteś, Jovan. Proszę, to karta podarunkowa. Możesz coś kupić swojej dziewczynie z Polski – podał mu voucher.

– Dziękuję, to bardzo miły gest z twojej strony – powiedział.

– No i oczywiście masz zawsze tutaj *complementary* – dodał Najib.

– Panie dyrektorze, telefon do pana – powiedziała dziewczyna w granatowej marynarce, podchodząc do baru.

– Już idę. Obowiązki wzywają, Jovan. Do następnego razu – skierował się w stronę swojego gabinetu.

Jovan siedział jeszcze chwilę przy barze. Myślał o dziewczynie, która zahipnotyzowała go swoim spojrzeniem. Dopił owocową herbatę i usiadł przy stole, gdzie odbywała się gra w pokera. Wygrał sporo, po czym wrócił do hotelu.

Kiedy brał prysznic, wciąż miał przed oczami nieznajomą dziewczynę. Spłukiwał z siebie pianę tak, jakby chciał zrzucić myśl o niej. „Jutro kupię coś dla Anny" – pomyślał. Nalał sobie drinka i wygodnie usiadł w fotelu, by z lubością oddać się wspomnieniom tych chwil, które spędzał z Anną i ich nowo narodzonym synem.

Rozdział 29

Nazajutrz wybrał się na zakupy, chcąc wykorzystać kartę podarunkową od Najiba. Nie musiał daleko szukać, ponieważ wokół pełno było markowych sklepów. Na jednej z wystaw zauważył wyeksponowany portfel ze skóry krokodyla. „Spodobałby się Annie" – pomyślał.

Nad drzwiami widniał szyld Macy's. Wszedł do środka.

– Czy mogę panu jakoś pomóc? – zapytała ekspedientka.

– Interesuje mnie portfel na wystawie. Chciałbym wykorzystać kartę podarunkową.

– Oczywiście, bardzo proszę – zaprosiła go gestem do kasy.

Wyszedł ze sklepu z prezentem dla Anny. Wydawało mu się przez moment, że zauważył znajomą twarz. Cofnął się o kilka kroków i spojrzał przez szybę sklepu. Blondynka oglądała eleganckie torebki. Przechadzała się spokojnie między regałami. Zachowywała się tak, jakby wiedziała, że ją obserwują. Następnie podeszła do stoiska z bielizną. Przyłożyła do siebie koronkowe czarne stringi i spojrzała wyzywająco prosto w oczy Jovana stojącego przed wystawą sklepu. Spotkała się z jego wzrokiem, zatrzymując spojrzenie na kilka sekund i uśmiechając się zalotnie.

Jovan odszedł zmieszany.

„To niemożliwe" – myślał. – „To ta sama dziewczyna, którą widziałem wczorajszej nocy". Przebiegł na drugą stronę ulicy, uciekając przed czymś, nad czym nie miał pełnej kontroli. Zauważył czyściciela butów z nosem zanurzonym w czasopiśmie o ekonomii przedsiębiorstw.

– Może czyszczenie? – zapytał mężczyznę.

Jovan spojrzał na wysokiego Afroamerykanina z gazetą w dłoni, który uśmiechał się do niego szeroko.

– Czemu nie – odpowiedział i usiadł na starym, lecz wygodnym krześle z podnóżkiem.

– Nie chcę się wtrącać, ale wygląda pan tak, jakby właśnie przed kimś uciekał – powiedział, czyszcząc buty. – Znam się trochę na ludziach. To moja praca – dodał.

– Imponujące. Tak... Rzeczywiście, przed pewną piękną kobietą – Jovan poczuł się znacznie lepiej.

– Przed pięknymi kobietami nie trzeba uciekać, tylko zdobywać ich serca – rzekł czyściciel.

– Moje serce jest już zajęte – odpowiedział.

– A, to rozumiem – przytaknął.

– Widzę, że interesuje się pan ekonomią – Jovan wskazał palcem na gazetę. – To nietypowe jak na czyściciela butów – powiedział.

– Ludzie mówią o mnie, że jestem chodzącą encyklopedią. Znam się na wielu dziedzinach – uśmiechnął się pod nosem, polerując obuwie.

– To co pan robi tutaj, na ulicy? – zapytał zaciekawiony Jovan.

– Widzi pan, sama wiedza to nie wszystko. Trzeba jakoś zarabiać na chleb – oznajmił.

Rozmawiali jeszcze przez chwilę o polityce, ekonomii i muzyce. Kiedy zakończył ostatni etap czyszczenia, Jovan podał mu pięciodolarowy banknot.

– Proszę – Afroamerykanin wyciągnął dłoń, wydając mu resztę.

– Proszę zatrzymać dla siebie – powiedział Jovan, wstając z krzesła.

– Dziękuję – pomachał mu na pożegnanie.

Jovan unikał słońca, wychodził tylko wieczorami. Zdecydowanie preferował nocny tryb życia, kiedy koło francuskiej ruletki zaczyna obracać się, tworząc napięcie wokół zgromadzonych przy stole graczy. Ktoś cicho zapukał. Zawsze leży w łóżku, kiedy kelner przychodzi z kolacją. Zjadł bez namysłu, zmieniając kanały telewizyjne. W końcu wstał, owijając się w szlafrok i wziął długi prysznic. Założył białą koszulę i jeansy, a do kieszeni wcisnął plik dolarów.

Kasyno Bellagio tętniło nocnym życiem. Gwar klientów zagłuszała *lounge music*.

Przy barze zauważył znajomą postać. Niewątpliwie była to dziewczyna, którą spotkał tego dnia w sklepie. Zawahał się przez moment, jednak teraz już nie mógł się wycofać, ponieważ patrzyła prosto na niego. Poprosił barmana o piwo.

Dziewczyna siedziała na drugim końcu baru, spoglądając na niego z błyskiem w oku. Miała na sobie ciemnogranatową krótką sukienkę z długim rękawem, która mieniła się w świetle, zasłaniając zaledwie pośladki. Strój opinał jej jędrne ciało. Na stopach miała te same srebrne wysokie sandały zapinane wokół kostek wyłożone kamyczkami. Zaczesała włosy na bok, układały się w zalotny lok, przysłaniając połowę jej twarzy. Kiedy kosmyki opadały na jej oczy, odgarniała je dłonią, jakby głaszcząc sama siebie, rozchylając usta i patrząc wymownie w jego stronę. Założyła nogę na nogę.

Jovan rozejrzał się wokół, spijając pianę z piwa. „To dziwne, że wokół tak pięknej dziewczyny nie kręci się żaden mężczyzna" – pomyślał. Teraz patrzył już w stronę francuskiej ruletki, lecz czuł na sobie wzrok blondynki, który powodował, że nie potrafił się skoncentrować. Ktoś dotknął dłonią jego ramienia.

– Czy mogę dołączyć? – dziewczyna stała tuż koło niego.

W powietrzu unosił się zapach jej ciężkich perfum.

– Czym sobie zasłużyłem na zaproszenie od tak pięknej kobiety? – palnął.

– Trudno nie zauważyć w tym tłumie tak przystojnego mężczyzny, nie mogłam się oprzeć.

– Schlebiasz mi. Jak masz na imię? – zapytał.

– Mam na imię Nina – odparła.

– Jovan. Miło mi – odwzajemnił jej uśmiech.

Nina nie odrywała od niego wzroku. Pewna siebie stała bardzo blisko Jovana.

– Czy mogę zaprosić cię na drinka? – zapytał.

– Wolałabym wypić go u ciebie w pokoju – kokietowała, patrząc na niego z seksownym błyskiem w oczach.

– Zamówię więc szampana do pokoju. Chodźmy – odparł bez namysłu, niepewny swojej decyzji.

Wsiedli do windy. Nie było w niej nikogo. Nina zarzuciła mu ręce na ramiona, ocierając się piersiami o jego tors, zamknęła oczy i zaczęła namiętnie całować. Położył dłonie na jej talii i zaczął zataczać łuki, schodząc stopniowo niżej, badając jej pośladki.

– Nie mogę – szepnął, delikatnie odpychając dziewczynę, czując ciepło w spodniach.

– Możesz – szepnęła mu do ucha, przywierając do niego policzkiem.

– Mam dziewczynę – odpowiedział nerwowo.

– I co z tego, że masz. Wiem, ale ona nic nie musi wiedzieć – uspokoiła, chwytając go za rękę, kiedy wysiedli z windy.

Kiedy przeciągał kartę w drzwiach pokoju, spojrzała wymownie w kierunku kamery znajdującej się na korytarzu.

– Czy wszystko w porządku? – zapytał Jovan.

– No pewnie, kochanie – pogładziła go po plecach.

– Masz ochotę na szampana? Kelner zaraz dostarczy – zapytał, zamykając za sobą drzwi.

– Mam ochotę na ciebie – powiedziała, rzucając torebkę na łóżko.

Podeszła do Jovana tanecznym krokiem, kołysząc biodrami. Wtopiła w niego swoje wilgotne usta, najpierw pieszcząc go delikatnie językiem. Jovan poddał się grze dziewczyny. Teraz odwróciła się do niego plecami, tak że przylegał do niej swoim ciałem. Położyła jego niepewne dłonie na swoich piersiach i zachęciła do tego, żeby jej dotykał. Tylko rękoma gładziła uda, stopniowo zbliżając się do celu. Wpasował się w jej rytmiczny taniec. Na dole znowu poczuł ciepło, kiedy podrażniała go, ocierając się pośladkami. Nie mógł wytrzymać już tego szaleństwa. Zsunął spodnie i podciągnął do góry jej kusą sukienkę. Zobaczył czarne stringi, które przymierzała rano w sklepie. Wsunął pod nie dłoń i zaczął gładzić jej zakamarki. Dziewczyna jęknęła.

Jego wilgotna ręka posuwała się coraz dalej. W końcu gotowy wszedł w rozpaloną dziewczynę, poruszając biodrami. Jęczała coraz mocniej, gładząc się po piersiach. Odsunęła się gwałtownie, patrząc na niego przymrużonymi oczami, z których bił seksowny blask. Popchnęła go delikatnie w stronę łóżka. Uklękła przed nim, pieszcząc ustami miejsce, które dawało jej rozkosz. Zatrzymał ją w biegu, czując, że nie dotrwa do końca. Uśmiechnęła się. Wstała. Oddaliła o kilka kroków. Teraz już leżał na łóżku, przyglądając się, jak powoli ściąga z siebie sukienkę. Miała piękne, zadbane ciało. Czekał na nią gotowy po to, żeby za chwilę usiadła na nim i poprowadziła do drzwi raju. Kierowali się tam razem, płynąc coraz szybciej, a ich pulsujące ciała zgrały się w rytmicznym biegu.

Obrócił ją gwałtownie. Czasem jeszcze widział pośladki Anny, ale to jednak była Nina. Był zły, ale zbyt mocno podniecony. Złapał ją za włosy i patrząc na jej pośladki, które z rozkoszą przyjęły zmianę pozycji, nie panował nad sobą. Był na tyle silny i podniecony, że dziewczyna zaczęła wydobywać z siebie głośne dźwięki, opierając na zagłówku łóżka jedną rękę. Kiedy dotarł do bram, za którymi znajdowało się źródło stanu niekończącego się uniesienia, ona dołączyła do niego. Jeszcze przez moment pochłaniali piękno tego miejsca, po czym opadli zmęczeni.

Kiedy wrócił spod prysznica, dziewczyna już spała. Popatrzył na nią przez moment zadowolony i spokojny, po czym zasnął. Nina opuściła pokój wcześnie rano. Jovan zamówił dla niej taksówkę. Spojrzał na porozrzucane na dywanie ubrania, próbując odtworzyć w pamięci wydarzenia ostatniej nocy. Niewątpliwie miał ochotę na więcej. Seks z przypadkowo poznaną blondynką był dla niego niesamowitym doznaniem. Dzięki niemu zrzucił ciężar minionych wydarzeń, poczuł się znowu przystojnym mężczyzną. Nina pozwoliła mu na moment zapomnieć o kłopotach.

Z drugiej strony niepokoił go fakt, że w jego życiu znowu pojawiła się kobieta. Miał już tego rodzaju doświadczenia i wiedział, że przez to wiele może stracić, grając w kasynie. Zamiast myśleć o liczbach, będzie się oddawał rozmyślaniom o kobietach, a niezaspokojenie seksualne spowoduje, że nie będzie mógł skupić się na grze.

Rozdział 30

Dochodziło południe. Jovan nie miał ochoty wstawać z łóżka. Myślał o Ninie. Zastanawiał się, jak wybrnąć z sytuacji. Wkrótce miała pojawić się tutaj Anna. Zostały zaledwie dwa dni do jej przylotu. Sam już nie wiedział, co do niej czuje. Na pewno nie była to wielka miłość. Połączyło ich dziecko. W jego typie zdecydowanie były blondynki. Poza tym nigdy nie myślał poważnie o związku z jedną kobietą. Przypadkowe dziewczyny z kasyna były idealnym rozwiązaniem. Kiedy któraś sugerowała coś więcej, natychmiast uciekał. Od Anny nie mógł uciec. Zakochał się w Alanie bez pamięci. Ona też nie była mu obojętna, choć nie mógł jej dać tego, na czym najbardziej jej zależało – miłości.

Jovan nie wyszedł z hotelu. Nie potrzebował spacerów. Odpowiadały mu dni spędzane w pokoju, a wieczory w kasynie. Wziął długi prysznic. Ogolił się dokładnie. Obejrzał swój profil i zaczesał ręką włosy.

Zszedł do kasyna. Jeszcze nic dzisiaj nie jadł. Pomyślał, że najpierw obstawi kilka liczb, a potem pójdzie do restauracji. Kiedy zajął miejsce przy ruletce, zauważył mężczyznę siedzącego przy barze, który przyglądał mu się bacznie. Miał czarne włosy i ciemne oczy. Czarny t-shirt opinał jego muskularne ciało, a gruby złoty łańcuch okalał jego szyję.

Jovan zakończył grę, tracąc dwieście dolarów. Poczuł, że musi skorzystać z toalety. Pchnął drzwi, rozpiął spodnie. Kiedy wyszedł, żeby umyć ręce, muskularny mężczyzna pchnął go z taką siłą, że przewrócił się na podłogę. Następnie podniósł go, chwytając za koszulę, zacisnął pięść i uderzył w twarz. Jovan jęknął, zasłaniając twarz dłonią. Wiedział, że nie ma szans z przeciwnikiem.

– Chyba mnie z kimś pomyliłeś – jęknął.

– Chyba nie, skurwielu. Lubisz dymać cudze panienki? – syknął.

– Nie wiem, o co chodzi – powiedział Jovan, nie wstając z podłogi.

Czuł, jak boleśnie pulsuje mu policzek.

– O to! – Mężczyzna rzucił w niego płytą CD. – Obejrzyj to. Mógłbym cię zabić, ale wolę ubić z tobą interes – dał mu do zrozumienia.

– I nie próbuj sztuczek. Obserwujemy cię – dodał.

Mężczyzna wyszedł z toalety. Jovan natychmiast wstał, opierając się ręką o zlew. W lustrze zobaczył swoją spuchniętą twarz. Przemył ją zimną wodą. Schował płytę do kieszeni i w pośpiechu opuścił kasyno.

W pokoju wrzucił do odtwarzacza DVD. Zobaczył nagranie z windy. Nina całowała go, zarzucając mu ręce na szyję. Nie oponował. Na końcu nagrania wchodzą do pokoju hotelowego.

– Z menedżerem hotelu – powiedział Jovan do słuchawki telefonu, przykładając lód do policzka.

– Słucham? – zapytał.

– Husajn? Mówi Jovan. Mam do ciebie pilną sprawę. Czy możemy się spotkać? – zapytał.

– Możemy zjeść kolację 9:30 w Olives. Mam przerwę – oznajmił Husajn.

– Świetnie, jeszcze nic dzisiaj nie jadłem – odpowiedział Jovan.

Zmienił pogniecioną koszulę, po czym zjechał windą na dół, rozglądając się nerwowo na boki. Zamówił szklankę wody i popijał ją, siedząc przy pustym stole w oczekiwaniu na kolegę. Husajn w końcu pojawił się.

– O mój Boże, Jovan! A co ci się stało? – zapytał. – Zderzyłeś się czołowo z lokomotywą?

– Zaatakował mnie jakiś facet w toalecie kasyna – powiedział.

– Czy pamiętasz, jak wyglądał?

– Tak, wysoki, czarny, muskularny – opisał Jovan.

– Jeśli chcesz, sprawdzę zapis z kamery. Możesz zgłosić to na policję – powiedział Husajn.

– Dziękuję. Właśnie o tym chciałem z tobą porozmawiać. Kto zajmuje się tutaj monitoringiem? Skąd mają nagranie z windy? Nie wiem, o co w tym chodzi. Wczoraj poznałem w kasynie piękną dziewczynę. Nie potrafiłem jej odmówić. Uległem. Wylądowaliśmy u mnie w pokoju – wyjaśnił. – Dzisiaj napada na mnie ten facet i daje mi płytę z nagraniem z windy, kiedy Nina się ze mną całuje.

– Powiedziałeś Nina?! – zapytał Husajn.

– Tak – rzekł.

– Blondynka? Opalona?

– Dokładnie – przytaknął.

– Stary! W co ty się wkopałeś! Nie zdajesz sobie sprawy z tego, kto to jest – pokiwał głową Husajn, niespokojnie wiercąc się na krześle.

– Czy mogę przyjąć zamówienie? – zapytała kelnerka.

– Niech pani coś wybierze, obojętnie. Może być chińszczyzna. Dwa razy – powiedział Husajn.

– Kim ona jest? – zapytał Jovan.

– To dziewczyna Joego – powiedział cicho Husajn.

– Kim jest Joe?

– To szef tutejszej mafii. Nina jest jego dziewczyną – rzekł.

– O kurwa! – powiedział Jovan.

– Nooo – przytaknął Husajn. – Z tą policją to lepiej zapomnij – dodał.

– To co ja mogę teraz zrobić? Joe powiedział, że jeszcze się spotkamy, żebym najpierw obejrzał płytę.

– No i pewnie się spotkacie. Nie wiem, stary, co mogę ci doradzić. Lepiej stąd uciekaj. Tylko problem w tym, że oni wszędzie cię znajdą. Joe ma swoich ludzi rozsianych po całym Las Vegas – powiedział Husajn.

– Najgorsze jest to, że za kilka dni będzie tutaj moja dziewczyna z Polski. Teraz wszystko się skomplikowało – zakrył twarz dłońmi.

– Naprawdę nie wiem, co mogę dla ciebie zrobić, Jovan. Mógłbym zgłosić to do dyrektora kasyna, ale on stara się żyć dobrze z mafią. Dopóki za mocno nie rozrabiają, jest OK. A jak narozrabiają, to rekompensują to pieniędzmi – mówił dalej. – Uważaj na siebie, Jovan. W razie kłopotów zawsze jestem pod ręką. Spróbuj się z nimi jakoś dogadać, a potem uciekaj stąd. Najlepiej zrobisz, jak opuścisz Las Vegas – dodał.

– Dzięki, Husajn. Dowiem się, czego ode mnie chcą – powiedział załamany.

– Domyślam się, że chcą wymierzyć ci karę za to, że przespałeś się z jego dziewczyną. Szczerze dziwię się, że jeszcze cię nie zabił. Chodzi tutaj jednak o coś więcej... tylko ciekawe, o co... – powiedział Husajn, wracając do swoich obowiązków.

Jovan nie mógł uwierzyć w intencje Niny. Dopił herbatę i skierował się do pokoju hotelowego. Do późnych godzin nocnych myślał o całym zdarzeniu. Nawet nie domyślał się, że wysyłając list do Anny, podpisał na siebie wyrok śmierci, a macki Petera sięgają aż tutaj. Nina zaś nie była tak naprawdę żadną dziewczyną szefa tutejszej mafii, lecz jedną z ekskluzywnych dziwek w jego stajni.

Jovan postanowił działać. Dość miał już uciekania, miał przecież syna i kobietę, która tak naprawdę go kochała. Ponownie zadzwonił do Husajna i poprosił o spotkanie. Jak się spodziewał, jego przyjaciel, dyrektor kasyna, i tym razem nie odmówił. Husajn zjawił się prawie od razu z butelką w jego pokoju. Długo rozmawiali.

Jovan opowiedział mu, jak poznał się z Anną, o tym, jak wiele znosiła z miłości do niego, że była przy nim nawet wtedy, kiedy tak naprawdę był spłukany i był nikim, zarabiając na jedzenie dla siebie i dla niego, pracując jako kelnerka, aż stanął znowu na nogi. Opowiedział o swoim uprowadzeniu, i próbie morderstwa i uwolnieniu, aż znalazł się tutaj i że noc z dziewczyną wcale nie była planowana, a nawet niewiele z niej pamięta i jej przebieg odtworzył dopiero rano po rozrzuconych rzeczach. Husajn w milczeniu wysłuchał tej opowieści. Jovan nie wiedział, że Husajn jako dyrektor kasyna prywatnie przyjaźni się z szefem mafii i nieraz wyciągał chłopców z tarapatów. Poza tym z szefem mafii łączyło go jeszcze jedno zamiłowanie: do koni i kobiet, i nieraz pomagał szefowi uzupełniać jego obydwie stajnie (o szybkie konie i piękne kobiety albo odwrotnie).

Husajn jednak nie chciał wprowadzać Jovana w te znajomości. Odpowiedział jedynie, że zobaczy, co da się zrobić. Po powrocie zadzwonił do swojego znajomego i poprosił o spotkanie. Przez kilka dni nic znaczącego się nie działo. Jovan wieczorami bywał w kasynie, poznawał uroki miasta, zawsze jednak czuł dziwny niepokój, kiedy przebywał poza pokojem.

Kolejnego poranka obudził go ogromny kac i pukanie do drzwi. Zastanawiał się, kto ma do niego interes o tej porze. Przez chwilę nawet pomyślał, że to Anna zrobiła mu niespodziankę i przyleciała. Wracały też powoli, choć z trudem, zmysły – wzrok, słuch i równowaga. Kiedy otworzył drzwi, do pokoju weszła Nina w towarzystwie kilku osiłków o wyglądzie i postawie wielkiej lokomotywy. Jednego już zdążył poznać osobiście w toalecie, a raczej siłę jego pięści. Uwagę Jovana zwrócił jednak drugi, który zdecydowanie wyróżniał się bogactwem i zachowaniem. Oprzytomniał natychmiast i odruchowo cofnął się do pokoju. Uspokoił się dopiero, kiedy w drzwiach pojawił się Husajn. Pierwszy odezwał się właśnie ten, który wyróżniał się ubiorem i zachowaniem. Powiedział, że to on jest tu szefem i do kiedy Husajn nie poprosił go o spotkanie i o wszystkim nie powiedział, to oni mieli na Jovana zlecenie od niego – pokazał znacząco na towarzyszących mu osiłków.

– Nie martw się – powiedział.

– Tak się składa, że lubimy wiedzieć więcej o naszych gościach... Wiemy, co było dalej w pokoju, mamy tutaj kamery. Przydają się czasami jako dodatkowe źródło dochodu, jeśli trafi się nadziany klient. Swoją drogą, muszę przyznać, że zaimponowałeś mi swoją techniką dosiadania dziewczyny, a i Nina też przyznała, że w swojej karierze wreszcie trafiła na mistrza... Powiem, że byłem na ciebie wściekły właśnie za te słowa i dlatego kazałem ciebie troszeczkę potarmosić. Joego już poznałeś w toalecie, no, może bardziej siłę jego argumentów.

Jovan słuchał z niedowierzaniem.

– Kiedy Husajn zadzwonił do mnie i poprosił o spotkanie w twojej sprawie, na początku nawet nie chciałem o niczym słyszeć. No wiesz, to porównanie Niny... a poza tym zlecenie na ciebie. Husajn jednak nie dawał za wygraną i opowiedział też o twojej przygodzie z Peterem i o tym, jak próbował cie sprzątnąć, żeby posiąść twoją dziewczynę i wasze dziecko. Wiesz, u nas dziecko to świętość, a poza tym Peter to wyjątkowy skurwysyn i już kilka razy nas nabrał. Dlatego mamy okazję odpłacić się mu za te jego numery.

Jovan był zdziwiony, że nie chciano go zlikwidować tak, jak to się robi zazwyczaj, kulka w łeb, ale żeby długo i boleśnie go dręczyć. Teraz zrozumiał, dlaczego. Poza tym ten z Europy potraktował szefa tutejszej organizacji z góry, jak chłopca na posyłki. I to też miało znaczenie.

– Kiedy więc Husajn o wszystkim opowiedział, postanowiliśmy ci pomóc, oczywiście niebezinteresownie.

– Dlatego musisz się natychmiast spakować, bo tu nie jesteś bezpieczny. Zwykle aby była pewność, daje się podwójne zlecenie na daną osobę, a my nie możemy zagwarantować, że tu nic ci się nie stanie. Przeniesiemy cię w inne miejsce, a i o swoją dziewczynę też się nie martw, nasi ludzie w Warszawie już dbają, żeby ani jej, ani twojemu synowi włos z głowy nie spadł. Pamiętaj jednak, że nie możesz się z nią kontaktować z Las Vegas, dlatego każdą korespondencję wyślemy z innej części kraju.

– Tu, w hotelu, nadal jednak będziesz zameldowany i będziesz się pojawiał w kasynie. Chcemy zwabić tutaj twojego ewentualnego zabójcę wysłanego przez

Petera. Mamy sygnały, że sam Peter też się tu wybiera i być może będzie chciał wykorzystać twoją ufającą mu dziewczynę do dotarcia do ciebie.

– Wiem, że wiele zawdzięczam Husajnowi – powiedział Jovan. – Ale wiem też, że nie ma nic za darmo. Czego oczekujecie w zamian?

– Będziemy mieli dla ciebie pewną propozycję, bo i ty możesz nam pomóc, ale najpierw załatwimy twoją sprawę, bo większy pożytek będziemy mieli z ciebie żywego. Zostawiam ci Ninę, od dziś oficjalnie jesteście tutaj parą, dlatego że chcemy zachować pozory, że sypiasz z dziewczyną szefa mafii i on cię za to kiedyś odstrzeli. A poza tym czas chyba wymienić ją na młodszy model… Wiesz, zostawiając ją sobie, zawsze będę miał w uszach to porównanie, a szkoda by cię było, bo zaczynam cię lubić... No, czas na nas, zbieraj się, zmieniasz lokal.

Obudził go telefon. Przez grube kotary zasłaniające okno hotelowego pokoju przebijały się pierwsze promienie słoneczne.

– Halo? – zapytał Jovan zaspanym głosem.

– Jak twoja gęba? – padło pytanie z drugiej strony telefonu. To był Joe.

– Kto po drugiej stronie? – zapytał zaspany Jovan. – Aaa, to ty, Joe.

– Dla ciebie pan Joe. A teraz posłuchaj uważnie. Będziesz grał dla mnie. Słyszałem, że osiągasz niezłe wyniki. Każdego wieczora oddasz mi 70 procent wygranej.

W zamian za to ty i twoja polska dziewczyna jesteście tu pod moją ochroną i jesteście bezpieczni. W innym wypadku zajmiemy się twoją dziewczyną i dzieciakiem. Lepiej, żebyś to dobrze zrozumiał i wygrywał. Zrozumiałeś?

– Tak – odpowiedział wystraszony Jovan i odłożył słuchawkę.

Przez cały dzień nie wychodził z łóżka. Śniadanie i lunch zamówił do pokoju. Nie chciał nikomu pokazywać się z opuchniętą twarzą. Gdy dochodziła godzina siódma, wybiegł do kasyna.

Grał codziennie, oddając Joemu każdego wieczora 70 procent wygranej.

Rozdział 31

Jak dobrze, że mama zdecydowała się przyjechać na kilka dni i zająć Alanem. Anna mogła dzięki temu pozałatwiać wiele spraw, które odkładała z dnia na dzień. No i wreszcie umówić się z Peterem.

Brak kontaktu z Jovanem i samotne wychowywanie dziecka były dla niej bardzo trudne. W nikim nie miała oparcia. Wydawało się jej, że Peter daje jej poczucie bezpieczeństwa, choć była zniesmaczona jego brakiem kultury osobistej i wulgarnym językiem. Z całą pewnością po spotkaniach z nim czuła się trochę lepiej. Nie wiedziała, co ma dalej zrobić ze swoim życiem. Szukała wyjścia, jednak nie miała pieniędzy i odwagi, żeby wyjechać do innego miasta czy kraju z małym dzieckiem. Małomiasteczkowe życie i rutyna też przygnębiały ją i odbierały motywację do działania.

Wieczorem poszli do baru na 26. piętrze restauracji hotelu Hilton.

– Jovan odezwał się do mnie.

– Jak to? – zapytał nerwowo, po czym uśmiechnął się sztucznie.

– Otrzymałam od niego list – powiedziała.

– No i?

– Pisze o tym, że nie może wyjaśnić mi, co się stało. Ale Peter! Ja nie wiem, gdzie on jest. Mam czekać na kolejny list? Nie mam pojęcia, co się dzieje. Wyjechał do Belgradu i od tej pory nie mogę się do niego dodzwonić – rzekła łamiącym się głosem.

– Pokaż mi kopertę – poprosił Peter.

Założył okulary i spojrzał na adres.

– To z Las Vegas – powiedział.

– Tyle to i ja wiem – odpowiedziała Anna. – Pomożesz mi go odnaleźć? – położyła dłoń na jego dłoni z prośbą w oczach.

Peter poczuł ukłucie zazdrości. Anna traktowała go bardziej jak przyjaciela, dobrego wujka niż potencjalnego partnera. Nie była jednak głupia. Wiedziała, że nie może pokazać mu, jak bardzo zależy jej na Jovanie. Sama już nie wiedziała, co czuje. Jovan nieraz zostawiał ją samą w trudnych sytuacjach i nigdy nie powiedział, że ją kocha. Peter był w niej zakochany, jednak nie mógł dać jej stabilizacji na co dzień.

– Chciałabym wiedzieć, co dzieje się z ojcem mojego dziecka. Alan powinien wiedzieć, co stało się z jego tatą – dodała już bardziej oficjalnie.

– No cóż... Chyba powinnaś szukać go w kasynach. Las Vegas z tego słynie.

– Czy mogę skorzystać z telefonu w pokoju hotelowym? – zapytała nagle.

– Możesz spróbować – odpowiedział, wyciągając z lodówki dwa piwa. – No i dolej sobie wina, o ósmej zamykają bar – powiedział.

– OK – odpowiedziała.

Peter nie chciał, żeby Anna odnalazła Jovana. Poza tym obietnica złożona nad zwłokami Carla była ważniejsza.

– Nie ma sensu, żebyś dzwoniła teraz do wszystkich hoteli w Las Vegas. Mój znajomy się tym zajmie. Zaraz do niego zadzwonię.

Godzinę później zadzwonił telefon.

– I co? Czy coś wiadomo? – Anna przysiadła na rogu łóżka, patrząc wyczekująco na rozłożonego przed telewizorem Petera.

– Mam adres. I co pani na to? Tutaj, proszę – wskazał miejsce na policzku, sugerując, żeby go pocałowała.

Cmoknęła go w locie, wyrywając kartkę z jego rąk.

– Mogę zadzwonić? – zapytała.

– Dzwoń – odrzekł.

– Hotel Bellagio. Czym mogę służyć? – usłyszała miły głos po drugiej stronie.

– Czy może mnie pani połączyć z pokojem 212? – zapytała podekscytowana Anna.

Tysiące myśli kłębiło jej się w głowie.

– Halo? – usłyszała zaspany głos Jovana.

– Jovan?

– Anna???!!! – zapytał z niedowierzaniem, zrywając się z łóżka.

– Jovan, co się stało? – zapytała ze smutkiem w głosie.

– Jak mnie znalazłaś??? – odparł zdumiony.

– Jakie to ma teraz znaczenie? Dlaczego nie mam od ciebie żadnych informacji od dwóch miesięcy?! – krzyknęła.

– Anno, miałem się z tobą kontaktować. To nie jest rozmowa na telefon. Wysłałem ci kartę Visa. Masz ją? – zapytał.

– Tak – odparła krótko, zaglądając przez ścianę, czy Peter nie podsłuchuje.

– Na tej karcie jest 5000 dolarów. Kup bilet do Las Vegas. Wiesz, gdzie mieszkam. Przyleć do mnie. Wyjaśnię ci wszystko na miejscu – powiedział.

– Ale... dlaczego nie możesz powiedzieć mi teraz? – dociekała.

– Nie mogę. Zrób tak, jak ci powiedziałem. Daj mi tylko znać, kiedy przylecisz. Wyjadę po ciebie. A jak Alan? Czy wszystko dobrze? – zapytał smutno, myśląc o synu.

– A jak myślisz? Dziecko nie widziało ojca ponad cztery miesiące. Tęskni za tobą – odparła.

– Ja też za nim tęsknię – powiedział.

– Kupię bilet i dam znać – potwierdziła.

– Kiedy możesz przylecieć? – zapytał.

– Nie wiem... Nic już nie wiem... Postaram się najszybciej, jak to będzie możliwe – odpowiedziała.

– Do zobaczenia.

Anna się rozłączyła.

Zawsze przedkładała dobro dziecka nad swoje szczęście. Myślała nawet o tym, żeby nadal budować życie z Jovanem, nie zważając na to, że sypiają osobno, że jej nie obejmuje, nie chwyta za rękę, nigdy nie całuje i krytykuje wszystko, co ona robi. Czasem było jej przykro, kiedy składał na dobranoc pocałunek na czole syna, a ją omijał szerokim łukiem. Nie wiedziała, czy aż tak potrafi poświęcić się dla syna, żeby dać mu pełną rodzinę w zamian za życie bez miłości. Kiedy Alan pytał o tatę, pękało jej serce. Wtedy chciała spróbować raz jeszcze życia z Jovanem. Kiedy jednak odwiedzał ich i po dwóch tygodniach znowu na nią narzekał, dochodziła do wniosku, że lepiej być samą z Alanem, ponieważ dziecko i tak wkrótce wszystko zauważy. Anna kochała Jovana. Nie była typem osoby, która szuka wrażeń na chwilę. Tutaj było dziecko, a rodzina była dla niej najważniejsza. Jednak miała nadzieję, że może spotka jeszcze kogoś, kto odwzajemni jej uczucia, a wówczas życie nabierze kolorów. Chciała zakochać się po raz ostatni.

Peter spojrzał na nią znad okularów i odłożył gazetę.

– No i? – zapytał z nutą ciekawości w głosie.

– Żyje. Zaproponował, żebym do niego przyleciała – oznajmiła.

– No proszę, widać mu się powodzi – powiedział sarkastycznie.

– Nie wiem, Peter, już nic nie wiem – w głębi duszy cieszyła się, że niebawem padnie w ramiona Jovana. Nie chciała okazywać radości przy Peterze.

– Jesteś inteligentna, ale ja jestem bardziej inteligentny. Widzę, jak się cieszysz – powiedział.

Milczała zaskoczona słowami Petera. Peter zamówił dla niej taksówkę. Kiedy zamknęła za sobą drzwi, chwycił za telefon.

– Joe? Wiem, że u was jest środek nocy, ale mam dla ciebie zlecenie. Chodzi o pewnego Serba, który zatrzymał się w hotelu Bellagio... Znajdźcie go – odłożył telefon w głębokim zamyśleniu.

Anna siedziała w taksówce. Przyglądała się swoim dłoniom, zastanawiając się, czy lakier do paznokci, który wczoraj poleciła jej kosmetyczka, nie jest zbyt krzykliwy. Intensywne odcienie paznokci dodawały jej pewności siebie. Zawsze starała się dobrze wyglądać dla Jovana. Spojrzała przez szybę i zobaczyła samolot, który podchodził do lądowania.

– Za dziesięć minut będziemy na miejscu – oznajmił kierowca.

– Dziękuję – odpowiedziała i jeszcze raz spojrzała w niebo. „Za chwilę będę tam wysoko ponad chmurami, a potem wpadnę w objęcia ukochanego" – rozmarzyła się podekscytowana.

W tym momencie znowu pomyślała o Peterze i zrobiło jej się dziwnie żal. „Co jest?" – próbowała odgonić myśli. „Peter, do diabła. Wiem, przyzwyczaiłeś mnie. Dziesięć lat to szmat czasu, ale nie mogę tak dalej funkcjonować. Życie z tobą to skazanie siebie na samotność. Potrzebuję rodziny, stabilizacji" – myśli wracały do niej jak bumerang.

Szczerze zatęskniła za Peterem. Nie wyobrażała sobie, że mogłoby zabraknąć go w jej życiu. Obojętnie, na jakich zasadach, wolała, żeby był. Peter lubił jednak znikać, żeby potem objawić się w pełni, tak jakby nic się nie stało.

Taksówkarz zaparkował tuż przed wejściem na lotnisko. Do odlotu pozostały jeszcze dwie godziny. Wolała być przed czasem. Oddała bagaż do odprawy i poszła do saloniku z prasą. Poczuła, że w torebce zaczął wibrować jej telefon. To mama – Anna spojrzała na monitor.

– Halo?

– Słuchaj, jest tutaj jakiś pan, mówi, że chcą zabrać ci dziecko do opieki społecznej – powiedziała zdenerwowana matka.

– Jak to?!!!

– Ktoś doniósł, że nie zajmujesz się dzieckiem, tylko latasz po świecie – dodała matka.

Anna poczuła, jak drętwieją jej nogi. Alan był dla niej całym światem. Bezwzględnie była bardzo dobrą matką dla swojego dziecka.

– Co to za facet? Z opieki społecznej? – zapytała w szoku.

– Mówi, że jest twoim przyjacielem i trzeba szybko działać, bo lada moment mogą się tu zjawić z opieki społecznej z policją i wtedy już nic nie da się zrobić.

– Wiem, że Anna jest na lotnisku. Proszę spakować rzeczy małego i paszport – usłyszała w tle głos mężczyzny.

– Zresztą dam ci tego pana do telefonu i sam to powie – Anna usłyszała, jak matka przekazuje słuchawkę.

– Pani Anno, nie czas teraz na wyjaśnienia. Proszę nie pytać, skąd wiem. Pozwoli pani, że wyjaśnię wszystko później. Mogę powiedzieć tylko tyle, że ktoś chce panią dopaść, zabierając Alana do domu dziecka. Mam dosłownie kilka minut, żeby zabrać chłopaka, kilka rzeczy i paszport – wyjaśnił.

– Nie znam pana! Zjawia się pan nagle w moim domu i chce zabrać dziecko. Jak mogłabym oddać Alana obcemu człowiekowi? Proszę się logicznie zastanowić – ucięła.

– Zna mnie pani, ale nie czas teraz na wyjaśnienia. Proszę uwierzyć w moje dobre intencje. Gwarantuję pani, że dostarczę dziecko na lotnisko. Potem musi poradzić sobie pani już sama. A teraz naprawdę ważna jest szybka decyzja. Czas działa na waszą niekorzyść.

– Dobrze. Niech pan weźmie Alana i paszport. Ubrania kupię. Proszę wziąć taksówkę i jak najszybciej przywieźć go do mnie. O mandaty nie musi się pan martwić, w razie czego pokryję wszelkie koszty.

– Pani Anno, jestem tu swoim samochodem, zresztą nie ma teraz czasu, żeby szukać taksówki.

– Mam nadzieję, że podjęłam słuszną decyzję – dodała wzburzona.

– Z całą pewnością – uspokoił ją.

– Proszę jak najszybciej przywieźć go do mnie – powtórzyła Anna. I w takim razie czekam i dziękuję. Poproszę jeszcze mamę do telefonu.

Mężczyzna przekazał słuchawkę.

– Daj panu paszport i niech jak najszybciej znika z małym z domu – oznajmiła.

– Jesteś pewna? Znasz tego pana? O co w tym wszystkim chodzi? – Anna słyszała, że matka jest zdenerwowana.

– Wyjaśnię wszystko później. Zrób, co mówię. Może to dobrze, że Jovan zobaczy syna?

Kiedy się rozłączyła, zaczęła nerwowo rozglądać się po lotnisku, myśląc, co powinna zrobić. W końcu złapała oddech i podeszła do przedstawiciela linii lotniczych. Mężczyzna siedział za biurkiem, patrząc w monitor komputera.

– Proszę usiąść. Jakiś problem? – wskazał na miejsce za biurkiem.

– Proszę pana, czy mogę liczyć na pana pomoc? Przed chwilą dowiedziałam się, że chcą bezpodstawnie zabrać mi dziecko. Znajomy dowiezie je za moment na lotnisko. Nie mam biletu dla małego. Czy są jeszcze wolne miejsca na ten lot? – podała mu swój bilet.

Przedstawiciel popatrzył na nią uważnie. Widział, że kobieta jest zdesperowana i że musiało stać się coś wyjątkowego.

– Dobrze, zaraz to sprawdzę.

Anna była silnie zestresowana sytuacją, że jej dziecko jedzie z obcym mężczyzną i mogą nie odnaleźć się na lotnisku. Nie mogła tak spokojnie siedzieć. Poprosiła więc przedstawiciela linii lotniczych, żeby sprawdził bilety, a ona wróci tu za moment. Poszuka w tym czasie dziecka.

Wyszła z pomieszczenia i zdenerwowana przyglądała się ludziom na terenie hali, szukając wśród nich swojego syna. Przypomniała sobie jednak, że pracuje tu jej znajomy.

Zaniepokojona usiłowała znaleźć w telefonie jego numer.

– Jest! – odetchnęła z ulgą, łącząc się z numerem kolegi.

– Darek? Mówi Anna. Jestem na hali odlotów. Jesteś w pracy?

– Cześć, tak, jestem. Miło cię słyszeć.

– Potrzebuję twojej pomocy. Mam wielki problem.

– Dobrze, zaraz będę u ciebie.

Pojawił się po pięciu minutach.

– Darku, chcą mi zabrać dziecko. Znajomy jedzie z nim teraz na lotnisko, bo udało się je w ostatniej chwili zabrać z domu. Syn musi polecieć ze mną. Pomóż – spojrzała na niego błagalnym wzrokiem.

Mężczyzna spoglądał na nią nieco zdezorientowany. Znał jednak Annę na tyle, że wiedział, iż naprawdę musiało stać się coś niedobrego.

– Dobrze, daj mi bilet.

Wziął bilet i zniknął w biurze przedstawiciela. Po dłuższej chwili wyszedł rozpromieniony.

– Udało się, musisz tylko zrobić dopłatę dla siebie i dziecka do biznes klasy.

Wejdź do przedstawiciela, zrób natychmiast dopłatę. Bilety już się drukują.

– Masz pieniądze?

– Mam.

– To działaj szybko i biegnij sprawdzić, czy mały dojechał na lotnisko.

Po chwili wyszła rozpromieniona z biletami w ręce. Rzuciła się Darkowi na szyję.

– Dareczku, jesteś cudowny, nawet nie masz pojęcia, jak bardzo mi pomogłeś.

– Dobra, poradzisz już sobie teraz sama? Ja muszę wracać do pracy, ale po twoim powrocie wypijemy razem kawę, OK?

Przytaknęła.

Anna zaczęła ponownie rozglądać się po hali odlotów. Właśnie usłyszała pierwszy komunikat, że pasażerowie jej lotu proszeni są do odprawy. Podeszła do stanowiska odprawy i powiedziała, że czeka na dziecko, które zaraz tu będzie, i czy nie będzie to wielkim kłopotem, jeżeli wstrzyma czynności do czasu jego przyjazdu.

– Dobrze, proszę pani, odprawa trochę potrwa, jak pani widzi, jest wielu pasażerów. W razie czego spróbujemy coś poradzić.

– Mamo! – usłyszała za sobą znajomy głos synka.

Odwróciła głowę i zobaczyła Alana w towarzystwie nieznajomego mężczyzny. Popatrzyła na jego twarz, gdzieś już ją widziała, tylko nie mogła sobie przypomnieć, gdzie. Zaintrygowała ją jednak w szczególności duża łza wytatuowana na policzku. W tym samym czasie małemu otworzyła się torba i rzeczy wysypały się na podłogę. Pozbierała je szybko i kiedy podniosła głowę, chcąc podziękować nieznajomemu, zobaczyła, że już odszedł. – Dziękuję – powiedziała sama do siebie.

Kiedy Anna kończyła pakowanie rzeczy Alana, zauważyła, że obok niej stoi ten sam mężczyzna, który stał za biurkiem w przedstawicielstwie linii lotniczych.

– Tutaj pani jest. Pani Anno, szukam was po całej hali. Czekamy.

– Jak to czekamy? Przecież mam zaraz odprawę. Czy coś jest nie w porządku? – zapytała Anna nieco przestraszona.

– Nie – uśmiechnął się, rozbawiony jej przerażeniem. – Wszystko w jak najlepszym porządku, tylko leci pani z synem w klasie biznes, a tam są troszkę inne, prostsze, procedury. Zresztą pani znajomy poprosił mnie, żebym wami się zaopiekował.

Mężczyzna pomógł Annie we wszystkich procedurach i z Alanem została odwieziona autem przedstawicielstwa do samolotu.

Alan dostał miejsce przy oknie i praktycznie przez cały lot siedział z nosem przylepionym do okna jak zaczarowany. Poza jednym momentem, kiedy narobił troszkę zamieszania, bo koniecznie chciał dostać się do pana pilota, co zresztą dzięki jednej ze stewardess w końcu mu się udało i wrócił ubrany w czapkę pilota.

I już do końca lotu, dumny jak paw, gapił się w okno bez słowa.

Anna nie poznawała tego wiecznie rozbrykanego dzieciaka, którego wszędzie było zawsze pełno.

– Żebyś tylko nie został pilotem – powiedziała półgłosem do niego, a raczej bardziej do siebie, bo on wcale nie dostrzegał, że ona istnieje.

Nie zauważyła, że za nią stoi jedna ze stewardess.

– Nigdy nie wiadomo, proszę pani – usłyszała jej głos. – Życie pisze nam tak czasami nieprawdopodobne scenariusze, że nic nie jesteśmy w stanie przewidzieć.

– To prawda – odpowiedziała Anna. – Nawet nie wie pani, jak bardzo się pani nie myli.

Stewardessa uśmiechnęła się do Anny i odeszła. Podczas długiego lotu do Las Vegas myślała o latach spędzonych w psychicznym więzieniu z Peterem oraz związku z Jovanem... Próbowała oszukać samą siebie. Trzy lata sama zajmowała się dzieckiem, a teraz on wszedł do jej życia, jakby nigdy nic. Przywykła do tego, że sama o sobie decyduje.

Jovan nigdy nie rozumiał jej artystycznych aspiracji. Zdała sobie sprawę, jak ważne w życiu jest odnaleźć kogoś, kto ją zrozumie. Miłość uznała za rzecz ulotną, która z biegiem czasu przyjmuje inną postać. Jednak zrozumienie było dla niej fundamentem, na którym można budować konstrukcję życia. „Czy ludzie po przejściach szukają jeszcze miłości, szczęścia? – myślała. – Z pewnością tak, ale jednak najbardziej zależy im chyba na tym, żeby odnaleźć bratnią duszę, która zrozumie, kim są i dlaczego postępują tak, a nie inaczej".

– Dlaczego chcesz wydać książkę? Po co ci te bzdury? – pytał Jovan.

– Nie rozumiem, po co nagrywasz te swoje piosenki w studio – często jej wypominał.

Nie czuła w nim oparcia. Wrócił do jej życia, a ona nie była na to gotowa. Stała się obojętna. Zostały tylko pozory udanego związku. „Czuję coś do niego czy nie?" – pytała samą siebie, patrząc przez okno samolotu. Wydawało się jej dziwne, że nie jest w stanie odpowiedzieć. Wiedziała przecież, że Peter czekał na nią w hotelu Hilton. Teraz nie mogła pojechać. Nie była sama. Z drugiej strony przez cały weekend nie mogła uspokoić emocji, jakie nią targały. Wiedziała, że Peter czeka, spokojnie siedząc z założonymi rękami w fotelu. Tak bardzo chciała z nim porozmawiać. Wydawało jej się, że tylko on ją rozumie. Kochała syna, ale czasem potrzebowała odskoczni, żeby być potem jeszcze lepszą matką. To normalne, że matki czasem są zmęczone – tłumaczyła sobie. „Co jest ze mną nie tak? Czyżbym kochała Petera? To niemożliwe – pomyślała. – Skoro nie, to dlaczego nie mogę normalnie funkcjonować, wiedząc, że on tam czeka?".

Przyzwyczaiła się do ich potajemnych spotkań. Dawały jej złudną nadzieję i optymistyczne spojrzenie w przyszłość. Peter potrafił do niej dotrzeć. Z drugiej strony widziała, jak nią manipuluje, i nienawidziła go za to. Była idealną ofiarą, zdesperowaną i szukającą pomocy. Nie wiedziała jednak do końca, w czyje ręce wpadła. Peter od lat był przyczyną jej nieudanych poczynań. Chciała od niego uciec.

„To przejdzie – myślała często. – Przetrzymam jeszcze dwa, trzy spotkania, a potem Peter pójdzie w zapomnienie".

Potem wróciła już myślami do chwil, kiedy Jovan odwiedzał ich co kilka miesięcy... Już nic nie było takie jak dawniej. Nawet kiedy była blisko niego, czuła się samotna. Tworzył wokół siebie mur. Jego chłód sprawiał, że bała się pierwsza wyciągnąć rękę. Kilka razy próbowała nawet przytulić się do niego, kiedy oglądał telewizję, jednak nigdy nie odwzajemnił jej gestu. Starała się odnaleźć odpowiedź, analizując sama, pytając go, a na końcu czytając fora.

– Nie potrafię cię przytulić i pocałować, ponieważ mnie irytujesz – mówił.

„No tak – myślała. – Skoro to tak wygląda, nie ma szans na związek".

– Może spotkam dziewczynę, którą będę lubił przytulać – powiedział kiedyś.

Anna brała poprawkę na to, co mówi Jovan, ponieważ wiedziała, że potrafi zmienić się z dnia na dzień. Z drugiej strony zaczęła poważnie traktować jego słowa, mając na uwadze swój wiek i przyszłość. Bardzo przeżyła operację mamy i szybko uświadomiła sobie, że poczucie bezpieczeństwa pod dachem rodziców kiedyś się skończy. „W końcu muszę podjąć jakieś decyzje w życiu dotyczące związku" – myślała.

Trudno było jej odciąć się od przeszłości. Zwłaszcza że łączyło ich dziecko.

– Kocham cię, mamo. Kocham cię, tato – mówił mały Alan, trzymając za ręce Annę i Jovana, kiedy spacerowali brzegiem morza podczas wakacji.

„Poświęcić się dla dziecka? Może mogłabym żyć z nim jak z kolegą?" – rozważała możliwe opcje. Jednak wiedziała, że na dłuższą metę nie wytrzyma. Była osobą, która potrzebowała dużo czułości, zwłaszcza po tym, co przeszła.

– Dobranoc – mówił Jovan, gdy nadchodził wieczór, i zamykał drzwi od pokoju gościnnego, który zajmował w mieszkaniu rodziców Anny.

– Dobranoc – oficjalnie odpowiadała z rozczarowaniem Anna.

„Chyba wciąż jeszcze jestem atrakcyjna. Niejeden mężczyzna marzy o seksie ze mną, o tym, żebym była z nim na co dzień. Jovan nie docenia tego, co ma" – myślała.

Często było jej przykro, że nie ułożyło się tak, jak to sobie wymarzyła, kiedy była jeszcze małą dziewczynką.

Kiedyś założę białą sukienkę, a na moje wesele przyjdzie tylu gości, ile jest ptaków na niebie – leżała na łące ze źdźbłem trawy w ustach, patrząc w chmury.

Tymczasem przeżywała jedno rozczarowanie po drugim. Mężczyźni, którzy chcieli z nią żyć, zakochani w niej, zwykle nie byli w jej typie. W wieku trzydziestu czterech lat doszła do wniosku, że chyba czas przestać wierzyć w miłość i pora kierować się rozsądkiem.

Jednak jej serce było zbuntowane i wybierało tak, by jej życie pogmatwało się jeszcze bardziej.

W głębi serca wciąż kochała Jovana. Była osobą tradycyjną i nie wyobrażała sobie, że dziecko mógłby wychowywać inny mężczyzna niż biologiczny ojciec. Jej szczęście było szczęściem dziecka. Popatrzyła na śpiącego obok Alana. Wyglądał niewinnie, był bardzo podobny do Jovana. Zamyśliła się nad spotkaniem z Jovanem, kiedy poczuła delikatne łaskotanie w czubek ucha.

– Alan przestań, proszę ciebie, przestań.

Otworzyła oczy i zobaczyła, że Alan śpi jak niemowę, a obok niej stoi jeden z pilotów, nieco zakłopotany.

– To pani syn? – zapytał.

– Tak, a coś może narozrabiał?

– Nie, wręcz fantastyczny chłopak – odpowiedział pilot. – Jak się obudzi, to, o ile zapamiętał, może pochwali się pani, że pilotował samolot.

– Czary-mary – odpowiedziała Anna, uśmiechając się nieco zalotnie do pilota. – Niech pan nie żartuje ze mnie.

– Nawet nie mam zamiaru, po prostu posadziłem go na kolanach i przez chwilę trzymał stery; oczywiście lecimy na autopilocie. Ale muszę już wracać, przyszedłem tylko powiedzieć, że może zachować na pamiątkę tę czapkę i na lotnisku nie będziecie mieli przez to żadnych problemów. Uprzedziłem, że na pokładzie jest taki mały przyszły pilot i że dostał ode mnie moją czapkę w prezencie. Może kiedyś zostanie pilotem? – powiedział.

– Może, ale mam nadzieję, że tak uroczym jak pan. Anna zorientowała się, że podrywa nieświadomie tego mężczyznę, bo on się jednak jej spodobał. I ten jego spokój i opanowanie. „Gdyby tak ojciec Alana był taki...” – rozmarzyła się.

Na lotnisku w Las Vegas czekał na nią Jovan. Nie wiedział, że razem z Anną przyleci jego syn. Chłopak na widok Jovana wyrwał się Annie i nie zważając na nic, minął jak pocisk punkt kontroli i z okrzykiem: TATAAA!!! rzucił się w ramiona Jovana. Obsługa lotniska nawet nie zdążyła zareagować. Anna nie wiedziała, czy paść mu w ramiona, czy przywitać się raczej oficjalnie, dopóki nie dowie się, co się wydarzyło. Uścisnęła go więc delikatnie, a on zabrał jej bagaż.

– Jak minął lot? – zapytał, kiedy wsiedli do taksówki.

– Dobrze. Miałam czas, żeby przemyśleć kilka spraw.

– I co wymyśliłaś? – zapytał.

– Nic szczególnego, takie tam osobiste rozważania.

– Na pewno jesteście głodni, zostawimy więc bagaż w pokoju hotelowym i pójdziemy na lunch – zaproponował.

– Najpierw chcielibyśmy się odświeżyć się po podróży – powiedziała, wchodząc już do pokoju hotelowego Jovana.

Jovan zmieniał bezmyślnie kanały telewizyjne w oczekiwaniu na Annę i Alana.

– Ładny hotel. Masz piękny widok z okna. Chciałabym zwiedzić Las Vegas – powiedziała, zakładając szpilki.

– Jutro pokażę wam centrum, a teraz już chodźmy. Zarezerwowałem stolik na piętnastą – powiedział, patrząc na zegarek.

Podczas lunchu Jovan głównie zajmował się Alanem, spełniając jego zachcianki.

Anna patrzyła na nich jak zaczarowana. Nabierała pewności, że bez względu na wszystko chciałaby, by byli prawdziwą rodziną.

Jovan wiedział, że w końcu będzie musiał opowiedzieć Annie o tym, co się wydarzyło. Usiadł naprzeciwko niej, zachowując bezpieczną odległość. Rozmawiali do zmroku. Anna opowiedziała mu o tym, co spotkało ją w Londynie. Jovan opowiedział o więzieniu w Belgradzie, o tym, jak Nina go uwiodła, problemach, jakie w związku z tym się pojawiły.

Anna była roztrzęsiona. Myślała, że tej nocy będą się kochać, ale po tym, co usłyszała, nie potrafiła nawet go dotknąć. Sama też, mimo że z Peterem praktycznie nie spała, to jednak nie do końca była w porządku wobec Jovana.

– Nie mogę uwierzyć, że za tym wszystkim stoi Peter. Jak mogłam mu ufać tyle lat? – powiedziała, kończąc rozmowę.

– Mówiłem ci, że on chce cię zniszczyć.

– To nie zmienia faktu, że nie powinieneś był przespać się z Niną!!!! – krzyknęła.

Odpowiedział milczeniem, które oznaczało potwierdzenie.

– I co my teraz zrobimy? – zapytała.

– Nie wiem. Muszę iść do kasyna. Czekają na mnie – opowiedział. – Jeśli chcesz, połóż się spać. Na pewno jesteś zmęczona po podróży – dodał.

– Po takiej historii nie zasnę przez dwa dni! Idę z tobą – powiedziała stanowczo. – Mały i tak na pewno nie obudzi się do rana, jest zmęczony po podróży.

Kiedy Joe zobaczył Jovana w towarzystwie pięknej Polki, zapomniał o Ninie. Anna przyćmiła ją subtelnością i nieprzeciętną urodą. Jovan obawiał się, jak zachowa się Nina. Ta jednak miała klasę i styl. Podeszła do nich i przywitała się oficjalnie z Jovanem i Anną.

– To ty jesteś Anna? Jestem Nina. Chciałabym z tobą porozmawiać na chwilę sam na sam, Anno. Zanim zaczniesz oceniać Jovana i mnie, powinnaś wiedzieć coś ważnego, a panowie w tym czasie zajmą się swoimi sprawami.

– Jak to Jovana i ciebie? Nic nie rozumiem – odparła zdziwiona Anna.

– Nie szkodzi, zaraz się wszystko wyjaśni – odparła Nina.

Pociągnęła osłupiałą Annę w stronę stolika i zamówiła drinki. – Widzisz, Anno, zapewne jako kobieta Jovana i matka jego dziecka czujesz do mnie złość i urazę, wiedz jednak, że Jovan nie jest niczemu winien. Ja zostałam wynajęta do tego, żeby go uwieść. Tak, dobrze słyszysz. Mój opiekun dostał zlecenie na zlikwidowanie Jovana, a ja miałam być przynętą. Jednak kiedy dowiedzieliśmy się, że zleceniodawcą jest jakiś Peter z Polski, okazało sie, że to ten sam człowiek, który wcześniej nie wywiązał się wobec nas z zobowiązań.

– To nie może być prawda! – na dźwięk imienia „Peter" Anna zesztywniała.

– Mylisz się, Anno. Wiemy, że Peter wykorzystał ciebie, żeby namierzyć Jovana. Jovan miał być zamordowany, jednak udało się mu uwolnić i uciec, niestety, musiał zlikwidować tego, który miał go porwać i otruć. W tym celu sam Peter przyleciał do Belgradu, ale Jovan pokrzyżował im plany i w ostatniej chwili zbiegł do Las Vegas. Jovan popełnił błąd, kontaktując się z tobą i mówiąc, gdzie jest. Udało nam się jednak spowodować, że Peter musiał natychmiast wracać do Polski.

Anna siedziała jak zamurowana.

– Postanowiliśmy więc chronić Jovana, a kiedy dostaliśmy od naszego człowieka w Warszawie informację, że lecisz tu razem z jego synem, również ciebie i waszego syna. Oczywiście, jak się zapewne domyślasz, w naszym świecie nie ma nic za darmo, a Jovan jest świetnym graczem. Warunkiem waszego bezpieczeństwa jest to, że wygrywa pieniądze dla mojego opiekuna. Wiemy, że nadal kontaktujesz się z Peterem, dlatego pod żadnym pozorem nie możesz dać poznać po sobie, że Jovana już nie ma w tamtym hotelu, dlatego parę razy w ciągu dnia będziesz się tam pojawiała, aby obsługa myślała, że nadal tam jesteście. Nie mamy pewności, czy Peter nie ma tam swojego człowieka, który go informuje. Nie wiemy też, czy nie zostawił tu kogoś, aby dokończył jego robotę. I dopóki nie będziemy tego pewni, jesteście pod naszą ochroną. Proszę, tylko nie rób nic bez uzgodnienia z nami.

Anna popatrzyła na Ninę inaczej. Podała jej rękę i hamując wzruszenie, powiedziała cicho:

– Dziękuję.

Obie panie wstały od stolika i Anna jeszcze raz podziękowała Ninie i objęła ją jak dobrą przyjaciółkę.

Jovan, który kątem oka obserwował stolik, przy którym siedziała Anna i Nina, zaniemówił, bo wszystkiego mógł się spodziewać, ale nie tego, że obydwie się tak zaprzyjaźnią. Oczywiście ta chwila nieuwagi kosztowała go przegraną w tej partii gry, całe szczęście, że stawka nie była wysoka. Ta noc w kasynie skończyła się dla Jovana wysoką wygraną.

Wiedział też, że tej nocy wygrał coś jeszcze oprócz pieniędzy. Odzyskał Annę.

Rozdział 32

Kolejny warszawski poranek, Anna jak co dzień krzątała się w pośpiechu, starając się zrobić jednocześnie kilka rzeczy.

– Alan, proszę cię, wstawaj! Znowu spóźnisz się do przedszkola – Anna próbowała dobudzić śpiącego w najlepsze chłopca. Spojrzała na zegarek. Było kwadrans po szóstej. Jeszcze raz spojrzała ciepło w stronę uroczego chłopca, który przeciągał się leniwie. „Biedne dziecko, ale cóż, takie życie" – pomyślała.

Za chwilę biegła już przez ulicę, trzymając Alana za rękę. Przedszkole znajdowało się na terenie osiedla, w którym wynajmowała skromną kawalerkę. Wyszła z przedszkola trochę zagubiona. Niebo przysłoniły ciemne chmury. Wiatr zaczął tańczyć, porywając uliczne śmieci. „Ile można żyć bez pracy?" – pomyślała. Powoli szła w stronę domu. Mijała wystawy sklepów, patrząc na swoje odbicie. Jej uwagę przyciągnął elegancki żakiet na wystawie. „Daj spokój, nie możesz. Masz dziecko. Nie stać cię teraz na takie wydatki" – powiedziała do siebie stanowczo w myślach. „Tylko przymierzę" – usłyszała swój wewnętrzny głos. Odwróciła wzrok. Nagle w oknie kawiarni zobaczyła dawno niewidzianą koleżankę ze studiów.

Spojrzenia dziewczyn spotkały się. Weszła do lokalu, odgarniając z twarzy mokre kosmyki włosów. Powiesiła płaszcz na wieszaku, który stał w kącie. Kawiarnia miała przedwojenny wystrój.

– Cześć, co za niespodzianka – twarz Ady rozpromieniła się.

– Faktycznie, po tylu latach miło cię zobaczyć. Mów, co u ciebie – Anna odsunęła krzesło.

– Wiesz, skończyłam studia, bogaty facet z układami. Pracuję w urzędzie. No dobra, ale co u ciebie?

– Oj, długo by opowiadać. Mam syna. Mieszkam sama – rzekła Anna.

– A ojciec dziecka? – zaciekawiła się Ada.

– Wiesz, to przeszłość, do której chyba już nie chcę wracać. Poza tym on jest obcokrajowcem.

– Poproszę latte – Anna posłała uśmiech kelnerowi, który podszedł, żeby przyjąć zamówienie.

– No dobrze, a co poza tym? Uczysz się? Pracujesz? Co robisz? – kontynuowała pytania Ada.

– Teraz nie pracuję. Po powrocie do Polski jakoś nie mogę się odnaleźć. Owszem, szukam jakiejś pracy, ale wiesz, jak to teraz jest – Anna spuściła wzrok, mieszając łyżeczką kawę.

– A mieszkasz w Warszawie? – zapytała Ada.

– No tak, niedaleko stąd.

– Wiesz co? Mam pomysł. W urzędzie, w którym pracuję, niedługo będziemy przenosili się do nowej siedziby. Wiem, że będą potrzebowali nowej osoby do uporządkowania archiwum.

– Rewelacyjnie. Tylko czy dam sobie radę?

– Poradzisz sobie. Przecież głupia nie jesteś, a jak pamiętam ze szkoły, to zawsze spadałaś na cztery łapy – pocieszyła ją Ada.

Anna odwzajemniła jej uśmiech.

– Porozmawiam z szefem, tu jest mój numer i adres. Wpadnij razem z dzieciakiem wieczorem, to pogadamy. Muszę już lecieć – Ada w pośpiechu podała jej wizytówkę.

Anna wracała do domu. Niebo znacznie się przejaśniło. Inaczej teraz spojrzała na ulicę. Tak jakoś wydało jej się wokół bardziej kolorowo, a i ludzie jacyś bardziej sympatyczni. Wcześniej miała wrażenie, że mentalność londyńczyków znacznie odbiega od naszej. Nie widać smutku na ich twarzach, kiedy spotyka się ich rano na ulicy, w autobusie czy metrze. Teraz myślała, że wiele zależy od niej samej. Od tego, w jaki sposób ona postrzega świat i otaczających ją ludzi.

Odbierając małego z przedszkola, Anna postanowiła, że nie wróci do domu. Pójdzie jeszcze kupić dziecku buty, a potem wpadnie z nim do koleżanki na umówione spotkanie.

– Alan! Wracaj! – Anna próbowała złapać niesforne dziecko. Ilekroć przekraczała próg sklepu, zawsze robił to samo. Natychmiast puszczał matczyną dłoń, żeby spenetrować sklepowe półki.

„Gdzie on jest?” – Anna szukała nerwowo dziecka pomiędzy regałami.

– Chodź, przymierzymy buty, a potem kupię ci loda. Zgoda? – próbowała przekupić Alana.

Na myśl o lodach dziecko usiadło spokojnie na pufie.

– Ja chcę te kolorowe! – krzyknął malec, pokazując palcem sportowe buty.

– W porządku. Przymierzmy.

– A teraz chodź, zapłacimy.

Alan niecierpliwił się w kolejce do kasy. Kiedy Anna wyciągnęła kartę, dziecko skorzystało z okazji i oddaliło się.

– Dziękuję pani – Anna wzięła buty.

– Paragon! – krzyknęła za nią sprzedawczyni.

„Gdzie on się znowu podział? Stanowczo brakuje mu ojca i dyscypliny” – myślała.

– Przepraszam panią, czy nie widziała pani przypadkiem trzyletniego chłopca w granatowej kurtce? – zapytała nerwowo klientkę, rozglądając się po sklepie.

Obeszła już wszystkie regały. Wpadła w panikę. Chłopca nigdzie nie było. W końcu poprosiła sprzedawcę, żeby zakomunikować zaginięcie dziecka. Kiedy sprzedawczyni podniosła słuchawkę, Anna poczuła, że ktoś dotyka jej ramienia. Odwróciła się. Ujrzała mężczyznę, który trzymał Alana na rękach.

– Proszę uważniej pilnować dziecka – powiedział spokojnie.

– Alan! Tyle razy mówiłam, żebyś nie uciekał! – miotały nią różne uczucia. Z jednej strony radość na widok dziecka, a z drugiej złość z powodu jego nieposłuszeństwa.

– Nie wiem, jak mam panu dziękować – przeniosła wzrok z dziecka, nad którym się pochyliła. Mężczyzny już jednak nie było, oddalił się. Próbowała jeszcze iść za nim, żeby podziękować, ale ten zniknął w pośpiechu.

– Cześć, Anna, zapraszam – powitała ją w progu Ada.

– Cześć, a ty jak masz na imię? – zapytała malca, mierzwiąc jego gęste włosy.

– Mam na imię Alan – odpowiedział.

– Podobny do ciebie – dodała Ada, po czym bezceremonialnie zaczęła trajkotać jak nakręcona.

– Słuchaj, rozmawiałam z szefem, jutro masz się zjawić o ósmej w gabinecie i zaczynasz pracę. Wiesz, nawet się ucieszył, że to ktoś znajomy, bo to akta. Potrzeba więc osoby zaufanej – oznajmiła Ada, zaparzając herbatę.

Nazajutrz Anna obudziła się wcześniej niż zwykle. Czuła tajemnicze podniecenie i euforię, a jednocześnie była pełna obaw. Nawet codzienne czynności, które musiała wykonać, przygotowując Alana do przedszkola, wykonywała automatycznie. Zostawiła dziecko w przedszkolu i zmierzała w kierunku urzędu.

– Dzień dobry – rzuciła portierowi, przekraczając próg urzędu.

– Witam panią – mężczyzna skinął głową.

Nagle poczuła się speszona. Nikogo tu nie znała. Gdy stanęła przed drzwiami gabinetu szefa, zapukała nieśmiało.

– Proszę – usłyszała zza drzwi męski baryton.

Wchodząc, zobaczyła siedzącego za biurkiem postawnego mężczyznę z miną troglodyty. Poczuła się onieśmielona jeszcze bardziej. „Ale on brzydki" – pomyślała, sama nie wiedząc dlaczego. – Dzień dobry. Mam na imię Anna. Jestem od Ady.

– Proszę bardzo. Niech pani usiądzie – odpowiedział, wskazując na fotel.

– Pani Ada poleciła mi panią jako osobę godną zaufania. Proponuję zacząć pracę od dziś. Jak pani wie, praca będzie polegała na porządkowaniu archiwum. Ponieważ obie panie dobrze się znają, pani Ada wprowadzi panią w obowiązki i będziecie współpracowały – wyjaśnił szef, po czym podniósł słuchawkę telefonu.

– Pani Ado, poproszę do mnie, jest już pani koleżanka.

Anna siedziała skulona. Po chwili ujrzała w drzwiach Adę i od razu poczuła się lepiej.

– Jestem, panie dyrektorze.

– Pani Ado, proszę zabrać panią Annę do kadr. Załatwić formalności i możecie zacząć pracę już od dzisiaj. Pani Ado, mamy bardzo mało czasu, a pracy jest mnóstwo.

Ada przytaknęła i obie wyszły z gabinetu dyrektora. Napięcie w jednej chwili puściło i dziewczyny uściskały się na korytarzu.

– Chodź ze mną, wszystko ci wytłumaczę – rzuciła Ada, ciągnąc Annę za rękę.

Rozdział 33

Anna jak co dzień skanowała kolejne akta. Mimowolnie poznawała historię mieszkańców miasta. Jednak niektóre z akt zwróciły jej szczególną uwagę ze względu na nazwę sprawy. Początkowo odłożyła je na bok z myślą, że zajrzy do nich później. Jednakże raz na jakiś czas zerkała na nie i coraz bardziej intrygowała ją ta nazwa. Sama nie wiedziała, dlaczego ją to tak zaciekawiło. Wreszcie otworzyła pierwszą teczkę. Po kolei przeglądała kartka po kartce. Pozornie sprawa jak każda inna. Dziesiątki pism, podań, załączników. Nuda. Właśnie miała zamknąć teczkę, kiedy spomiędzy dokumentów wysunęło się zdjęcie. Typowa fotografia operacyjna, jaką wykonują policjanci podczas obserwacji obiektów. „Ta twarz jest jakaś znajoma" – pomyślała. Anna nie mogła sobie przypomnieć, ale miała wrażenie, że bardzo dobrze ją zna. Nagle ją olśniło. Przecież to Peter! Tylko bardzo młody. Dlatego od razu go nie rozpoznała. Niecierpliwie zaczęła przeglądać od początku kartka po kartce.

Z akt, które trzymała w ręku, wynikało, że człowiek, którego, jak jej się wydawało, znała, był zupełnie kimś innym. Łapczywie pochłaniała oczami kolejne dokumenty. Nie mogła uwierzyć w to, co czyta. Przecież to nie ten Peter, którego znała. Nawet nie zauważyła, że dawno już minął czas, kiedy powinna skończyć pracę. Odłożyła akta na półkę. Następnego dnia otworzyła niecierpliwie drzwi do archiwum. Niedbale rzuciła płaszcz i skierowała się bezpośrednio do półki z teczką. Rozłożyła znajome jej akta. Kartkując stronę po stronie, stwierdziła, że musi zrobić wszystko, aby te akta w jakiś sposób przejrzeć spokojnie w domu. Schowała dokumenty do torby i pod pozorem, że musi coś pilnego załatwić, wyszła z urzędu i zaniosła je do domu. Zaaferowana nie zauważyła, że bacznie przygląda jej się jakiś mężczyzna. Wróciła do pracy jak gdyby nigdy nic, jednak przez cały dzień wszystkie czynności wykonywała automatycznie. Myślami była przy tym, co zobaczyła w aktach.

Dochodziła szesnasta. Miała zamykać drzwi archiwum, gdy rozległo się pukanie i do pokoju wszedł mężczyzna.

– Pani Anna Kowalska? Czy może pani odnaleźć dla mnie te akta? – zapytał i podał jej kartkę z numerem dokumentów.

Anna mimowolnie rzuciła okiem na numer i zrobiło jej się dziwnie słabo.

To był numer tych samych akt, które właśnie zaniosła do domu.

– Czy mógłby pan wrócić jutro? Odnajdę dla pana te dokumenty – Anna wykorzystała fakt, że właśnie kończy pracę.

– W porządku. Wrócę jutro – przytaknął mężczyzna i wyszedł.

W drodze do domu myślała o tym, że postać mężczyzny jest jej znajoma. Nie mogła sobie przypomnieć tylko, kto to jest... Gdzieś już na pewno widziała tego faceta, tylko gdzie? Z domu zadzwoniła do Ady i umówiły się na spotkanie. Postanowiła podzielić się swoimi spostrzeżeniami. Umówiły się na popołudnie. Alan został z opiekunką, młodą studentką, która dorywczo ratowała Annę, kiedy ta musiała pilnie wyjść.

Odgłos obcasów Anny odbijał się echem, kiedy zbliżała się do bloku Ady.

– Cześć, Ada, słuchaj, mam do ciebie bardzo ważną sprawę. Musisz mi pomóc – zaczęła już w progu.

– Wchodź. Twoje kroki słychać już na parterze. Zawsze wiedziałam, kiedy wracasz do akademika – uśmiechnęła się Ada. – Wstawię wodę na herbatkę – dodała.

– Przeglądając akta, natknęłam się na pewne dokumenty. Okazało się, że jest w nich kawałek mojej przeszłości. Nie wiem, co z tym teraz zrobić – powiedziała Anna jednym tchem.

W tym momencie wyjęła z torby teczkę z aktami. Ada spojrzała na nią przerażona.

– Rany boskie!!! Wyniosłaś akta z urzędu! – A kiedy spojrzała na wierzch teczki, zbladła jeszcze bardziej.

Zobaczyła czerwoną prostokątną pieczątkę z napisem „Poufne".

Tym znakiem oznaczano te akta, które były pod bardzo szczególnym nadzorem i dostęp do nich mogły mieć jedynie upoważnione osoby.

– Rany boskie! Skąd to masz!? – krzyknęła Ada.

– Było na półce – wyjaśniła Anna.

– To niemożliwe, te akta nie mogły się tam znaleźć pod żadnym pozorem.

– Przecież nie znalazłam ich na korytarzu – odpowiedziała Anna.

– Słuchaj, nie wiem, jak to się stało, ale tych akt przede wszystkim tam nie powinno być, to są sprawy tajne. No wiesz, jakieś tam służby specjalne, wywiadowcze czy inne organy – Ada była przerażona. – Musisz jak najszybciej zanieść te akta z powrotem, położyć je na miejscu i powiadomić szefa, że takie akta tutaj są, tylko nie mów w żadnym wypadku, że do nich zaglądałaś, a już na pewno, że je miałaś w domu, bo wtedy obie będziemy miały poważne kłopoty. A teraz chodź, napijemy się kawy i pogadamy.

Kiedy rozsiadły się wygodnie na kanapie, Anna postanowiła opowiedzieć Adzie wszystko. Z każdym słowem oczy Ady robiły się coraz większe:

– To niewiarygodne!

– To jest właśnie to, przed czym uciekłam, chcę uciec i zapomnieć, ale jak widzisz, nie da się. Pomożesz mi? – dokończyła Anna.

Ada po zastanowieniu odpowiedziała:

– Pomogę. W drugim pokoju mam skaner i komputer. Skopiujmy te akta, przejrzymy je później, ale one muszą wrócić rano na miejsce.

Dziewczyny dziarsko zabrały się do pracy. W miarę skanowania Anna przeglądała pobieżnie niektóre z dokumentów. Sama nie mogła uwierzyć w to, co widzi.

– No dobra, skończyłyśmy, teraz musimy to chronologicznie poukładać – powiedziała Ada.

– Ada, jeżeli nie byłoby to dla ciebie problemem, mam złe przeczucia, zróbmy jeszcze jeden komplet, niech dla bezpieczeństwa zostanie u ciebie – zaproponowała Anna.

– Dobrze, poskładajmy akta i zrobimy jeszcze jedną kopię – zgodziła się Ada.

Dziewczyny odłożyły oryginalne akta na bok. Wróciły z powrotem do stolika. Zaczęły przeglądać kopie. Ada patrzyła na Annę ze zdziwieniem. Takiej jej nie znała. Anna przeglądała kartka po kartce, wczytywała się w tekst. Cały czas milczała, co u wiecznie roztrajkotanej Anny, bo taką ją zapamiętała Ada ze szkolnych lat, było niespotykane. Ada widziała, że z każdą kolejną kartką twarz Anny zmieniała się jak w kalejdoskopie.

– Aniu, zupełnie cię nie poznaję. Ty, taka wiecznie rozgadana, dusza towarzystwa...

– Wiesz, życie zrobiło swoje – Anna się uśmiechnęła.

Następnego dnia Anna jak gdyby nigdy nic odniosła akta na miejsce.

Kiedy wracała do swojego pokoju, minęły się na korytarzu z Adą, mrugając do siebie porozumiewawczo.

Nagle otworzyły się drzwi i weszła pani Zosia z sekretariatu.

– Pani Aniu, proszona jest pani pilnie do szefa.

– Dobrze, już idę – Anna wstała i z niepokojem poszła w stronę gabinetu szefa. Przez całą drogę zastanawiała się, czego tak nagle chce od niej szef. Czyżby koleżanka ją wydała?

Zapukała.

– Proszę, pani Aniu, niech pani wejdzie.

– W sumie dobrze, bo ja też miałam do pana sprawę.

– Słucham pani Aniu, w czym problem? – zapytał szef.

– Wczoraj, porządkując akta, natknęłam się na teczkę z napisem „Poufne". Pod koniec pracy zjawił się w pokoju mężczyzna. Pokazał mi numer właśnie tych akt. Umówiłam się z nim na dzisiaj, bo nie wiedziałam, czy mogę mu je wydać.

– Bardzo dobrze, pani Aniu, zapomniałem panią uprzedzić, że o każdej takiej sytuacji należy mnie natychmiast informować i absolutnie bez mojej osobistej zgody nie podejmować żadnych czynności. Tylko wtedy, kiedy ja przyjdę do pani osobiście i wydam takie polecenie. W przeciwnym wypadku delikatnie, ale stanowczo proszę odmawiać – zalecił szef. – Pani Aniu, jeszcze jedno. Ponieważ porządkowanie archiwum i przenosiny przedłużą się, ponadto postanowiliśmy jednocześnie, że całe akta będą zeskanowane, począwszy od jutra zjawi się u pani zespół młodych ludzi z urządzeniami do skanowania. Proszę wygospodarować miejsce i od jutra zmienia się pani status. Zostaje pani szefową działu archiwizacji.

Anna stała jak sparaliżowana. Wszystkiego mogła się spodziewać, ale nie awansu. Nie pamiętała, jak wróciła do pokoju. Usiadła przy biurku i próbowała uporządkować myśli. Postanowiła natychmiast podzielić się wiadomością z koleżanką. Ada dzielnie znosiła ten słowotok, próbując wyczuć moment, kiedy Anna będzie brała oddech, bo może wtedy uda jej się przerwać.

– No dobrze, Aniu, a teraz jeszcze raz i od początku, bo nadajesz z prędkością kałasznikowa. Jedyne, co udało mi się zrozumieć, to zdanie: awans od jutra. Masz tu szklankę zimnej wody, wypij ją, złap głęboki oddech, policz powoli do dziesięciu i powiedz jeszcze raz, ale powoli, co się stało.

– Wiesz, zostałam wezwana do szefa, spodziewałam się, że się dowiedział o tych aktach. Przez moment myślałam, że mnie podkablowałaś, przepraszam cię za to. A on, zamiast mówić o tych aktach, dał mi awans. Od jutra będę szefową działu archiwizacji i będę miała pod sobą grupę archiwizatorów.

– Aniu, to rewelacyjnie! Jesteś pierwszą osobą, która tutaj zaledwie po kilku dniach dostała stały etat, a na dodatek stanowisko szefa. Musimy to koniecznie oblać. No to co? Dzisiaj u mnie wieczorem? Zabieraj małego, spotykamy się o osiemnastej.

Anna wróciła do siebie i pomimo, że do końca pracy została jeszcze godzina, niewiele z niej zapamiętała. Wracając do domu zauważyła, że ludzie na ulicach byli jacyś uśmiechnięci, pogodni. Zupełnie inaczej niż rano, kiedy szła do pracy.

Wieczorem się spotkały i ani słowem nie mówiły o aktach. Paplały jak najęte, obgadując wszystko i wszystkich od szkolnych lat. Takie babskie gadanie...

Rozdział 34

Anna obudziła się rano z obrzydliwym kacem. Nie do końca pamiętała, jak dotarła do domu. Widziała tylko jak przez mgłę, że pojawiła się mama Ady i zabrała Alana do siebie.

„Jak to dobrze, że dziś jest niedziela" – pomyślała.

Przez kolejne dwa tygodnie pracy w archiwum nastąpiło trzęsienie ziemi. Anna próbowała odnaleźć się w nowej sytuacji, nadrabiając trochę miną brak wiedzy o funkcjonowaniu archiwum. Nie mogła pokazać jako szefowa, że wie tyle samo albo mniej od młodzieży. Codziennie ledwie żywa wracała do domu, zaniedbując obowiązki domowe, w tym i syna.

Kolejny poniedziałek zaczął się szarą, deszczową błotną pogodą. Anna szła do pracy, myśląc o kolejnym dniu w centrum wulkanu. Jednak przed wejściem do urzędu zastanowiło ją, że na parkingu jest dużo więcej aut niewyglądających raczej na samochody urzędników. O ile pamiętała, nie zapowiadano żadnej oficjalnej wizyty. Zaciekawiło ją to.

Wchodząc do budynku, zauważyła, że w miejscu portiera siedzi zupełnie inny człowiek, który w sposób bardzo oficjalny wypytywał się, kim jest. Dotarła do archiwum. Zastanowiło ją, że w środku jest jakoś cicho i nie ma młodzieży. „Widocznie mają wolne, a zapomniano mi o tym powiedzieć" – pomyślała.

Właśnie kończyła zaparzać kawę, kiedy w drzwiach stanęła przerażona i blada sekretarka.

– Pani Aniu, proszę przyjść natychmiast do szefa – powiedziała dziwnym, nienaturalnie zimnym głosem.

Nogi ugięły się pod Anną. Szła przez korytarz niczym skazaniec na ścięcie. Kiedy otworzyła drzwi gabinetu szefa, świat zawirował jej przed oczyma. Przy stole prezydialnym, przy którym zwykle toczą się rozmowy z delegacjami, siedziało sporo osób. Zauważyła, że jest tam też Ada. Wymieniły się spojrzeniami, jednak Ada szybko spuściła głowę i twarzą bez wyrazu zaczęła tępo wpatrywać się w stół, unikając wzroku Anny.

– Proszę wejść, pani Anno. Zapewne dziwi panią, po co tutaj panią wezwałem. Proszę usiąść, bo nie jesteśmy jeszcze wszyscy w komplecie.

Przysiadła przy brzegu stołu i z przerażeniem zaczęła przyglądać się wszystkim osobom, które przebywały w gabinecie. Jej uwagę zwróciła dziwnie znajoma postać, stojąca tyłem i wpatrująca się w okno. Skądś ją znała. Nie mogła sobie tylko przypomnieć, skąd. Była jednak tak przerażona, że w głowie kłębiły się najczarniejsze myśli. „Tylko jak ona mogła wygadać, że zabrałam te akta" – pomyślała o Adzie.

Z tego stanu wyrwał ją nagle zimny, inny niż zwykle głos szefa.

– Nie ma co prawda jeszcze wszystkich, ale możemy chyba zacząć. Pani Anno, proszę do mnie podejść.

Podniosła się z miejsca i na drewnianych nogach poszła w jego stronę. Była tak zdenerwowana, że nie rozpoznawała nawet twarzy.

– Pani Anno – zaczął szef. – Czasami zdarza się tak, że nie mamy wpływu na naszą codzienność i znajdujemy się wbrew własnej woli, a na pewno wbrew własnym chęciom w czasie i miejscu, w którym nie chcielibyśmy się znaleźć. Na pewno rozpoznaje pani niektóre twarze wśród obecnych tu osób, ponieważ przewinęły się w różnym czasie i w różnych zdarzeniach przez pani życie. Myślę, mili państwo, że mogę wyjaśnić pani Annie wszystko, bo jeszcze nam dziewczyna umrze na zawał – odezwał się szef, który, widząc, że Anna za chwilę zemdleje, starał się rozładować napięcie.

Nadal była przerażona. Wodząc niewidzącymi oczami po zebranych, z nerwów widziała tylko zamazane twarze i nie była w stanie przypisać żadnej z nich do konkretnego zdarzenia. Zdziwiło ją tylko, że mężczyzna, który stał przy oknie, nadal patrzył w dal i nie odwrócił się. Na pewno już gdzieś widziała tę postać, tylko nie mogła sobie przypomnieć, gdzie. Oczami wyobraźni widziała siebie wyprowadzaną z urzędu w kajdankach przez funkcjonariuszy CBŚ, ABW albo „innego alfabetu służbowego". Co to za różnica, kim oni byli. „Niech to się do cholery wreszcie skończy, mam tego dosyć.

Jest mi wszystko jedno, mogą mnie zastrzelić lub zrobić, co tylko chcą, tylko niech to się wreszcie skończy" – pomyślała z desperacją. Przerażona martwiła się tylko, co stanie się z dzieckiem. Z letargu wyrwał ją głos szefa:

– Muszę jednak pani pogratulować, bo być może nieświadomie zdała pani bardzo poważny egzamin jako urzędnik. Pani praca tutaj nie była przypadkowa. Być może będzie miała pani żal do koleżanki, ale z wielkimi oporami z jej strony udało się nam namówić ją do współpracy i spowodowania, że panią tutaj zatrudniliśmy.

W tym momencie Anna przestała cokolwiek rozumieć i tak jak stała, lekceważąc wszelkie zasady hierarchii, po prostu usiadła na krześle. Szef jednak nie przestawał dalej mówić:

– Jak pani zapewne pamięta, między dokumentami znajdującymi się w archiwum znalazła pani akta pewnej sprawy. Było to nieprzypadkowe działanie z naszej strony, ponieważ miała je pani znaleźć i przeczytać. Zaoszczędziło nam to wiele czasu i kłopotów związanych z koniecznością wprowadzenia pani w szczegóły. Znam złośliwość pana kapitana, którego miała pani przyjemność poznać, kiedy przyszedł po akta. Chciał przy okazji sprawdzić, na ile jest pani uczciwym urzędnikiem. Jednocześnie, jak się później sam przyznał, wpadła mu pani w oko i nie chciał zamykać możliwości ponownego spotkania z panią. Ale do rzeczy. Wykazała się pani godną podziwu lojalnością, informując mnie o tym zdarzeniu.

Drzwi do gabinetu szefa ponownie się otworzyły i stanął w nich mężczyzna w stroju klauna. Anna mogła się wszystkiego spodziewać, ale nie jego. Co tu jest grane? Gdy jednak baczniej przyjrzała się twarzy klauna, poznała w nim postać ze Starego Miasta. „Zaraz, przecież to ten sam facet, który przywiózł dziecko na lotnisko" – uświadomiła sobie.

– Tak, to ja, pani Anno – odezwał się klaun, jakby odgadując jej myśli. – Pani jako jedna z nielicznych wtedy na lotnisku poznała moją prawdziwą twarz. Specjalnie przyszedłem tutaj w charakteryzacji, żeby łatwiej było pani skojarzyć mnie ze zdarzeniami.

Anna już nic nie rozumiała. Dopiero teraz pewne fakty, o których czytała w aktach, nabierały sensu i zaczęły układać się w całość.

– Pani Anno – odezwał się szef. – Mimowolnie, poprzez znajomość z Jovanem, wplątała się pani w poważną międzynarodową akcję mającą na celu zlikwidowanie dobrze zorganizowanej grupy zwyrodnialców. Ponieważ nie mogliśmy w sposób niebudzący podejrzeń wycofać pani z tej akcji, postanowiliśmy, że stanie się pani z własnej woli, jak się później okazało, bardzo cennym dla nas źródłem informacji. Grupa ta między innymi, poza hazardem, praniem brudnych pieniędzy, narkotykami, zajmowała się porwaniami, wywożeniem do bogatych sponsorów, a potem mordowaniem młodych kobiet z całej Europy. Losów jednej z takich kobiet przynajmniej częściowo doświadczyła pani podczas orgii. Niestety, osoba, która z nami wtedy współpracowała, pomimo że jest pani bardzo bliska, nie mogła ujawnić swojego prawdziwego oblicza.

W tym momencie mężczyzna stojący przy oknie odwrócił się i spojrzał na Annę. Świat zawirował jej w oczach: to był Peter. Przynajmniej to stało się jasne.

– Jednak nie ma tu z nami jeszcze jednej osoby, która odegrała bardzo istotną rolę w powodzeniu całego przedsięwzięcia – kontynuował szef. – Niemniej za chwilę tutaj będzie. Chcę jednak pani powiedzieć, że jesteśmy pełni szacunku do pani rozwagi i opanowania. Nasza akcja jest zakończona i moja obecność jest zbędna. Począwszy od jutra, ma pani tygodniowy urlop. Za tydzień wraca pani do urzędu na nowe stanowisko pracy, a konkretnie na moje miejsce. No, to jesteśmy w komplecie – powiedział szef. Anna spojrzała w stronę drzwi. Poczuła, że traci przytomność. W drzwiach stał Jovan.

Rozdział 35

Anna otworzyła oczy. Zobaczyła, że znajduje się na sali szpitalnej. Nie bardzo wiedziała, skąd się tu wzięła. Do sali wszedł młody lekarz.

– Dzień dobry, pani Anno, widzę, że wróciła pani do świata żywych.

– Dzień dobry, panie doktorze, proszę powiedzieć mi, co się tutaj dzieje, co ja tutaj robię?

– Pani się jeszcze pyta? Takiego najazdu różnego rodzaju oficjeli szpital nie przeżył nawet w dniu otwarcia. Od kilku dni, kiedy pani leżała nieprzytomna, nie jesteśmy w stanie opędzić się od różnych znanych osobistości, które koniecznie chcą panią odwiedzić. Mogę jedynie powiedzieć, że nasza kwiaciarnia szpitalna ma zapewnione obroty chyba do końca roku. Leży pani na sali szczególnego nadzoru, a tu nie można mieć kwiatów, więc przekazywaliśmy je do kwiaciarni.

– Ale panie doktorze. Nie odpowiedział mi pan, jak się tu znalazłam – nalegała.

– Przywieziono panią nieprzytomną i w zasadzie nie wiedzieliśmy, co się pani stało. Dlatego umieściliśmy panią w tej sali. Dopiero osoba, która z panią przyjechała, pokrótce opowiedziała nam okoliczności, w związku z którymi doszło do takiego stanu. Postanowiliśmy wykonać wszystkie specjalistyczne badania, w tym tomografię. Podejrzewaliśmy, że może to być skutkiem udaru albo innego zdarzenia spowodowanego emocjami. Badania jednak wykluczyły jakiekolwiek komplikacje. Musiała pani przeżyć jakiś wielki szok i skutkiem tego jest pani u nas.

– Panie doktorze, a jak długo tu już jestem?

– Właśnie dzisiaj mija tydzień.

– Ile dni muszę tu jeszcze zostać?

– Nie wiem, pani Anno, dopiero się pani obudziła. Musimy ponowić badanie i porównać z poprzednimi wynikami. Wtedy razem z neurologiem zadecydujemy, co dalej. A teraz przepraszam, muszę wrócić do pracy.

– O Boże, a co z Alanem? – zawołała przerażona Anna.

– Z kim? – lekarz nie zrozumiał pytania.

– Z moim synem, doktorze.

– A, proszę się nie martwić, syna zabrała do siebie pani mama, jest więc chyba pod dobrą opieką?

– Czy ona wie o wszystkim? – zapytała Anna.

– Oczywiście, że nie. Wie tylko tyle, ile potrzeba, to znaczy, że jest pani wspaniałą kobietą i może być z pani dumna.

Anna z ulgą opadła na poduszkę. Popatrzyła za odchodzącym lekarzem, nie mogąc pozbierać myśli.

– A, jeszcze coś, pani Anno, jeden z panów poprosił, żeby oddać ten list, jak już odzyska pani przytomność.

Lekarz podał Annie dość dużą kopertę.

– Dziękuję, panie doktorze.

Anna spojrzała odruchowo na napis na kopercie i ponownie straciła przytomność.

– Siostro!!! – zawołał lekarz. – Proszę ponownie podłączyć pacjentkę pod EKG i monitorować.

Anna otworzyła powoli oczy. Wokół panował półmrok. Tylko monotonne pikanie urządzenia przypomniało jej, że jest w szpitalu. Jak przez mgłę pamiętała rozmowę z lekarzem. Pod dłonią wyczuła jakiś pakunek. To była koperta. Podniosła ją i zobaczyła w miejscu nadawcy imię Peter. Niecierpliwie rozerwała kopertę i zaczęła czytać. W miarę, jak zagłębiała się w tekst, jej oczy stawały się coraz większe i zaczynała rozumieć, że to, co do tej pory działo się wokół niej, nie było dziełem przypadku.

Tylko dlaczego ona...

Od czasu, kiedy pierwszy raz zobaczyłem Panią w tym klubie, do którego weszła Pani, szukając możliwości zarobienia, miałem wrażenie, że znam Panią od dawna. Jednak była Pani tak przestraszona całą sytuacją, że nie śmiałem nawet Pani indagować. Poza tym jako właścicielowi klubu nie było mi zręcznie wchodzić w kompetencje menedżera.

Później kolejne sytuacje zaczęły się dziać mimo mojej woli. Wielokrotnie zastanawiałem się, skąd bierze się ten pociąg do Pani osoby. Zauważyłem, że coraz bardziej zaczyna mnie Pani intrygować. Przyznam, że na początku postrzegałem Panią, ponieważ jest Pani atrakcyjną kobietą, jako typowy układ do łóżka. Jednak było coś takiego, co powstrzymywało mnie przed takim traktowaniem. Rozumiem jednak, że w naszych relacjach mogła Pani odnosić takie wrażenie. Było to jednak spowodowane tym, że nieopatrznie, mimo swojej woli, znalazła się Pani w czasie i w miejscu bardzo poważnej międzynarodowej akcji. Szczegóły ogólnie poznała Pani na spotkaniu. Nie mogliśmy już Pani wycofać z tego przedsięwzięcia, nie budząc podejrzeń drugiej strony. Sytuacja jednak wymknęła się spod kontroli, kiedy okazało się, że pani jest partnerką jednej z osób, którą byliśmy zainteresowani. Tą osobą był Jovan. Przyznam, że użyliśmy presji i podstępu w stosunku do Jovana, kiedy dowiedzieliśmy się, że jest ojcem Pani dziecka. Dzięki Pani odzyskaliśmy bardzo ważną osobę, znajdującą się wysoko w hierarchii tych struktur. Praktycznie do tego czasu ze względu na hermetyczność grupy i jej międzynarodowy charakter nie mieliśmy dostępu do jej kierownictwa.

To praktycznie dzięki Pani i Jovanowi udało się stworzyć legendę mojej osoby jako jednej z najważniejszych postaci decyzyjnych w grupie. Niestety, w żadnym przypadku, pomimo że nieraz miałem na to ochotę, nie mogłem dać Pani do zrozumienia, że jest to zaplanowana akcja. Kobiety są istotami nieprzewidywalnymi, więc nie mogłem mieć pewności, czy nie wykręci nam Pani jakiegoś numeru.

Byłem pełen obaw w chwili, kiedy miało miejsce zdarzenie w bractwie. Jednak uczestnicząc w tym wydarzeniu, była Pani, jak nam się wtedy wydawało, maksymalnie zabezpieczona. Ponieważ jednak jest Pani nieobliczalna w swoich działaniach, nie przewidziałem, że aż tak po mistrzowsku odegra Pani w pełni rolę ofiary. Postanowiłem więc nie przeszkadzać. A dlaczego?

Przyznam, że zaskoczyła Pani swoim temperamentem zarówno mnie, jak i innych. W ostatniej jednak chwili nastąpiły wydarzenia, które wymknęły nam się spod kontroli. Niemniej jednak znowu nas pani zaskoczyła trzeźwością myślenia i działania. To praktycznie dzięki Pani cała akcja zakończyła się powodzeniem. Niestety, ponieważ spodziewamy się, że nie do końca udało się zlikwidować cały ten proceder, zarówno Pani, jak i Pani udział w tej całej sprawie zostaje utajniony. Przez jakiś czas nie będzie Pani mogła się widywać z ojcem Pani dziecka. To dla Pani i jego bezpieczeństwa. Po powrocie do zdrowia proszę zgłosić się do kancelarii – adres i nazwisko mecenasa znajdzie Pani na końcu tego listu. Pan mecenas posiada wszelkie pełnomocnictwa, aby pokierować dalej w pewnym sensie Pani losem. Zaręczam, że nasza wdzięczność w stosunku do Pani ma wymierną postać materialną. Szczegóły oczywiście poda Pani pan mecenas.

Jest jeszcze inne podłoże naszej znajomości i ponieważ, być może, nie spotkamy się już osobiście, pozwolę sobie o nim powiedzieć.

Jak już pisałem, od pierwszej chwili w klubie czułem coś szczególnego do Pani.

Wielokrotnie zastanawiałem się, co to może być. Na początku uosabiała Pani moją córkę, której nigdy nie poznałem. Dowiedziałem się o jej istnieniu dopiero po wielu latach. Owszem, w miarę swoich możliwości starałem się i staram do tej pory ją wspierać. Ani ona nie wie o moim istnieniu, ani ja nigdy nie poznałem jej osobiście. Dlatego być może w Pani osobie wytworzyłem sobie wyimaginowany obraz mojej córki. Z czasem zdałem sobie sprawę z tego, że w Pani widzę kobietę i partnerkę życiową.

Jestem jednak związany i choć mój związek jest toksyczny, nie mogę go zerwać. Ponadto jako mężczyzna zbliżający się do określonego wieku, w którym to orientacja w terenie zaczyna sprawiać większą radość niż orientacja seksualna, stałem się koneserem smaku. A smakiem dla mnie było i jest to, że wytworzyłem sobie w Pani obraz futurystycznych marzeń nie do końca realnych. Niemniej jednak, za co pragnę Panią przeprosić, kilkakrotnie o mały włos nie zniszczyłbym Pani obrazu, bredząc po pijaku, że bardzo Panią kocham. Owszem, być może jest to uczucie, lecz zdaję sobie sprawę z tego, że jest Pani raczej moim aniołem stróżem, a nie koneserką zabytków. Myślę, że wszystko zrozumie Pani po spotkaniu z mecenasem. Życzę jak najszczerzej powodzenia.

Peter

Anna delikatnie złożyła kartkę i przez łzy popatrzyła dookoła.

– Jaka ja byłam głupia. Jaka ja byłam cholernie głupia.

W tym momencie drzwi sali otworzyły się i wszedł lekarz, pytając:

– Czy coś się stało, pani Anno? Dlaczego pani płacze?

– Nie, nic, doktorze. To tylko przeszłość.

Rozdział 36

Kolejny dzień w szpitalu Anna poświęciła na porządkowanie swoich emocji. Próbowała po kolei odtwarzać zdarzenia. Nie dawała jej spokoju również inna sprawa: kim był naprawdę mężczyzna, który przyniósł dziecko na lotnisko i co on ma wspólnego z klaunem na spotkaniu. Zastanawiała się, kim jest ten człowiek. Wtedy, na lotnisku, jej uwagę zwróciła wytatuowana łza na policzku mężczyzny. Nie mogła jednak z niczym tego skojarzyć. „Ależ oczywiście, przecież mówił o tym na spotkaniu". Annie pomału wracała pamięć. Przypomniała sobie, że wtedy na lotnisku Alan trzymał w ręku jakiś mały zeszycik i mówił, że dostał to od wujka dla mamy. Tylko gdzie ona mogła go schować? Postanowiła przeszukać całe mieszkanie, bo na pewno gdzieś musi być. Była pochłonięta rozważaniami, kiedy wszedł znajomy lekarz:

– No, pani Anno. Mam dla pani dobre nowiny. Wyniki badań ma pani rewelacyjne. Trochę pani odpoczęła. Czas wracać do rzeczywistości. Niedługo wychodzi pani do domu.

– Nie wiem, jak mam panu dziękować, panie doktorze.

– Aha, pani Anno. Od rana na korytarzu czeka kilka osób, które w żaden sposób nie dają się przekonać, żeby sobie poszły. Między nimi jest bardzo stara kobieta i to nie Polka, chyba Włoszka, która ze łzami w oczach mówiła, że przejechała tyle kilometrów do Polski specjalnie, żeby pani osobiście podziękować. Nie miałem sumienia jej odmówić. Powiedziałem, że zapytam, czy pani będzie chciała z nią rozmawiać.

Anna patrzyła na lekarza zaskoczona.

– Oczywiście, panie doktorze, niech przyjdą.

Po chwili do sali weszło kilkanaście osób, wszyscy wyglądali na obcokrajowców. Niektórzy z nich mieli typową włoską urodę, ale Anna zobaczyła kilka osób o wyglądzie Azjatów. Były wśród nich także młode, śliczne dziewczęta o żurnalowej wręcz urodzie modelek. Zaskoczona Anna przyglądała się tej wielokulturowej grupie i zastanawiała się, czego oni mogą od niej chcieć i po co przyjechali. Próbowała sobie cokolwiek przypomnieć, jednak bezskutecznie. Wtedy z grupy wyszła bardzo stara, pomarszczona kobieta, podtrzymywana przez dwie śliczne młode dziewczyny. Anna zobaczyła twarz kobiety, naznaczoną niewątpliwie wieloma bolesnymi życiowymi doświadczeniami. Kobieta popatrzyła w oczy Anny. Tego spojrzenia nie zapomni chyba do końca życia. W tych oczach, z których płynęły suche łzy, widziała ból, cierpienie, ale i jakąś radość, ulgę, może wdzięczność. Kobieta uklękła z wielkim trudem i ucałowała bez słowa rękę

Anny. Anna wstała i cofnęła rękę zażenowana. Podniosła z kolan kobietę i ich wzrok znowu się spotkał. Ciszę przerwał nagle głos jednej z dziewcząt, która podtrzymywała kobietę.

– Pani na pewno nie zna włoskiego, ale ja będę tłumaczyła na polski. Studiowałam w Polsce kilka lat i myślę, że dam radę. Jestem Julia, a to moja siostra bliźniaczka, Luiza.

Faktycznie, dopiero teraz Anna zauważyła, że obydwie są identyczne, niczym kopie.

– A to nasza babcia. Babciu, możesz mówić, a ja wszystko przetłumaczę tej pani – dziewczyna zwróciła się do starszej pani po włosku.

Starsza pani zaczęła mówić po włosku, chyba z sycylijskim akcentem, Julia bardzo poprawną polszczyzną tłumaczyła jej słowa.

– Nie jesteśmy tutaj wszyscy, bo tylko na taką grupę zgodzili się oficerowie Interpolu. I to też po tym, jak zagroziliśmy, że jeśli nie umożliwią nam widzenia i porozmawiania z panią, to w obozie, w którym wszyscy przebywamy, zrobimy rewolucję. Zgodzili się, żeby przyjechała do pani delegacja. Reprezentujemy rodziny dziewcząt, które zostały jakiś czas temu uprowadzone i zaginęły bez wieści. Jak pani widzi, pochodzimy z wielu krajów. Każdy z nas cierpiał i tracił nadzieję, że jeszcze kiedykolwiek zobaczymy je żywe. Pomimo że w naszych krajach policja poszukiwała dziewcząt, nie było rezultatów. Niektórzy, żeby odnaleźć swoje córki, sprzedawali dorobek życia. Julia i Luiza są córkami mojego syna, oboje z żoną zginęli w zamachu bombowym, wie pani, takie mafijne porachunki, gdzie giną też przypadkowi ludzie. Od kilku lat sama je wychowuję, a mieszkamy w bardzo biednej wiosce. Wszyscy jednak jesteśmy tam jak wielka rodzina i dzięki temu mogłam je wychowywać, a nawet posłać na studia do Polski. Ponieważ w naszej wiosce zostało już poza nami starymi tylko kilka młodych osób, postanowiliśmy, że razem postaramy się, aby i one nie uciekły. Nie jest pani w stanie sobie wyobrazić, co się działo, kiedy dziewczęta zaginęły. Tydzień temu, nagle, w wiosce pojawiło się kilka samochodów policyjnych i jacyś wysocy rangą policjanci powiedzieli, że moje wnuczki się odnalazły. Stwierdzili, że ponieważ jestem ich jedynym prawnym opiekunem, to muszę pojechać, żeby odebrać dziewczyny, które są w obozie i to w innym kraju. Każdy z wioski przyniósł, ile mógł, żebym miała jak wrócić z dziewczynkami. W obozie okazało się, że są tam dziewczęta z wielu krajów i spotkałam ich rodziny. Kiedy na ogólnym spotkaniu z rodzinami policjanci nam opowiedzieli, co spotkało dziewczęta, a między innymi okazało sie, że to dzięki pani i panu Jovanowi nasze dzieci żyją, postanowiliśmy, że podziękujemy pani osobiście i poznamy osobę, która pomogła nam odnaleźć to, co jest naszym największym skarbem, czyli nasze dzieci. Proszę przyjąć podziękowania, które przekazuję też w imieniu tych rodzin, które nie mogły tu przyjechać. Pani Anno, nie wiedzieliśmy, jak pani podziękować, nawet nie wiedzieliśmy, czy pani jest osobą wierzącą i jakiego wyznania, czy ateistką, ale myślimy, że pani się nie obrazi, jeśli przekażemy pani w podziękowaniu ten obraz. Jest to ręcznie malowana kopia cudownego obrazu Matki Boskiej z Gwadelupy, pobłogosławiona specjalnie dla pani przez Ojca Świętego. Bo to taka sama matka, jak ja i inne matki, tylko ma dużo więcej dzieci na całym świecie.

Starsza pani odwinęła z pieczołowicie zapakowanego zawiniątka obraz, który podał jej jeden z rodziców. – Myślę, że powinnam powstrzymać swoje włoskie gadulstwo i dać też innym szansę podziękować.

Kobieta serdecznie uścisnęła Annę i ponownie usiłowała pocałować jej dłoń. Anna stanowczo zaprotestowała.

– Nie trzeba, naprawdę nie trzeba – powiedziała łamiącym się głosem, z oczami pełnymi łez. Dopiero teraz pozostali rodzice z dziewczynami podeszli do Anny i każdy jednocześnie chciał jej podziękować. Anna słyszała naraz chyba wszystkie języki świata, nic jednak nie rozumiała, stała więc jak zaklęta, nie mogąc wykrztusić ze wzruszenia nawet słowa. Niewiele widziała, bo łzy jej na to nie pozwalały. W pewnym momencie jedna z dziewcząt podała jej kartkę, mówiąc po angielsku, że dał to ten pan w drzwiach. Anna popatrzyła w stronę drzwi i wydawało się jej, że widzi Petera. Niecierpliwie popatrzyła na to, co było napisane na kartce. *Jednak moje przeczucie znowu mnie nie oszukało. Miałem wtedy, tam w klubie, rację, że nie jest pani dziwką na godziny, tylko posiada pani wielką wartość. Gratuluję, jestem teraz z pani dumny. Peter*

Nie mogła uwierzyć, chciała natychmiast biec do niego i rzucić mu się w ramiona, ale kiedy popatrzyła w stronę drzwi, nie było już nikogo.

– A co to za wrzaski, jak na bazarze? – usłyszała głos lekarza. – Mili państwo, pozwoliłem wam na pół godzinki rozmowy z panią Anną, a minęła już prawie godzina i obrywa mi się od oficerów, którzy państwa tu przywieźli. Proszę wracać natychmiast do autobusu, który stoi przed wejściem do szpitala – powiedział tubalnym głosem po angielsku lekarz.

– A pani, pani Anno, przypominam, że jest pani pacjentką i to nie jest konferencja prasowa. Natychmiast do łóżka, ale już! Bo zlecę lewatywę, a tam pani nikt nie będzie mógł zakłócać spokoju.

Anna posłusznie położyła się na łóżku. Goście szybko wyszli z sali, zapanowała cisza. Anna nawet nie wiedziała, że cisza może boleć.

Rozdział 37

Anna czuła się jak nowo narodzona. Stanęła na progu szpitala. Odmieniona. Bogatsza w przeszłość, która przestała być dla niej tajemnicą, a może dopiero zaczęła nią być. Właśnie miała zmierzać w kierunku postoju, kiedy zauważyła mężczyznę idącego w jej stronę.

– Przyjechałem do pani, pani Anno, i mam odwieźć panią do domu.

Anna, podekscytowana, nie zwróciła szczególnej uwagi na mężczyznę. Ważne, że za chwilę znajdzie się w domu. Kiedy dojeżdżali do osiedla, chciała mu podziękować. Spojrzała i zmartwiała. Znowu ta łza. Mężczyzna jednak szybko pożegnał się i odjechał. W drzwiach mieszkania rzucił jej się w ramiona syn:

– Mama!!! – i zapomniała o całym świecie.

Wyrwał ją z euforii miękki, ciepły, ale jakże znajomy głos:

– Może jednak zamkniesz drzwi? – w drzwiach pokoju stał Jovan. Podszedł do Anny i pomógł jej się rozebrać. Anna stanęła jak wryta, bo cały pokój tonął w kwiatach. Stały wszędzie. Jovan popatrzył na Annę i powiedział.

– To niestety nie ode mnie, ale od rodzin dziewcząt, które pomogłaś uratować.

– Pomogliśmy, Jovanie, pomogliśmy – powiedziała Anna.

– Ale i ja mam coś dla ciebie – powiedział i wyjął z kieszeni małe zawiniątko. Kiedy je rozpakował, Anna zobaczyła pierścionek, który wyglądał na bardzo stary.

– Co to jest? – spytała Anna.

– Dostałem go od swojej matki, która powiedziała, żebym ofiarował to kiedyś wyłącznie tej osobie, którą wybierze moje serce. Teraz wiem już, dla kogo był przeznaczony, a na pewno matka gdzieś tam patrzy na ciebie i uśmiecha się, bo wie, że jesteś właśnie tą osobą, której kazała go ofiarować. Ten pierścionek to stara rodowa pamiątka i tylko ona mi pozostała po tym, jak musiałem uciekać z kraju. Wiesz o tym, że jestem uzależniony od grania i kiedy chciałem go sprzedać, zawsze śniła mi się matka i nazajutrz znajdowało się rozwiązanie problemu. To tak, jakby strzegła go dla ciebie. Przyjmij go, proszę. Zresztą nadal nade mną czuwa, bo tydzień temu dowiedziałem się, że ktoś z Włoch przysłał ogromną kwotę pieniędzy i spłacił moje długi, a nawet sporo jeszcze zostało.

– Myślę, Jovanie, że jest jeszcze jedna matka, którą ktoś, i to niejedna osoba, poprosił, żeby nad tobą czuwała.

Anna wyjęła z torby obrazek, który dostała od starszej kobiety w szpitalu. – To jest właśnie ta matka, Jovanie.

– Co to jest? – spytał Jovan, zaskoczony słowami Anny.

– Zaraz ci wszystko opowiem, tylko chyba trzeba Alana położyć do łóżka, bo dywan to nie jest dla niego najlepsze miejsce do spania.

Jovan popatrzył na środek pokoju i zobaczył małego, który zmęczony wrażeniami i dniem po prostu smacznie spał na środku pokoju, na dywanie. Położyli syna do łóżka i usiedli w pokoju. Tyle mieli sobie do powiedzenia i to nie tylko słowami.

Rano Anna obudziła się i chciała coś powiedzieć Jovanowi, ale łóżko było puste. Obeszła całe mieszkanie, nigdzie go nie było. Tylko na stole w kuchni leżała kartka, napisana pismem Jovana.

Nie chciałem Cię budzić, bo tak słodko wyglądałaś, jak spałaś, zabiorę ten obraz Ciebie śpiącej ze sobą. Nie chciałem Cię wczoraj martwić, taka byłaś szczęśliwa. Nie mogłem burzyć Twojego szczęścia, mówiąc, że rano mnie już nie będzie. Niestety, mój pobyt tutaj wiązałby się dla Was z dużym niebezpieczeństwem i dlatego muszę wyjechać. Ta sprawa jeszcze nie jest zamknięta i kiedy byłbym z Wami, możliwe, że przeze mnie namierzyliby i Was.

Anna nie była w stanie czytać dalej, łzy same napłynęły jej do oczu. Poczuła na palcu pierścionek, który dostała od Jovana. Długo patrzyła na niego. „Obiecuję ci Jovanie, że będę go strzegła tak, jak on strzegł ciebie, i dam go kiedyś małemu z takim samym przesłaniem, jakie ty dostałeś od matki. Gdziekolwiek jesteś, Jovanie, i cokolwiek się będzie działo z tobą, wiedz, że czekamy...” – pomyślała Anna.

– Mamusiu, dlaczego płaczesz? – w drzwiach stał zaspany Alan. Anna nic nie odpowiedziała, tylko przytuliła do siebie małego. To przecież był jeszcze jeden skarb, który kiedyś dostała od Jovana.

Anna zabrała się do sprzątania pokoju po wczorajszym wieczorze. Kiedy już uporała się z kwiatami i pokój wreszcie przypominał mieszkanie, usiadła zmęczona wrażeniami i wczorajszym dniem. Jej uwagę zwrócił obraz, który zapewne Jovan postawił na regale. Zastanowiło ją, dlaczego stoi tyłem. „Aha, to chyba po to, żeby nie podglądała” – pomyślała i sama się uśmiechnęła do tego, co wymyśliła. Popatrzyła na obraz i powiedziała: „Dziękuję ci, dziękuję za wszystko, pilnuj tylko Jovana”. Zastanowiło ją, gdzie podziali się rodzice. Przecież powinni być w domu, a zniknęli. Z rozmyślań wyrwał ją dzwonek do drzwi. To rodzice.

– I jak się czujesz? A gdzie Jovan? – zapytała mama.

– Musiał wyjechać – odpowiedziała Anna.

– No tak, jak zwykle – odparła mama z sarkazmem w głosie. – Na co ci taki korespondencyjny chłop?

– Wiesz mamo, życie układa się nam nie zawsze tak, jak chcemy – skomentowała Anna. – A wy gdzie się podziewaliście całą noc? Tylko nie mów mi, że ty też przypomniałaś sobie z ojcem młode lata i szaleliście.

– Tak, szaleliśmy, ale w hotelu – wyjaśniła mama. – Nie chcieliśmy wam przeszkadzać. Ale ja nie o tym. Postanowiliśmy z ojcem, że musisz kilka dni odpocząć i pozałatwiać swoje sprawy, a masz ich troszkę. Zabieramy Alana na kilka dni do siebie.

– Ale mamo...

– Nie protestuj, mały jest już spakowany, a my musimy już jechać, bo sama wiesz, ile się jedzie, a i ojciec też nie jest takim wprawnym kierowcą.

Alana, który wszystko słyszał, właśnie stanął w drzwiach pokoju ubrany do wyjścia. Anna była w szoku. Nie poznawała syna. Przecież do niedawna jeszcze wszystko musiała robić za niego, a teraz sam się ubrał, no, może niekoniecznie zgadzały się guziki z dziurkami w kurtce, no i buty były raczej bardziej zaplątane w sznurówki niż zawiązane, ale... „No tak, to znowu sprawka Jovana, tylko jak on opanował małego w tak krótkim czasie" – pomyślała Anna.

Kiedy rodzice z małym wyszli, Anna usiadła w pokoju zdezorientowana. To wszystko działo się tak szybko. Znowu z zamyślenia wyrwał ją dzwonek do drzwi. „Na pewno czegoś zapomnieli" – pomyślała Anna i podreptała do drzwi. W drzwiach stała Ada.

– Dzień dobry, pani dyrektor – z uśmiechem przywitała się Ada.

– Jaka dyrektor? Co ty wygadujesz? Gorzej ci? – zapytała zaskoczona Anna.

– Widziałam na dole twoich rodziców i Alana, jak odjeżdżali autem – powiedziała Ada.

– Tak, zabrali Alana do siebie na kilka dni – odpowiedziała Anna.

– No dobra, właź i mów, co ciebie tu przygnało? – dodała.

Usiadły w pokoju, a dookoła unosił się aromat świeżo parzonej kawy. Ada wyjęła z torby butelkę wina.

– Wiesz, nie wiedziałam, czy ci wolno, ale lekarz powiedział, że troszkę nie zaszkodzi, to przyniosłam takie troszkę.

– Ada… – powiedziała Anna.

– No dooobra, dobra – odparła Ada. – Na pewno jesteś ciekawa, co działo się w biurze, kiedy padłaś jak rażona piorunem.

– No… opowiadaj – Anna była ciekawa.

– Jak padłaś, to panowie wpadli w taką panikę, że tajfun chyba by wyrządził mniejsze szkody niż oni. Najpierw wszyscy rzucili się ciebie ratować. No i Jovan przez to przywalił dyrektorowi i podbił mu oko… Ale on ma porywczy charakter. Czy w łóżku też jest taki? – zapytała Ada.

– Ada… – próbowała ją przywołać do porządku Anna.

– No doobra, wezwali w końcu karetkę i zabrali was oboje.

– Jak to oboje? – spytała zaciekawiona Anna.

– No ciebie i szefa, bo okazało się, że Jovan wcale nie jest takim ułomkiem. Zazdroszczę ci takiego faceta, bo mnie zawsze trafiały się same zniewieściałe wymoczki.

– Ada... – Anna przerwała Adzie te osobiste wycieczki, ale w duchu była dumna z Jovana.

– Potem nastąpił całkowity armagedon w biurze. Panowie pokłócili się o ciebie i chyba zapomnieli, że ja też tam jestem, i dopiero, kiedy wymienili już chyba wszystkie najstarsze zawody świata w wersji podwórkowej, to po paru minutach raczyli mnie zauważyć i troszkę im się zrobiło głupio. Uspokoili się, ale miałam wrażenie, że wystarczyłaby iskra i znowu zaczęłaby się kolejna wojna światowa, tylko taka w wersji minibiurowej. W sumie ustalili, że nie masz wielkiego, a praktycznie żadnego doświadczenia w administracji i pozostawienie ciebie na stanowisku szefa to byłaby porażka, bo starzy wyjadacze biurowi by cię szybko zagryźli albo zrobili w konia. Ale ponieważ masz wykształcenie muzyczne i jesteś obyta w świecie kultury, a u nas kultura to czarna dziura, którą dorywczo zajmowały się przypadkowe osoby, to po twoim powrocie powstanie samodzielna jednostka, której jesteś już dyrektorką. Tylko sama to sobie od podstaw będziesz musiała zorganizować. Wiesz to nieoficjalnie, bo oficjalnie nominację dostaniesz, jak wrócisz – powiedziała Ada.

– No dobra, to kto zastąpił szefa? – Anna była zaciekawiona.

– Wiesz, Aniu, wiele ci zawdzięczam, a teraz jeszcze więcej... – Ada robiła uniki w odpowiedzi.

– Chyba nie ty? – zapytała Anna.

– No właśnie ja! – z zażenowaniem odpowiedziała Ada.

– Czyli teraz jesteś moją szefową? – Anna zapytała z zaciekawieniem.

– Właśnie, że nie – odparła Ada. – Twoja jednostka jest odrębną strukturą i nasze stanowiska są równorzędne – wyjaśniła Ada.

– Czyli obydwie poszłyśmy „w dyrektory"? – zapytała Anna.

– Tak, ale ja dzięki tobie, Aniu.

– Jak to, dzięki mnie? – Anna była zaskoczona.

– No bo kiedy zmusili mnie do tego, żeby ciebie namówić do pracy w urzędzie, nie miałam najmniejszego pojęcia, jak poważna to jest sprawa. Myślałam, że szefowi spodobałaś się jako kobieta. No wiesz, on jest straszny „pies na baby". Zresztą, ze mną też próbował, ale chyba nie lubi za bardzo takich kobiet jak ja, a nawet ich się boi, bo dał mi spokój. Mam nadzieję, Aniu, że nie gniewasz się na mnie, że cię nie uprzedziłam, ale jakby mi powiedziano, o co chodzi, to by się nie udało.

– Nie, nie gniewam się na ciebie, Ado, choć wtedy w pokoju chciałam cię zamordować i wcale nie wiem, jak by się to skończyło, gdyby ich nie było tam tylu.

W tym momencie obie zauważyły, że właśnie skończyła się ta „odrobina wina". – No dobra, Aniu – Ada wstała od stołu. – Muszę uciekać, wracam do biura, a ty wracaj szybko do nas, czekamy na ciebie.

Kiedy panie żegnały się w przedpokoju, znowu zadzwonił dzwonek do drzwi.

– Kogo tam znowu przyniosło? – Ania powiedziała do Ady. – Otwórz, proszę.

W drzwiach stał kurier.

– Czy pani Anna? – i tu wymienił nazwisko, patrząc na Adę.

– Nie, to ta pani – odpowiedziała Ada.

– Mam przesyłkę z Anglii dla pani Anny, tylko proszę tu pokwitować.

Anna podpisała podsunięty jej dokument. Kurier natychmiast podziękował i zniknął. Dziewczyny podekscytowane oglądały dużą kopertę.

– To z Londynu, tylko dlaczego z jakiejś kancelarii prawnej? – zapytała na głos Anna.

– Otwórz, to się dowiemy.

Obie wróciły do pokoju. Anna niecierpliwie otworzyła kopertę, z której wypadł bilet lotniczy i kartka zapisana pismem maszynowym.

Szanowna Pani Anna Kowalska.

Mamy zaszczyt powiadomić, że jako Kancelaria Prawna „David McLean" zostaliśmy upoważnieni na mocy testamentu Pana Petera... do wykonania jego zapisów NIEZWŁOCZNIE. *W treści zapisów została Pani beneficjentką jego części, dlatego prosimy o jak najszybsze, o ile okoliczności na to pozwolą, przybycie do naszej Kancelarii celem omówienia szczegółów. Dla ułatwienia załączyliśmy bilet lotniczy, prosimy tylko zwrócić się do przedstawiciela linii lotniczej celem jego aktywowania i ustalenia daty odlotu z Polski. W razie pytań prosimy dzwonić pod wskazany numer. Z poważaniem*

David McLean

Anna patrzyła z niedowierzaniem to na Adę, to na pismo. Jaki testament, przecież jeszcze niedawno w szpitalu widziała Petera żywego.

– Ty wiesz coś na ten temat, Ado? – zapytała.

– Tak, Aniu, ale nie chciałam ci o tym mówić. Skoro jednak już wiesz, to lepiej, jeśli dowiesz się tego ode mnie. Kiedy Peter przywiózł tę bandę do szpitala i potem wrócił „na chwilę" do hotelu, cały autokar czekał na dole, ale kiedy po pół godzinie nie wracał, ktoś poszedł to sprawdzić i razem z obsługą hotelu weszli do pokoju Petera, bo nie odpowiadał na pukanie. Petera znaleźli w pokoju. To był atak serca. To stało się tak nagle. Kiedy w pokoju pojawiło się pogotowie, mężczyzna trzymał jeszcze w dłoni telefon, a na stoliku nocnym rozsypane były tabletki. Próbował się ratować.

Anna patrzyła na Adę z niedowierzaniem i jednocześnie pytaniem w oczach, w których pojawiły się łzy.

– Masz jeszcze chwilkę? – łamiącym głosem zapytała Anna.

– W tej sytuacji, oczywiście, Aniu, co chcesz zrobić?

– Muszę natychmiast zadzwonić do tej kancelarii.

Anna wzięła telefon i drżącymi rękoma wybierała numer. Czas zamieniał się w wieczność, kiedy czekała na połączenie. Nagle w słuchawce odezwał się męski głos:

– Dzień dobry, nazywam się Anna Kowalska, otrzymałam od państwa przesyłkę w sprawie spadku pana Petera...

Głos w słuchawce przerwał jej jednak.

– Tak, wiem, miło mi panią słyszeć. Nazywam się David McLean, adwokat Petera – przedstawił się mężczyzna po drugiej stronie słuchawki.– Pewnie wie już pani, co stało się z Peterem... – zapytał.

– Tak. Otrzymałam informację od swojej przyjaciółki – odpowiedziała.

– Przykro mi. Był naszym najlepszym przyjacielem. Zdeponował testament, w którym pani jest uwzględniona, a konkretnie dziedziczy pani... dwa miliony funtów. Pomimo że, jak mi wiadomo, był w ciężkim stanie, kiedy był jeszcze przytomny, nakazał natychmiastowe wykonanie testamentu. Część tych pieniędzy to należne pani tantiemy za twórczość artystyczną. Chciałbym spotkać się z panią w tej sprawie. Poza tym są tu jeszcze inne dokumenty zdeponowane dla pani, ale wolałbym o nich powiedzieć osobiście. Potrzebne są tu pani decyzje.

Anna nie mogła uwierzyć. Nie wiedziała, czy powinna się cieszyć, czy płakać.

– Kiedy mam przylecieć do Londynu? – opanowała się z trudem.

– Najszybciej jak to możliwe – powiedział. – Ponieważ pani dzwoni, rozumiem, że otrzymała pani naszą przesyłkę, tam jest bilet, proszę postępować zgodnie z instrukcjami.

– Oczywiście – odpowiedziała Anna. – Zjawię się jak najszybciej.

– Do widzenia, pani Anno.

Anna odłożyła słuchawkę i popatrzyła na Adę, która stała z wielkimi znakami zapytania w oczach.

– Muszę jak najszybciej lecieć do Londynu – powiedziała. – Peter zrobił jakieś zapisy w testamencie. Ado, umiesz trzymać język za zębami? Bo nie wiem, czy mogę ci zaufać – powiedziała Anna, mrugając porozumiewawczo.

– Przecież przeprosiłam cię za tamto, wiesz, że nie miałam wyjścia – odpowiedziała Ada.

– Dobra, żartowałam, Aduniu. Peter zostawił mi dwa miliony funtów i jakieś papiery.

Ada patrzyła na Annę, jakby właśnie zobaczyła stojącego naprzeciwko ufoludka.

– Ale masz minę, Ada – roześmiała się Anna.

– A dziwisz się? – spytała Ada.

– No nie, zresztą pewnie sama niewiele lepiej wyglądam.

– O Aniu, byłabym zapomniała, mam coś jeszcze dla ciebie. Musisz o tym wiedzieć.

Ada wyjęła z torebki płytę DVD.

– Co to jest? – Anna nie kryła zdziwienia.

– Masz odtwarzacz?

– Mam – odparła Anna.

– To lepiej sama zobacz. Kiedy byłaś w szpitalu, stało się jeszcze coś, a to nagranie dostałam od znajomego z telewizji, to fragment wiadomości. Muszę już lecieć, Aniu. Do zobaczenia.

Anna niecierpliwie włączyła odtwarzacz. Na ekranie zobaczyła dobrze znane „Wiadomości".

„O co chodziło Adzie? Jakieś niedokończone autostrady"– zastanawiała się Anna. Właśnie zdegustowana miała wyłączyć odtwarzacz, kiedy zaczęła się kolejna wiadomość. Stanęła jak wryta. Na ekranie zobaczyła plac Zamkowy i karetkę, która zabierała jakiegoś mężczyznę. Tak, nie miała wątpliwości, tym mężczyzną był znajomy klaun. Przez ułamek sekundy widziała zbliżenie jego twarzy, miała wrażenie, że patrzy na nią z wyrzutem. Ponownie cofnęła do początku i wsłuchała się w słowa:

„Dziś rano na placu Zamkowym grupa zwyrodniałych wyrostków ciężko skatowała mężczyznę w przebraniu klauna. Zastanawiające są motywy, jakimi się kierowali, bo mężczyzna widywany tam od dawna nigdy nie był agresywny i nie dawał żadnych powodów do takiego bestialskiego zachowania. Jak się dowiedzieliśmy, przebywa w szpitalu w stanie krytycznym. Zresztą jest z nami lekarz, który zabierał pobitego mężczyznę:

– Jak już pan wspomniał, panie redaktorze, stan skatowanego mężczyzny jest krytyczny i ma nikłe szanse na to, że przeżyje, chyba że zdarzy się cud, choć mnie jako lekarzowi nie wypada takich słów mówić. W tej chwili policja poszukuje świadków tego zdarzenia. Sprawcy do tej pory nie są znani".

Anna popatrzyła na obraz ze szpitala.

– Słyszałaś, potrzebny jest tylko cud – powiedziała w stronę obrazu. Wyłączyła odtwarzacz. To, co nastąpiło potem w mieszkaniu Anny, przypominało przejście wszystkich żywiołów świata. – Gdzie jest ten cholerny zeszyt, który dał mi Alan wtedy na lotnisku? Żebym miała poprzestawiać ściany, i tak go znajdę – powtarzała, wywracając mieszkanie do góry nogami.

– JEEST! – z okrzykiem radości Anna dopadła poszukiwanego kajetu, który leżał na wierzchu na regale przywalony rzeczami, które Anna przywiozła ze szpitala. Usiadła przy stole, niecierpliwie otworzyła dość gruby zeszyt, prawie cały zapisany drobnym maczkiem. Ze środka wypadła kartka:

Jeśli czytasz tę kartkę, to znaczy, że jesteś właścicielką mojego życiorysu. Starałem się opisać tu kilka znaczniejszych zdarzeń, aby nie znikły w zapomnieniu z mojej pamięci. Początkowo miałem nikomu o tym nie mówić, jednak kiedy poznałem Twoją historię, kiedy usiadłaś przy mnie na schodach i wywrzeszczałaś ją, winiąc mnie za całe zło świata, stwierdziłem, że Twoja jest daleko dotkliwsza i właśnie Ty powinnaś stać się właścicielką tych historii, a co za tym idzie, mojej przeszłości. Tobie zostawiam decyzję, co z tym zrobisz, masz pełne prawa do tych historii.

Jest jeszcze coś. Istnieje kilka napisanych przeze mnie grafomańskich utworów, które nazwałem wierszami. Mają je tylko osoby, których one dotyczą, i dopiero one stanowią całość. Mam nadzieję, że oddając Ci syna na lotnisku, mogłem choć na chwilę wywołać radość na twojej twarzy.

Anna delikatnie odłożyła kartkę i wzięła do ręki zeszyt. Na pierwszej stronie starannie wykaligrafowano słowa: *Cokolwiek uczynisz najmniejszemu z Braci moich, mnie uczyniłeś, tedy pamiętaj, po wielekroć zwrócone Ci będzie...*

Powoli przekartkowała zeszyt, było tam kilka oddzielnych historii, które jednak łączyły się ze sobą. Anna na chwilę odłożyła zeszyt i bezwiednie wzięła z biurka kartkę i długopis i zaczęła pisać. Tak dawno tego nie robiła, jednak słowa same układały się równym pismem na kartce. Sama nawet nie wiedziała, kiedy ułożyły się w wiersz.

ŁZA PRZESZŁOŚCI

Czy znasz Klauna? Tak, tego, który nas wszystkich rozśmieszał w Cyrku.
Wczoraj spotkałam go u stóp kolumny Króla Zygmunta,
siedział jakiś taki smutny, zamyślony.
Kiedy go mijałam, popatrzył na mnie szklistymi oczami,
a na policzku jego skrzyła się łza, niczym diament.
Patrzył się na mnie, nic nie mówiąc, wysłuchał i dał mi serce.
Jak ciężko mu musiało być śmieszyć innych przez własne łzy...
Dziś poszłam tam znowu,
chciałam go spotkać i zapytać,
ale w miejscu, gdzie go widziałam, nikogo nie było,
i tylko na stopniach kolumny skrzyła się kropla rosy,
taka sama, jak łza na jego policzku.
Ta łza,
ta mała samotna łza
tak wiele mówiła...

...dziś w Wiadomościach widziałam, jak zabierano z ulicy człowieka,

żył,
ale był jakiś taki nieobecny...
kiedy pokazano jego twarz, poznałam Klauna znad rzeki.
I znowu widziałam jego oczy na ekranie telewizora,
tak jakby patrzył na mnie i mówił bez słów:

POWIEDZ INNYM, ŻE OBOK NAS ŻYJĄ LUDZIE, KTÓRZY ŚMIESZĄ INNYCH PRZEZ WŁASNE ŁZY...
POWIEDZ TO INNYM, PROSZĘ...
I tylko na jego policzku w niebieskich światłach migotała łza...
Ta łza,
samotna łza...

ALE NIE MARTW SIĘ, KLAUN DALEJ ŚMIESZY CIEBIE I INNYCH – ON JEST SILNY!!!!
PRZYKOP WIĘC MU ZNOWU, BO KOMUŚ TRZEBA DOKOPAĆ ZA SWOJE NIEPOWODZENIA. A ON? NO CÓŻ, TO TYLKO KLAUN.

Położyła się na łóżku i zaczęła czytać historie z zeszytu.

Rano obudziło ją natarczywe dzwonienie do drzwi. „A niech sobie dzwoni" – pomyślała Anna i poczłapała rozespana do kuchni zrobić kawę. Zupełnie nie miała dziś nastroju na przyjmowanie gości. Wróciła z kawą i zaczęła dalej czytać historie z zeszytu. – Cokolwiek się z tobą stanie, obiecuję tobie i sobie, że nie zapomnę o tych historiach i o tym, jak wtedy mi pomogłeś – powiedziała do siebie.

Rozdział 38

W samolocie zawsze zajmowała miejsce w środkowej części. Tym razem usiadła przy oknie w strefie z dopłatą. Patrzyła, jak samolot przebija się przez chmury. Myślała o latach spędzonych z Peterem. „Ty draniu – myślała. – Nie wiem, czy mam cię kochać, czy nienawidzić. Dbałeś o mnie, ale też bardzo zawiodłeś. Nie powinnam przyjąć od ciebie choćby jednego funta, słyszysz mnie? Czuła, że tutaj, nad chmurami, jakoś bliżej jej do Petera. Miała nadzieję, że ją słyszy. Oddam te pieniądze dla potrzebujących. Chociaż wiesz co? Może raz w życiu będę egoistką i zostawię wszystko dla siebie? Zbuduję sobie wymarzony dom z widokiem na morze i będę robić to, o co kiedyś byłeś zazdrosny. Będę tworzyć, nagrywać płyty, grać w filmach i pisać książki. Nic jednak nie zwróci mi utraconej młodości. To moja rekompensata". „Przynajmniej będziesz miała o czym książki pisać" – usłyszała w duchu. Nie była pewna, czy powiedziała to sama do siebie, czy głos pochodził z innego wymiaru. Rzeczywiście wiele doświadczyła i czuła potrzebę pisania. Przypomniał się jej moment, kiedy Jovan zatrzymał auto i powiedział: „Wyrzuć te brudne pieniądze Petera".

Weszła do biura pana McLeana na czterdziestym piętrze wieżowca na Canary Wharf.

– Witam panią, proszę usiąść. Napije się pani kawy?

– Dziękuję. Chętnie – odpowiedziała.

– Peter był naszym oddanym i zaufanym partnerem. Prowadził potężną firmę z wieloletnią tradycją. Widać jest pani dla niego osobą bliską, skoro uwzględnił panią w testamencie. Większość przekazał swojej rodzinie – dzieciom...

„To Peter miał dzieci?" – pomyślała w duchu. Siedziała jednak niewzruszona.

– Przekazał pani dwa miliony funtów. Od dziś jest też pani prezesem i właścicielką jednej z jego firm-córek. Ponieważ jednak do tej pory pani nie miała pojęcia o istnieniu tej firmy ani o tym, czym się zajmuje, ustanowił moją kancelarię pani pełnomocnikiem. Innymi słowy, nie musi się pani zupełnie niczym martwić i na niczym znać, o ile nie będzie pani miała na to ochoty. Wszystkie należne pani wpływy i dywidendy będą przekazywane za moim pośrednictwem na wskazane przez panią konto. Jednak dwa razy w roku będzie pani musiała być obecna na posiedzeniu zarządu firmy, tutaj w Londynie. Zaraz dopełnimy wszystkich formalności. O ile zechce pani odwiedzić swoją firmę, to jestem do pani dyspozycji.

Adwokat podsunął jej wcześniej przygotowane dokumenty do podpisania. Podpisywała wszystko mechanicznie. David McLean wstał i uścisnął dłoń Anny.

– Miło mi poznać tak uroczą panią właścicielkę i prezes naszej firmy.

– Myślę, że jeszcze dziś nie jestem gotowa, żeby odwiedzić firmę i stanąć przed pracownikami. Zresztą mało wiem na ten temat, a własciwie nic o niej nie wiem, nawet nie znam nazwy.

– To duży Dom Wydawniczo-Produkcyjny. Praktycznie w większości współprodukujący i współfinansujący znaczniejsze koprodukcje amerykańskie. Główna siedziba jest tutaj, w Londynie. Posiadamy jednak oddziały w kilku miastach w Europie. Wszędzie tam, gdzie istnieją albo istniały silne ośrodki filmowe. W Polsce jest oddział w Warszawie – powiedział McLean, wertując grubą teczkę, które wyjął z sejfu.

Anna, patrząc przez jego ramię, zauważyła nazwę warszawskiego oddziału. Z nieukrywaną satysfakcją spostrzegła, że to ta sama firma, która tak niemiło potraktowała jej starania o to, żeby zaistnieć w świecie filmu.

– Myślę, panie mecenasie, że mam na dziś dosyć wrażeń. Pozwoli pan, że poprzestaniemy na tym na dzisiaj.

– Oczywiście, pani Anno, rozumiem. Chciałbym jednak przekazać pani jeszcze jedną wiadomość. Nasza kancelaria otrzymała dość pokaźną kwotę na pani rzecz od jednej z poważnych instytucji rządowych. Peter wspominał mi, że ma pani zamiar napisać i wydać książkę, zdeponował więc pieniądze i powinny pokryć w całości wszelkie koszta jej wydania i ewentualnej ekranizacji. Kwota jest zdeponowana w jednym z najlepszych funduszy inwestycyjnych na świecie i praktycznie cały czas rośnie. Pani ma absolutną wyłączność w dysponowaniu nią, sugeruję jednak, żeby, dopóki nie podejmie pani ostatecznej decyzji co do książki, nie podejmować żadnych nieprzemyślanych i nieuzgodnionych ze mną decyzji.

– To mogę panu obiecać – odpowiedziała Anna.

Anna nie mogła uwierzyć w to, co usłyszała: dwa miliony funtów, własna firma o ogromnych dochodach i pieniądze na wydanie i ekranizację książki, której jeszcze nie ma. W najśmielszych snach nie mogła pomyśleć, że spełniają się jej najskrytsze pragnienia. To wszystko było jak sen, z którego Anna nie chciała się obudzić. Weszła do wieżowca z niczym, a wyszła bogatsza o dwa miliony funtów i własną firmę. Spojrzała na Londyn jeszcze raz.

– Miałeś rację, Peter. Życie jest piękne. Trzeba z niego korzystać. W końcu nadeszły dla mnie lepsze czasy – powiedziała na głos.

List Petera, jaki otrzymała od McLeana, otworzyła dopiero, kiedy samolot wzbił się w powietrze. Odpięła pas i zaczęła czytać, a potem czytała bez końca do momentu, kiedy poczuła, jak samolot wysuwa podwozie.

Droga Anno, dziękuję Ci za te wszystkie lata. Mam nadzieję, że mi wybaczysz. O nic więcej Cię nie proszę, tylko o wybaczenie. Nigdy do końca mnie nie poznałaś, bo nie pozwoliłem Ci na to. Byłaś dla mnie najważniejsza, jedyna. Jednak pojawiłaś się w moim życiu zbyt późno. Życie potoczyłoby się innym torem. Marzyłem, żeby żyć z Tobą na co dzień, ale nie mogłem. Zbyt wiele bym stracił, co nie byłoby korzystne również dla Ciebie. Nawet nie wiesz, jak bardzo cieszyłem się z każdego spotkania. Byłaś miłością mojego życia. Moim aniołem stróżem. Kocham Cię najmocniej, jak to możliwe. Pamiętaj, że jesteś piękną i silną kobietą. Udowodniłaś, że nie warto się w życiu poddawać. Może nie uwierzysz, ale od Ciebie czerpałem inspirację. Wybacz mi to, jak Cię traktowałem, ale w ten sposób chciałem uchronić Cię przed błędami. Mam nadzieję, że pozostanę w Twoim sercu na zawsze, tak jak Ty na zawsze pozostaniesz w moim. Wybacz mi. Twój Peter.

„Byłeś wyjątkowo słodkim skurwysynem, Peter" – pomyślała Anna i z nadmiaru wrażeń po prostu zasnęła. Obudziła się dopiero, kiedy samolot lądował na warszawskim lotnisku.

Nastała jesień. Anna wyglądała przez okno zaprojektowanego przez siebie domu. Siedziała niewzruszona, patrząc, jak liście wirują na wietrze i spadają do jej ogrodu. Miała pustkę w głowie, starając się pozbierać wszystko w jakąś logiczną całość. Zaczęło mocno wiać. Zamknęła okno. Wypiła łyk kawy i powoli zaczęła zapełniać pustą kartkę na monitorze:

Dla tych, przez których straciłam tak wiele, z podziękowaniem za to, co dzięki nim zyskałam.

Spis treści

Projekt okładki
Vavoq (Wojciech Wawoczny)

Zdjęcie wykorzystane na pierwszej stronie okładki
(c) Oleg Gekman/Shutterstock

Zdjęcie wykorzystane na skrzydełku okładki
Edward Warowny

Redakcja
Elżbieta Morawska

Korekta
Katarzyna Borzęcka, Aleksandra Kiełczykowska

Skład i łamanie
Akant

ISBN 978-83-64378-25-6
Warszawa 2015
Wydanie I

MELANŻ

ul. Rajskich Ptaków 50, 02-816 Warszawa
+48 602 293 363
wydawnictwo@melanz.com.pl
www.melanz.com.pl